D0625947

Celui qui vient d'ailleurs, L'INNOCENT

OUVRAGES DU MÊME AUTEUR

Mission et Unité. Les exigences de la communion, Paris, Cerf, 1960.

L'Esprit de l'Orthodoxie grecque et russe, Paris, Fayard, 1961.

Le Christ et l'Église. Théologie du mystère, Paris, Le Centurion, 1963.

Mission et Pauvreté. L'heure de la mission mondiale (avec Mgr Mercier), Paris, Le Centurion, 1964.

L'Église en marche (avec G. Lafont), Paris, Descléee De Brouwer, 1964.

Évangile et Révolution (avec Jean Bosc et Olivier Clément), Paris, Le Centurion, 1968.

Le Visage du Ressuscité, Paris, Éditions ouvrières, 1968.

Le Mystère du Père, Paris, Fayard, 1973.

Avec direction de la collaboration :

Dialogue œcuménique, Paris, Fleurus, 1962.

Le Mystère d'Unité.
t. 1. *Découverte de l'œcuménisme.*
t. 2. *L'Église en plénitude,* Paris, Desclée De Brouwer, 1962.

Les Témoins sont parmi nous, Paris, Fayard, 1975.

La Condamnation de Lamennais. Dossier présenté par M.-J. Le Guillou et L. Le Guillou, Paris, Beauchesne, 1982.

ISBN 2-204-01965-8
ISSN 0293-3985

M.-J. LE GUILLOU

Celui qui vient d'ailleurs L'INNOCENT

LES ÉDITIONS DU CERF
29, boulevard Latour-Maubourg, Paris
1982

Ce Dieu outragé dans l'homme, son refuge

G. BERNANOS

Au pauvre qui m'a donné ce livre

A tous mes frères russes

A tous les petits de ce monde

Avant-propos

Le véritable titre de ce livre, c'est L'INNOCENT.
L'Innocent, sans autre précision.
A cause de l'ambiguïté qui lui est inhérente, ce vocable est à lui seul une provocation.
Une provocation délibérée.
Comme L'IDIOT.
Aussi est-ce sous ce titre, L'INNOCENT, que cet ouvrage a été conçu.
Malheureusement, au moment de livrer le manuscrit à l'impression, j'ai eu la surprise d'apprendre qu'en 1965 M. Philippe Hériat avait publié un roman déjà intitulé *L'Innocent.*
Un titre quelque peu différent devenait nécessaire.
Sous peine de détruire la signification de l'œuvre entière, il me fallait donc trouver une formule qui gardât au premier plan du titre L'INNOCENT mais qui lui ajoutât une précision susceptible de n'en pas dénaturer le sens.
Tâche difficile entre toutes.
Plusieurs essais me laissèrent insatisfait : *L'Innocent, le paradoxe évangélique ; L'Innocent, scandale de l'Evangile ; L'Innocent, pierre de scandale ; L'Innocent, faiblesse de Dieu ; L'Innocent, folie de Dieu ; L'Innocent, faiblesse et folie de Dieu ; L'Innocent, parole du Père ; L'Innocent à l'agonie ; Celui qui doit mourir, l'Innocent ; Le mystère de l'Innocent.*

Dans tous les cas, l'ajout développait bien tel ou tel aspect du sujet traité dans ce livre, mais il orientait l'esprit dans un sens trop déterminé ou trop limitatif, et, surtout, il atténuait toujours plus ou moins, quand il ne l'évacuait pas, la dimension d'ambiguïté et de paradoxe, essentielle à mon propos.

Finalement, je me suis arrêté à un titre qui, sans le trahir, explicite *dans sa ligne propre* le sens même de L'Innocent :

Celui qui vient d'ailleurs,
L'INNOCENT

Ainsi L'Innocent reste en pleine lumière ; il est même plutôt valorisé par l'expression qui le précède.

Je tiens cependant à répéter que le mot qui évoque pleinement pour moi le mystère de l'Evangile et de la personnalité de Jésus, substance de ce livre, c'est tout simplement :

L'INNOCENT

Le lecteur, j'en suis convaincu, en saisira très vite la raison.

M.-J. LE GUILLOU.

Le chant de l'innocent

1. Le don du pauvre

Ce livre ne m'appartient pas.
Il m'a été donné.
Il m'a été donné par un pauvre.
Un pauvre qui a connu, brisé jusqu'au tréfonds de l'être, le mystère du mal et de l'agonie.
Un pauvre miraculeusement sauvé et transfiguré par le Seigneur.
Un pauvre à qui j'ai écrit pendant de longues, douloureuses et merveilleuses années.
Comme je mettais la main à la rédaction de ce livre, qui avait primitivement pour titre : *Le paradoxe évangélique : Les Béatitudes,* je lui en communiquai spontanément l'inspiration générale et le plan d'ensemble, sollicitant son avis.
Quelques jours plus tard, je reçus la réponse que voici :

En reprenant ces jours-ci vos lettres, qui s'étalent maintenant sur quinze ans, j'ai rencontré quelques thèmes qui y reviennent avec insistance : paradoxe de la Croix, pauvreté, force et faiblesse du Seigneur, enfance, gratuité, Marie et la Croix, le regard, le visage.

Il y a dix ans, vous m'écriviez : « être pris aux entrailles par la misère » et, en vous relisant, un lien m'est apparu entre les « petits » et l'innocence. *Le pauvre est un innocent dans le monde. C'est là le cœur de la charité.* Je ne sais comment vous dire. Il me semble qu'il y a ce lien dans certains romans de Dostoïevski. Il est aussi très fort chez Bernanos. Celui qui aime, qui est établi dans la charité, ne peut être que pauvre, qu'entièrement dépouillé, qu'*innocent,* broyé par le péché du monde. Même le Christ qui était Dieu n'a pas pu nous aimer autrement. Il faudrait que vous développiez cela.

Ces lignes remuaient la fibre la plus secrète de mon cœur. Angoissé par l'urgence où nous étions de manifester aux hommes l'originalité de l'Evangile, son explosive et radicale nouveauté, je réalisais alors — ce que je savais, certes, mais que je ne m'étais jamais explicité à cette profondeur — que le paradoxe des Béatitudes était celui de l'*Innocent.*

L'Innocent, celui qui, totalement dessaisi de lui-même, pur de tout mal, dérange à la jointure des moëlles et de l'esprit, au centre le plus intime de nous-même ; celui qui, une fois rencontré, brise toute tranquillité et rend la vie impossible ! On aura beau colmater les brêches, on le sait — c'est joué d'avance — nos murailles, elles ne tiendront pas ! En présence de l'Innocent, il n'est pas de point d'appui, on est à tout jamais perdu, à moins qu'on ne se confie à lui ; c'est à la vie ou à la mort. Avec lui, on en vient vite à l'irrémédiable ! C'est un gêneur, on le tue !

Oui, dans notre monde, la vérité est toujours une vérité *bafouée,* et tout homme le sait d'instinct.

De l'Innocent, l'humanité a toujours rêvé.

Quelqu'un qui serait d'autant plus responsable du mal pour le porter sur ses épaules qu'il n'y aurait aucune part !

Un pauvre qu'on réduirait à rien par des moqueries et des sarcasmes mais qui, dans son innocence, accepterait d'être brisé à mort pour ses frères.

Le paradoxe perçu par toute l'humanité depuis les origines, il est là tout simple : pour porter *jusqu'au bout* le poids de la bêtise et de la méchanceté des hommes, il faut en être absolument indemne ; pour triompher du mal, si loin qu'il puisse aller, il faut n'avoir avec lui aucune complicité. Et cependant celui que, dans son cœur malade, elle a depuis toujours bercé, l'humanité le vomit.

Etrange mystère : l'Innocent est à la fois le Désiré des nations et le Rejeté !

L'Innocent, le visage du Christ, ce visage d'homme d'une totale transparence au Père, offert *comme le plus petit des petits* — le plus dépossédé de lui-même qui soit — à la tragique malice des hommes. Il révèle dans l'amour, broyé par le péché du monde qu'il porte dans sa chair, le mystère éternel du Dieu trois fois saint.

L'Innocent, la lumière du monde !

2. La nouveauté évangélique

Ce livre m'a été donné. Il n'en est pas cependant qui soit davantage mien. Il porte à son achèvement une longue recherche apostolique, théologique et spirituelle. Il est un essai de réponse à la profonde crise de civilisation qui nous enveloppe de partout, si tragiquement répercutée dans l'Eglise. Dans *Evangile et révolution*, j'ai déjà tenté, avec O. Clément et J. Bosc, de porter un premier diagnostic spirituel sur notre temps. J'aimerais dans cette étude poursuivre et approfondir cette recherche, car il m'apparaît que, de plus en plus, nous sommes appelés à revivre *le scandale de l'Evangile.*

Nous avons à retrouver les perceptions les plus humbles, les plus simples et les plus radicales du mystère chrétien.

Autrefois ces vérités nous étaient transmises vitalement, sans qu'il fût nécessaire de les approfondir pour elles-mêmes ; elles sont, elles seront désormais vérités mortes tant qu'elles n'auront pas été reconquises spirituellement et intellectuellement, portées au degré d'incandescence qui en dévoile l'incomparable attrait.

Nous voilà, en effet, ballotés par une crise de la tradition comme sans doute jamais l'Eglise n'en a connue : discrédit systématique jeté sur les expériences du passé, volonté délibérée de réformer radicalement les structures, transgression consciente des normes juridiques, pressions psychologiques, politique du fait accompli. Ce temps difficile est une invitation à vivre la *tradition évangélique* dans son originalité fondamentale, je veux dire comme réalité *eschatologique*. Là est, en effet, pour nous l'option radicale : retrouver la vérité du mystère du Christ dans le réalisme évangélique le plus provoquant, celui qui est défense crucifiée et béatifiante des pauvres et des humbles. Ce ne sera possible que si nous annonçons comme jamais nous ne l'avons fait *le Royaume qui vient*.

C'est pourquoi ce livre voudrait être :

— un appel aux chrétiens pour que, fidèles à leur vocation, ils redécouvrent comme une brûlure au plus profond de leur être, le radicalisme évangélique ;

— une mise en cause dure et franche des recettes apostoliques frelatées, sans fondement doctrinal, dont il est malheureusement fait de nos jours un si tragique usage ;

— un manifeste théologique qui reflète quelque chose de la provocation divine de *l'Innocent.*

Plus profondément encore, il aimerait jaillir comme *un chant,* le chant de la contestation du monde et de l'homme tout entier par la charité divine, le chant merveilleusement paradoxal de la bénédiction du Père qui ruisselle sur nous pour toujours.

Je voudrais entonner un chant sur le monde,
le chant le plus vieux germé de notre mort,
le chant le plus neuf
et le plus scandaleux,
qu'oreille d'homme ait jamais entendu.

Du cœur de notre nuit
un chant de joie sur des larmes avalées
et qui vous sèchent au milieu de la gorge,
le chant du broyé de souffrances,
rejeté au loin d'un coup de pied,
dans le mépris.

Oh, ce chant de larmes miraculeusement joyeuses
mêlées de sang rouge comme la terre entière,
que tant d'hommes attendent pour se trouver eux-mêmes,
le chant de gloire dansé sur la mort même,
le chant de l'*Innocent.*

PREMIÈRE PARTIE

ENFOUI AU COEUR DU MONDE

1

«Voici l'homme»
(Jn 19, 5)

Au cœur de notre monde moderne, tel un germe insignifiant, l'Innocent a levé.

Il a levé comme un paradoxe.

Au moment où s'incruste dans la conscience collective de l'humanité le mythe de la violence révolutionnaire, voici que pauvre, méprisé et raillé, bafoué et trahi, resurgit l'Innocent.

Visage de lumière, signe de salut au cœur d'un monde de misère !

Etrange et merveilleuse logique de l'amour !

1. Un monde justifié

En contrepoint de l'exaltation révolutionnaire de l'homme, *l'Innocent* fait son entrée royale dans la littérature moderne avec Dostoïevski. Etonnamment présent chez Péguy, il dévoile la plénitude de son mystère avec Bernanos. De quelle lumière d'aurore n'éclaire-t-il pas les œuvres d'André Siniavski et d'Alexandre Soljénitsyne ? Lui seul a fait de ces écrivains des témoins incomparables d'une humanité blessée à mort, prophètes qui ont pénétré de leur regard de feu les crises qui la bouleversent.

L'Innocent, le pauvre qui justifie le monde moderne !

Vous rêvez, direz-vous ! Et vous ironiserez sur l'intérêt trop généreusement accordé à cette paradoxale donnée de la condition humaine ! Mais qu'importe si l'Innocent, qui conteste l'homme au tréfonds de lui-même et qui lui parle en le réduisant au silence, condense en sa personne tout le drame de l'humanité ; oui, qu'importe s'il porte en lui la tension sauvage et sanglante de ce monde, dont il est à la fois la révélation et le mystère ?

Ce ne sont pas les grandes choses qui rendent compte de ce monde, mais bien un pauvre visage d'homme, broyé par la souffrance et la mort, triomphant du mal par la vérité d'un amour aux pieds de tous humilié. L'Innocent rappelle que le *rien* est plus significatif que « l'important », que, sans les riens qui tissent l'histoire des êtres, la vie ne mériterait pas d'être vécue.

Dans notre monde aseptisé, rationalisé, livré à tous les conformismes des modes intellectuelles et littéraires, des mythes pseudo-scientifiques, il est l'imperceptible fantaisie, celle qui décèle l'insidieuse vanité de nos prétentions.

Sans lui notre monde serait un camp de concentration, la chambre à gaz des pauvres !

Il faut qu'apparemment il soit toujours le vaincu, celui qu'on roule, dans tous les sens de ce mot, pour qu'il se manifeste vainqueur d'une totale humilité.

Richesse méconnue du monde, lui dont la gloire est d'être toujours méconnu, il est l'exacte mesure de notre indignité, de notre sottise, de cette bêtise à fleur de peau qui nous rend complices de tous les crimes en nous livrant à l'odieux bavardage des journées vides.

Témoin apparemment ridicule de la valeur irréductible de la personne, du prix infini de ces enfants idiots, de ces fous qu'on voudrait supprimer, il donne sens à l'effroyable gâchis de l'aventure humaine.

Il porte toute misère pour la transfigurer. Pour qui sait comprendre, enchantement du monde ! Il glorifie toutes choses ; il justifie notre univers ! Visage de Dieu ici-bas, il atteste souverainement, comme seuls savent le faire les humbles, l'absurdité d'un monde privé de Dieu.

La souffrance des « innocents » met Dieu en cause, dit-on : « Si les enfants meurent, c'est que Dieu n'existe pas ! ». Mais n'est-ce pas le contraire qui est vrai : si les enfants souffrent, c'est qu'il y a une *béance* au cœur du monde, c'est qu'il y a, mystérieusement mais triomphalement vivant à la racine de ce monde, un Dieu Sauveur !

L'Innocent, lui, sait d'expérience qui est l'enfant. Il est

lui-même l'enfant dont on fait ce qu'on veut, offert sans l'ombre d'une défense à la malice des hommes, celui qu'on saccage, mais que Dieu prend en pitié.

Le Christ a accepté d'être lié à la mort des « saints innocents ». Il *est* tous les innocents broyés par le mal. Nos modernes se récrient : « Nous ne pourrons jamais accepter qu'un seul enfant meure. » Lui, *dans sa chair*, il porte tout ce mal. Innocent engagé dans le péché du monde, il se tourne vers son Père qui, en le justifiant, justifie toutes choses.

L'Innocent, le Serviteur souffrant et ressuscité d'Isaïe !

2. La Parole qui conteste l'homme au cœur

Comme s'il était ambigu, l'Innocent crée spontanément autour de lui le malentendu ! Serait-ce l'indice d'une indigence ? Certes non, mais la simple conséquence de l'absolu d'amour d'où germe notre univers.

Pour tous ceux qui ne se laissent pas contester par lui à la racine d'eux-mêmes, il est incompréhensible. Sur lui, le seul qui soit capable de conduire, par-delà la parole, à la communion silencieuse, à la vérité crucifiée, le monde projette ses ressentiments, ses contradictions, ses ambiguïtés. Incapable de s'ouvrir à la paradoxale qualité de sa lumière, il le méconnaît et le poursuit de ses sarcasmes.

L'accepte-t-on ? Le voilà qui révèle la cohérence et l'harmonie des êtres et des choses, qui nous appelle à communier à sa paix, à sa joie, à sa liberté ! Mais qu'on le récuse, et tout devient mur, monde clos dans son opacité !

Il nous rencontre dans la clarté naissante du Royaume qui vient ; il réfléchit une lumière si originale qu'elle justifie le choix qu'il nous appelle à faire en sa faveur.

L'Innocent juge à l'envers du monde, parce que son point de référence est *en Dieu* : il renverse tout l'ordre des valeurs habituelles, et dès lors il dérange.

Il paraît désadapté à ceux qui ne savent pas voir : son point de stabilité est dans le ciel. Il souffre, parce qu'il n'est pas d'ici-bas, mais *d'ailleurs, d'en-haut*. Sa vocation est d'être seul, à la mesure de l'énorme incompréhension humaine.

Il fait retrouver l'intelligence profonde des choses et des êtres, celle qui trouble parce qu'elle oblige à prendre parti.

Mais qu'on ne comprenne pas par là qu'il vient établir le dialogue — au sens où, avec tant d'équivoque, on l'entend de nos jours ! Il vient faire communier à son mystère, et, à cette seule fin, il préfère dérouter jusqu'au bout. Il fait rupture : il met les hommes en face de leur vérité, il pose les problèmes au niveau où craquent tous les conformismes, il délivre les cœurs en révélant en eux des profondeurs insoupçonnées.

Oui, par tout son être, par toutes ses paroles, par tous ses gestes, l'Innocent institue la rupture. Au cœur même du dialogue, celle-ci est une nécessité pour faire passer à un autre niveau. On raisonne trop souvent comme si nous étions tout d'une pièce ! Par peur, nous refusons de reconnaître la multiplicité des niveaux que nous portons en nous. Quelle crainte en nous de rejoindre cette profondeur qui seule établit la véritable communion entre les êtres, celle où le silence plein de l'amour éclôt et s'épanouit ! L'Innocent, lui, sait n'exister que pour créer cette rupture de plan, qui amène tout l'être, soit à basculer dans l'engagement le plus profond qui soit, soit à se cabrer devant ce qui menace son existence. Il mine le sol des possessions fermes ; il démasque la futilité, il brise en miettes nos fausses sagesses ; il révèle la folie de la sagesse divine. Son rôle est de susciter la liberté, d'être l'insurrection contre les formalismes clos, d'abattre les murailles de tous les totalitarismes. Il ne craint jamais de parler net, de choquer. L'éveil spirituel est à ce prix !

Il ne fait acception de personne. Il n'y a pas pour lui de « grandes personnes », il ne respecte pas les positions acquises, il est libre !

On rit de lui, mais c'est lui qui se rit des gens sérieux. Il est d'un autre monde. Il révèle l'*ordre* de la charité, au sens pascalien du mot ordre. C'est pour cela qu'il dérange, créant le malaise au plus profond ! Il dérange au cœur, au centre de tout. On ne lui pardonne pas d'inviter au *dépassement incessant*. Alors, c'est la curée : A mort ! Et au cœur de ce déshonneur qu'on impose à celui qu'on traîne dans la boue, qu'on calomnie et qu'on traite de fou, mais qui reçoit cette humiliation d'une main amoureuse, lève la joie qui réconcilie avec la vie celui-là même qui l'a tué.

Parce qu'il fait rupture, l'*Innocent révèle !* Il fait achopper pour dégager l'homme des déterminismes, des conformismes sociaux ou religieux ; il est le scandale vivant ! On bute contre lui — il est irréductible, lui qui n'a jamais à s'excuser, il met en cause les hommes à cette profondeur qui est mystère. Il conteste sans humilier, simplement, en décontenançant, en obligeant à retrouver notre vérité la plus profonde. Il nous met devant notre liberté !

Parce qu'il est au-delà de toute malice, l'Innocent déchire les mailles du filet où on veut l'enfermer et nous enfermer, il déjoue les filets de l'oiseleur ; il est toujours au-delà, *en Dieu.* Il est le signe même de la liberté, la protection de cette liberté. Il se confie à tout être qui le reçoit et lui donne alors consistance. Il fait de l'échec la matière même du triomphe. Surpassement de l'échec, ou plutôt dépassement, ouverture par en haut ! Il est la joie indicible du Dieu qui aime les pécheurs et les pauvres pour les transfigurer d'amour.

Qui n'accueille pas en son cœur l'Innocent, et en lui tous les pauvres du monde, ne respecte pas l'homme !

L'Innocent renvoie au jugement, au plus profond de la conscience devant Dieu ; il affole parce qu'il touche au cœur, et, comme cette attitude est insupportable, on le traite d'imposteur ; il compromet parce qu'il atteint trop profond, au point qui fait mal ; il suscite l'indignation, l'incompréhension, le mépris, il connaît la mort dans la honte.

Par lui, quelle provocation à la parole ! A raison du mystère qui l'habite, il est source de parole vraie, celle qui remet le cœur de l'homme en question.

Unité paradoxale de l'être et de la parole !

La parole dans sa vérité jaillit de source chez l'Innocent en raison du déséquilibre où il est dans ce monde.

L'Innocent dit des paroles de miel ! Et pourtant quels mots durs, atroces, mais qui sauvent parce qu'ils sont la chirurgie de la miséricorde ! *Il est Parole.*

Plein d'assurance spirituelle, l'Innocent parle dans un total dévoilement, sans arrière-pensées, il n'a pas de refuge, il n'a pas de lieu de retraite : à découvert devant les hommes, il est prêt à en recevoir tous les coups.

Le Serviteur souffrant, c'est l'éloge par Dieu de l'Innocent !

Il est Parole dans la plénitude du paradoxe. A travers

sa faiblesse parle la puissance de Dieu ! La Vérité n'est jamais donnée à l'homme que dans la souffrance, l'agonie, la mort, ces réalités qui contestent l'homme à la racine ; elle ne nous est offerte que dans le Christ vivant son mystère de Serviteur.

L'Innocent conduit l'homme à sa perte, comme l'amour ! Il lui demande d'être totalement désapproprié, de ne pas se regarder, de « n'être *rien* ». En conduisant l'homme à sa perte, il le sauve.

L'Innocent révèle la Vie, celle qui conteste nos vies

C'est grâce à lui que nous retrouverons dans notre monde l'usage de la Parole !

Il nous faut *parler* aujourd'hui au niveau de profondeur où la consistance de l'homme est dévoilée.

3. La demeure d'amour

L'Innocent, la demeure d'amour cachée par la tragédie du monde mais qui s'ouvre à quiconque cherche ! A celui qui se confie en lui, il découvre l'amour et l'y fait habiter !

Oui, le Christ c'est l'Innocent.

N'a-t-il pas été traité de fou, d'imposteur, de possédé du démon ?

N'a-t-il pas été l'enfant incompris, le pauvre au niveau de la considération humaine, celui qui découvre au cœur de sa pauvreté le regard de son Père, qui, de connivence avec lui, le protège de son amour !

Le Père, Celui qui sauve, garde le démuni, la veuve, l'orphelin !

Le Christ, le Fils protégé comme personne par l'amour de son Père !

La protection suprême du Père : la Croix.

Infinie connivence du Père avec tous les hommes qui acceptent de rencontrer son regard.

Il les comprend, lui, et le seul vœu du cœur de l'homme, c'est cette compréhension infinie qui, le saisissant à la racine de lui-même, le recrée à neuf !

« Voici l'homme » (Jn 19, 5).

L'Agonie de l'Innocent : le cœur du monde !

L'Innocent agonisant dans le monde, révélation de l'Esprit !

En face de lui, ou on rit — et c'est la mort — ou je compatis, happé par son mystère — et la vie s'ouvre devant moi !

Agonie du Christ, réalité fondamentale dont rien ne devrait jamais nous détourner.

La face, l'agonie, elles ne peuvent être données qu'ensemble !

Agonie du Christ en tous ses membres.

L'Innocent, la victime des hommes et leur rachat !

L'Innocent ne prévoit pas le mal, il le subit, horrifié, comme l'enfant au visage atterré par le mal qui s'abat sur lui et qu'il ne comprend pas.

Splendeur des civilisations anciennes, qui reconnaissaient la grandeur du « fou ». Elles ne l'avaient pas rationalisé, réduit, catalogué ! Infiniment fières, elles le portaient avec humilité ! Il était la part de Dieu, le signe d'un dessein mystérieux ; il était l'indice prophétique de l'Innocent.

Aujourd'hui nous voilà dans une crise iconoclaste, comme il n'y en a jamais eu dans l'histoire de l'humanité ! Partout de nos jours les hommes détruisent par l'image leur visage, leur corps, tout leur être ! Ils se défigurent, ce qui est encore la meilleure façon de se tuer.

Il faut retrouver le sens des images : accepter de nommer la figure par excellence, le Christ. Pauvres hommes qu'on gruge, alors qu'ils attendent du plus profond d'eux-mêmes la totale transparence de leur être, comme Moïse, comme Paul !

Le ravi ! Il est *au-delà,* image de l'au-delà.

Une société qui n'intègre pas le pauvre *structuralement* est faussée, viciée à la racine.

Il faut le crier au monde : une société qui rejette l'innocent n'a pas droit au beau nom de société humaine.

Seul l'Amour fait lever l'amitié entre les hommes ! Seul il révèle toute l'épaisseur concrète de la charité !

La défense du pauvre, elle est au niveau de l'Innocent, au niveau de l'amour humilié et blessé à mort. Tous les systèmes sociaux les plus perfectionnés laisseront toujours échapper l'*essentiel,* la liberté de l'Esprit qui, à travers un regard de miséricorde, peut ouvrir en tout être les profondeurs de Dieu !

L'Innocent, c'est le méprisé ; c'est le saint dans son innocence première retrouvée, faisant communier les êtres *par le fond*, quand tous les autres liens ont cédé ou sont coupés.

L'Innocent irrite ceux à qui la sainteté de Dieu ne s'est pas révélée dans l'amour, car n'est alors perçu que le négatif, l'apparence dérisoire, l'écart gênant pour notre raison, sans qu'on mesure le positif : la mise en question de toutes nos valeurs sérieuses.

Retrouver l'innocence de la vie humaine, redonner visage à ce qui est défiguré.

Un visage est d'autant plus visage qu'il est plus innocent !

L'innocence ! être pardonné du péché que l'on sait,
être préservé du péché que l'on sait,
être solidaire du péché.
L'Innocent, c'est le chant
le chant imprévisible,
le chant de la fontaine claire et limpide qui coule au
[creux de la boue du monde,
le chant de l'amour vrai, miraculeusement libre,
le chant introducteur de la faille au cœur du monde.

Chanter l'Innocent qui nous révèle à nous-mêmes pour nous réconcilier avec toutes choses.

Visage de l'Innocent, visage autour duquel tout l'univers s'ordonne.

C'est de la rencontre avec l'Innocent, dans l'épreuve, que naît notre visage.

L'Innocent livre le mystère de Dieu dans la folie audelà de toute folie, et le mystère de l'homme rejeté par la folie des hommes.

L'Innocent récapitule tout en lui : il est l'amour, manifesté d'en haut, reprenant tout ce qui est d'en-bas, si humble soit-il.

L'Innocent, c'est l'absolue transparence, la transparence de Dieu qui déconcerte les hommes.

L'Innocent,
celui qui ne se laisse reconnaître que par la lumière
[intérieure,
celui dont la splendeur est cachée, enfouie dans le secret,
celui dont le trésor est merveilleusement invisible, pour
[qui n'a pas de recul dans la lumière de Dieu,

celui qu'on peut mépriser, comme on méprise l'amour,
celui qu'on peut piétiner, parce qu'apparemment il n'est [rien,
celui qu'on peut condamner, lui qui ne riposte pas,
celui qui nous révèle le creux de notre cœur,
celui qui regarde d'en haut — de Sirius — et de si proche, [parce qu'il nous aime.
L'Innocent, celui qui récapitule en lui tout le secret du [monde.
Mystère transcendant de l'innocence du Christ, qui débouche sur l'agonie et se consomme sur la Croix.

Il fallait cette innocence, victime de la malice des hommes, redoublée à l'infini par le mystère de l'union hypostatique, pour dévoiler le monde et l'homme dans leur dernière profondeur, pour dévoiler Dieu au monde.
Là est l'invraisemblable source du paradoxe chrétien : il est fondé dans l'innocence de Dieu.
Il est la lumière qui ne se dévoile qu'à ceux qui ont le cœur pur !
Merveilleuse innocence du Seigneur ! Il a dans le monde ette innocence qui se révèle au seul regard de l'enfant.

4. L'accueil de l'Innocent

L'Innocent a été livré à l'Eglise pour toujours.
Le mystère de l'Eglise, c'est l'accueil de l'Innocent.
Pour elle, garder la Parole, c'est garder ce que Dieu a dit, c'est-à-dire la totalité du « mystère » (Ep 3, 1-13), la totalité de la Croix et de la Résurrection donnée et comprise dans la splendeur de l'Esprit, c'est garder comme le trésor qui accapare toutes ses puissances d'amour, l'Innocent.
L'Eglise, garde amoureuse de l'Innocent !

— L'Eucharistie, c'est ce mystère de l'Innocent donné à l'Eglise pour qu'elle lui soit conformée jusqu'au plus profond d'elle-même et qu'aux yeux du monde elle devienne innocente ; c'est l'Innocent l'entraînant dans la transcendance de son propre mystère.
La liturgie, sans la présence vivante et paradoxale de l'Innocent, perd son âme.

— Marie, l'Innocente, elle a tout traversé ! Elle a participé à l'agonie de l'Innocent, elle a été au cœur de la Croix le plus simplement du monde.

C'est dans l'Innocente que tout a été conçu. Elle est à la source de tout le mystère de l'Eglise.

— Les chrétiens, des innocents qui accueillent leur Dieu sous la livrée de l'esclave et qui, sous le vêtement de l'humiliation, découvrent la gloire du Transfiguré.

2

Les prophètes modernes de l'Innocent

Des brasiers d'apocalypse se sont allumés sur notre monde !

— Univers concentrationnaire, enfer scientifiquement organisé, à travers lequel se livre à nous le visage de l'homme le plus défiguré, le plus anéanti qui ait jamais été.

— Monde de la violence révolutionnaire, dans laquelle se dévoile « la haine intransigeante de l'ennemi, qui passe au-delà des limites naturelles de l'être humain et en fait une efficace, violente, sélective et froide machine à tuer ».

— Univers de la pure technique, dans lequel la volonté de puissance détruit jusqu'à la possibilité d'une expérience de la vérité de l'être.

Et tout cela est le fruit d'une civilisation empêtrée dans une rationalité dévorante, bouclée sur elle-même, incapable de donner à l'homme l'espace spirituel grâce auquel il pourrait se dire !

La société de travail a domestiqué l'animal déchaîné par la lutte entre les individus et les groupes, — *elle a vidé l'homme.* Elle a fait disparaître la pression extérieure et celle des maîtres arbitraires, — elle n'a pas libéré l'homme si toute libération de l'homme est libération pour une vie sensée... Elle a universalisé l'homme par la rationalité, — elle ne lui permet pas de dire ce que signifie son entreprise. Elle laisse à l'individu le temps de s'amuser, — elle ne fait rien, *elle ne peut rien faire pour qu'il pense, qu'il dise un monde, son monde, soi-même en son monde...* Le résultat est l'ennui du progrès infini et insensé, un ennui auquel on n'échappe que par la violence désintéressée (E. Weil).

Ce ciel d'apocalypse, depuis longtemps déjà, des prophètes l'avaient vu rougeoyer.

Depuis longtemps aussi un même visage les avait fascinés : celui de l'Innocent.

1. Celui qui vient d'ailleurs

C'est sans doute parce qu'il était affronté au monde révolutionnaire que, le premier, Dostoïevski a brossé pour nous, de façon inoubliable, les traits de l'Innocent dans la personne de l'*Idiot*.

Il n'est pas d'être plus pitoyable que le prince Muichkine, l'innocent, le fol en Christ, et cependant en lui quelle compréhension des autres ! Il est aux pieds des autres et il rencontre chaque homme à ce niveau de vérité où même le plus pauvre et le plus méprisé d'entre eux redécouvre comme de l'intérieur sa liberté. Invraisemblable authenticité de cet être qui laisse transparaître à chaque instant le mystère de son rapport à Dieu.

Le prince Muichkine sort d'un « au-delà » du monde, l'épilepsie, cette maladie terrible qu'enveloppe le mépris des hommes. Il rentre « dans la société des hommes » en venant de cet « au-delà » du monde que sont les enfants. N'est-ce pas avec eux qu'il a vécu au cours de sa maladie ?

On peut tout dire à un enfant, tout ; j'ai toujours été surpris de voir combien les grandes personnes, à commencer par les pères et mères, connaissent mal les enfants. On ne doit rien cacher aux enfants sous le prétexte qu'ils sont petits et qu'il est trop tôt pour leur apprendre quelque chose. Quelle triste et malencontreuse idée ! Les enfants eux-mêmes s'aperçoivent que leurs parents les croient trop petits et incapables de comprendre, alors qu'en réalité ils comprennent tout. Les grandes personnes ne savent pas qu'un enfant peut donner un conseil de la plus haute importance, même dans une affaire extrêmement compliquée. Oh ! mon Dieu ! quand un de ces jolis oisillons vous regarde avec son air confiant et heureux, vous devriez avoir honte de le tromper [1].

Lui aussi est un *enfant*, bâti selon une logique qui n'est pas d'ici-bas, regardé par tous comme un incapable, un homme qui n'a pas tous ses droits, un mineur. Il n'est pas

---

1. Dostoïevski, *L'idiot* (Gallimard, La Pléïade), p. 8.

de ce monde, et sa venue parmi les hommes tient du miracle.

C'est parce qu'il est cet enfant pour qui tout est toujours nouveau, comme recréé à neuf, merveilleusement donné dans la gratuité de l'instant, qu'il est l'Idiot, *celui qui vient « d'ailleurs »*, celui qui est toujours en porte-à-faux par rapport au monde parce qu'il est intérieurement accordé à la plus haute dimension de l'homme et qu'il habite au ciel, sa patrie.

Peut-être qu'ici encore on me regardera comme un enfant, tant pis ! Tout le monde me considère aussi comme un idiot. Je ne sais pourquoi. J'ai été si malade, il est vrai, que cela m'a donné autrefois l'air d'un idiot. Mais suis-je un idiot, à présent que je comprends moi-même qu'on me tient pour un idiot ? Quand j'entre quelque part, je pense : oui, ils me prennent pour un idiot, mais je suis un homme sensé, et ces gens-là ne s'en doutent pas... Cette idée me revient souvent [2].

Et cet enfant, constamment mêlé aux pécheurs mais gardant au milieu d'eux une totale pureté, est livré « aux hommes » qui pressentent, plus ou moins consciemment, le mystère qui l'habite.

Parce qu'il vit dans une actualité d'éternité, il rencontre les êtres par le plus profond d'eux-mêmes ; il les regarde *comme s'il les avait déjà vus :* « C'est comme si j'avais déjà vu vos yeux quelque part. »

Il accueille ses frères comme un don gratuit, il les reçoit dans la lumière même dont ils baignent en Dieu, et il devient alors pour eux l'image du rédempteur. Il vibre si profondément avec les êtres qu'il éprouve de l'intérieur la misère de ceux qui l'approchent ; il les aime d'un amour qui est infinie compassion.

Il attire irrésistiblement à lui les hommes surpris d'être accueillis avec une compréhension qui les console au plus profond d'eux-mêmes, soudain ouverts à une confiance qui les redonne à eux-mêmes, découverts dans ce qu'ils ont de meilleur, soulevés par lui au-delà d'eux-mêmes. Il est le serviteur aux pieds de ses frères, dont la présence si délicate suscite au cœur des hommes les plus mystérieuses résonances. Et pourtant à chaque instant, parce qu'il révèle les autres à eux-mêmes, qu'il fait apparaître le péché toujours caché et qui est bien obligé de se dévoi-

---

2. DOSTOÏEVSKI, *L'idiot* (Gallimard, La Pléïade), p. 92.

ler, et surtout parce qu'il vit à un autre niveau que les autres, *parce qu'il est d'ailleurs*, il déconcerte, il provoque le scandale !

Oui, le scandale, c'est le cœur du mystère de l'Idiot.

La dénivellation qu'il y a entre lui et les autres — il est d'un autre monde, du monde de l'enfance où l'on peut *tout* dire — conduit, en effet, à d'invraisemblables ruptures de dialogue, d'une logique spirituelle si étonnamment juste. Ces ruptures se concluent un beau jour, invariablement et inexorablement, par le mot fatidique, qui tombe des lèvres mêmes de ceux qu'il a sauvés ou consolés : « Idiot ».

Le prince Muichkine est vraiment un étranger parmi les hommes, et après sa mystérieuse apparition dans la société, c'est sa totale disparition dans la nuit, dans un échec apparemment complet.

Et pourtant, le cri merveilleux : « Pour la première fois j'ai vu un homme ! » dit bien le mystère de l'Idiot. En lui transparaît comme en filigrane le mystère de *l'agneau* qui porte le péché du monde. Dans l'admirable scène du soufflet n'est-il pas appelé « brebis » (Is 53, 7) ?

Oui, c'est dans la *faiblesse* d'un homme profondément humilié dans son corps, apparemment incapable, que transparaît la splendeur de la bonté et de la beauté de l'homme. Faiblesse et accueil ne font qu'un.

Idiot fantastique, mais tellement plus réel que tous les pauvres hommes décrits par des romanciers réalistes, il renvoie constamment à l'innocent, celui qui est l'Innocent par excellence, le Christ.

Une lettre de Dostoïevski l'atteste sans équivoque possible :

L'idée essentielle du roman, écrit Dostoïevski à sa nièce Ivanova, le 13 janvier 1868, est de représenter un homme absolument excellent. Rien n'est plus difficile au monde, surtout en ce moment. Tous les écrivains, les nôtres et aussi tous ceux d'Occident, qui ont entrepris de représenter le beau absolu, ont toujours échoué, parce que c'est une tâche impossible. Le beau est l'idéal, or l'idéal, le nôtre ou celui de l'Europe civilisée, est encore loin de s'être cristallisé. Il n'existe au monde qu'un être absolument beau, le Christ, de sorte que l'apparition de cet être immensément, infiniment beau est certainement un infini miracle (tout l'Evangile de Jean va dans ce sens : il trouve le miracle dans la seule incarnation, la seule apparition du beau). Mais je m'écarte. Je dirai seulement que, de toutes les belles figures de la littérature, la plus achevée est Don Quichotte. Mais Don Quichotte est beau uniquement parce qu'il est en même temps ridicule. Le Pikwick de Dickens (où l'idée est infiniment plus faible que dans Don Quichotte, mais quand même immense) est aussi ridicule et c'est par là qu'il vous prend. On a de la compassion pour une belle figure moquée et ignorant elle-même sa valeur, et ainsi la sympathie naît chez le lecteur. Cet éveil de la compassion, voilà précisément le secret de l'humour. Jean Valjean aussi est une tentative vigoureuse, mais il suscite la sympathie par son terrible malheur et l'injustice de la société à son égard. Chez moi, rien de semblable, absolument rien, et c'est pourquoi je crains fort que ce ne soit un échec complet [3].

Dostoïevski l'a bien perçu : la bonté, la beauté suprêmes ne peuvent apparaître dans notre monde que sous la forme de l'Idiot.

2. L'innocence a l'agonie

Par la singularité de son destin, l'Idiot dévoile l'Innocent bafoué, incompris ! Mais qu'en tout homme, dans ce qu'il a de plus humble et de plus commun, se manifeste ce même mystère, c'était la vocation de Bernanos de le manifester.

Au cœur de la foule bigarrée des pauvres gens, « incapables de se défendre » de l'horrible injustice des puissants, incapables plus encore de « comprendre le jeu affreux où leur vie est engagée », au cœur de cette troupe « fourbue, harassée, blanche de la poussière de nos routes » que Bernanos ne cesse d'évoquer du cœur même de son enfance, si ordinaire, si semblable à toutes les autres, se laisse pressentir une figure douloureuse et enfantine, d'une infinie douceur, celle du Christ à l'agonie.

Oui, le Christ à l'agonie ! Non pas le vainqueur de gloire, le Christ en majesté triomphant du mal et de la mort, mais le Verbe qui s'est jeté au cœur même de l'abîme pour connaître la vie de l'homme *de l'enfance à la mort*, celui qui est devenu infiniment plus faible qu'un enfant, plus délaissé qu'un moribond, le *suppliant*, le pauvre totalement dépossédé de lui-même, le fugitif, le proscrit.

---

3. Dostoïevski, *L'idiot* (Gallimard, La Pléïade), Introduction XII.

Il (le Christ) n'est pas venu en vainqueur, mais en *suppliant*. Il s'est réfugié, en moi, sous ma garde et je réponds de lui devant son Père.

Derrière le visage du plus petit d'entre les hommes, de l'enfance à l'agonie, se profile le visage du Christ agonisant.

Du jardin du Calvaire, sache que Notre Seigneur a connu et expérimenté par avance toutes les agonies, mais les plus humbles, les plus désolées, la tienne par conséquent. Cette passion n'est pas un jeu de prince.

Le monde entier est ainsi enveloppé par le mystère du Fils de l'homme livré à l'agonie ; c'est en elle qu'il est devenu « la mesure de toute existence et le juge de toute chair ».

Aussi à travers chacun des personnages de Bernanos transparaît plus ou moins parfaitement le seul visage qui compte, celui de l'*Innocent*.

Quelle étonnante figure que celle du Curé de Campagne ! Enfant totalement dépossédé de lui-même, conscient de sa propre insignifiance, par sa seule présence il met les êtres qu'il rencontre en face de la décision qu'ils ont à prendre devant Dieu.

Comme l'Idiot, il découvre les êtres comme s'il les avait déjà rencontrés. Ne se fait-il pas à lui-même la remarque : « Je me demande si cette espèce de vision — celle qu'il a eue de la comtesse — n'était pas liée à la prière, elle était sa prière même peut-être ? »

Il porte sur les hommes quelque chose de ce regard d'enfance qu'avait la Vierge Marie. « Ce regard de la tendre compassion, de la surprise douloureuse, d'on ne sait quel sentiment encore, inconcevable, inexprimable. » Il enveloppe ses frères d'une incomparable tendresse, cette tendresse que seule donne la lumière de l'enfance.

Le curé de campagne, c'est en effet l'enfant, l'enfant livré au mal du monde, totalement désarmé contre le mal, mais tirant de sa propre impuissance le principe même de sa joie.

Il est l'innocent dont l'agonie évoque à chaque instant celle du Christ : il n'est que de penser au pain et au vin dont il se nourrit, au sang qu'il crache sur les carreaux de sa cuisine, aux pauvres qui l'entourent de leur misère.

Mystère de l'enfance, mystère de l'agonie en si parfaite correspondance l'un avec l'autre ! Ne sont-ils pas l'alpha et l'oméga de toute vie ?

La lumière de l'enfance enveloppe d'une incomparable et compatissante tendresse tout homme et plus particulièrement tous ceux qui ne comprennent pas, qui ne peuvent pas comprendre les malheurs qui leur arrivent. Et elle le fait précisément parce qu'elle est — invraisemblable paradoxe — *lumière d'agonie.*

Mystère de l'accueil de Dieu dans la douce nuit de ce monde !

Car rien ici-bas ne se comprend, en définitive, qu'à la lumière de l'agonie du Christ.

Il a souffert d'une souffrance dont nous ne pouvons nous faire aucune idée, dont nous n'avons aucune expérience (...) Nous sommes endurcis à la Douleur comme au Mal. Nous sommes protégés par cette carapace à laquelle chaque génération ajoute une épaisseur de plus. Mais Lui (...) [4].

Tous les hommes sont portés par cette agonie, qu'ils le veuillent ou non.

Nous voulons réellement ce qu'il veut, nous voulons vraiment, sans le savoir, nos peines, nos souffrances, notre solitude, alors que nous nous imaginons seulement vouloir nos plaisirs. Nous nous imaginons redouter notre mort et la fuir, quand nous voulons réellement cette mort comme il a voulu la sienne. De la même manière qu'il se sacrifie sur chaque autel où se célèbre la messe, Il recommence à mourir dans chaque homme à l'agonie. Nous voulons tout ce qu'il veut, mais nous ne savons pas que nous le voulons, nous ne nous connaissons pas, le péché nous fait vivre à la surface de nous-mêmes, nous ne rentrerons en nous que pour mourir, et c'est là qu'Il nous attend [5].

Il ne s'agit pas de conformer notre volonté à la Sienne, car sa volonté c'est la nôtre, et lorsque nous nous révoltons contre Elle, ce n'est qu'au prix d'un arrachement de tout l'être intérieur, d'une monstrueuse dispersion de nous-mêmes. Notre volonté est unie à la Sienne depuis le commencement du monde. Il a créé le monde avec nous. Quelle douceur de penser que même en L'offensant, nous ne cessons jamais tout à fait de désirer ce qu'Il désire au plus profond du Sanctuaire de l'âme [6] !

---

4. *Agenda* 26 janv. 1948.
5. *Ibid.*, 24 janv. 1948.
6. *Ibid.*, 23 janv. 1948.

Ainsi la nature humaine tout entière — jusqu'au cœur même de sa liberté et de son libre arbitre — se trouve *fondée* dans la Croix du Christ.

La clé du monde, c'est l'Innocent livré comme un enfant.

Quel spectacle que celui de l'Innocence à l'agonie !

3. Le juste

Bernanos dévoilait l'éternel conflit de l'Evangile et des « grandes personnes ? :

Soyez fidèles aux poètes, restez fidèles à l'enfance ! Ne devenez jamais une grande personne ! Il y a un complot des grandes personnes contre l'enfance, et il suffit de lire l'Evangile pour s'en rendre compte. Le Bon Dieu a dit aux cardinaux, théologiens, essayistes, historiens, romanciers, à tous enfin : « Devenez semblables aux enfants. » Et les cardinaux, théologiens, historiens, essayistes, romanciers répètent de siècle en siècle à l'enfance trahie : « Devenez semblables à nous. »

Déjà chez le grand romancier français planait l'ombre du monde totalitaire, qui tue les pauvres et les broie, ce monde moderne qui mure l'homme dans un monde d'asphyxie.

Mais il était réservé à la littérature soviétique de nous révéler la figure même de l'Innocent au cœur du monde concentrationnaire.

Ivan Denissovitch est le visage de l'homme condamné au camp de concentration pour avoir dit la vérité — une vérité qui ne concerne que lui et qu'il aurait pu taire —, broyé par un monde au comble de la déshumanisation, se révélant finalement comme *le juste*, qui ne sait même pas qu'il est juste.

Prodigieuse résistance de l'homme réduit à rien, qui dévoile peu à peu son visage ! C'est ce que résume en une ligne un merveilleux petit passage du *Premier Cercle* :

Comprenez bien une chose et expliquez-la à tous les dirigeants qui ont besoin de le savoir : vous n'êtes forts que dans la mesure où vous ne nous privez pas de *tout*. *Car quelqu'un que vous avez privé de tout n'est plus en votre pouvoir. Il est de nouveau entièrement libre.*

Quelle leçon ! Le monde ne trouve pas sa justification dans la multiplication fallacieuse de l'abondance mais dans le partage de ce qui manque, dans la communion qui jaillit de cela même dont on est privé.

Le partage de ce qui manque, source de vrai bonheur, message d'amour pour notre pauvre monde !

Le bonheur est un mirage, insistait Chouloubine, à bout de forces. Il avait pâli. Moi, par exemple, j'élevais mes enfants, j'étais heureux. Et eux, ils m'ont bafoué. Je me suis employé, moi, pour ce bonheur, à brûler dans un poêle des petits volumes qui contenaient la vérité. Et à plus forte raison, ce qu'on appelle le « bonheur des générations futures », qui peut savoir ce que c'est ? Qui leur a parlé à ces générations futures ? Qui sait quelles idoles elles vont adorer ? La notion de bonheur a trop changé au cours des siècles pour qu'on puisse se hasarder à le préparer d'avance. *Quand nous marcherions sur des petits pains et nous étranglerions de lait, cela ne voudrait pas encore dire que nous serions heureux. Mais en partageant ce qui nous manque, nous le serions dès aujourd'hui.* Si l'on ne devait se soucier que du « bonheur » et de la procréation, on encombrerait inutilement la terre et on créerait une société effrayante [7]...

C'est le même appel à la compréhension du faible, du pauvre, qu'évoque l'expérience de Kitovras.

Kitovras vivait dans un désert lointain, et ne pouvait marcher qu'en ligne droite. Le roi Salomon fit venir Kitovras et l'enchaîna par ruse, puis on l'emmena tailler des pierres. Mais Kitovras n'avançait qu'en ligne droite, et lorsqu'on lui fit traverser Jérusalem, on dut abattre des maisons devant lui pour lui frayer un passage. Or il y avait sur son chemin une maisonnette qui appartenait à une veuve. La veuve se mit à pleurer et à supplier Kitovras de ne pas démolir sa pauvre masure, et elle le fléchit. Kitovras se tordit, se fit tout petit et il se cassa une côte. Mais il laissa la maison intacte. Et il dit alors : « Une douce parole peut briser un os, une parole dure appelle la colère. »

Et Oleg, à présent, réfléchissait à ce Kitovras et à ces scribes du XVe siècle ; eux, oui, c'étaient des hommes, nous, auprès d'eux, nous ne sommes que des loups.

Qui donc de nos jours se laisserait briser une côte pour répondre à une douce parole [8] ?

Ainsi par-delà toutes les oppressions, toutes les souffrances se profile l'image du juste, qui apparaît enfin, avec

---

7. SOLJÉNITSYNE, *Le pavillon des cancéreux* (Julliard), p. 610.
8. *Ibid.*, p. 656.

une luminosité parfaite, dans le chef-d'œuvre de Soljénitsyne, *La maison de Matriona.*

Pauvre vieille femme incomprise, abandonnée par son mari, exploitée et grugée par tous, humiliée, méprisée, Matriona est l'image de l'Innocent méconnu, qui porte le monde.

Des mois durant Soljénitsyne avait logé chez elle, sans percer son mystère. Il fallut sa mort et les propos désapprobateurs de sa belle-sœur pour que tout à coup ses yeux s'ouvrent :

Tous ses propos sur Matriona étaient désapprobateurs : et elle étaient mal tenue, et elle se moquait bien de monter sa maison, et elle n'était pas économe, et elle n'avait même pas de goret, Dieu sait pourquoi elle n'aimait pas élever et, la sotte, elle aidait les gens pour rien (et l'occasion justement d'évoquer Matriona avait été qu'il n'y avait personne à appeler pour s'atteler à l'araire et labourer le jardin).

Et même la bonté et la simplicité de Matriona, que sa belle-sœur lui reconnaissait, elle en parlait avec une compassion méprisante.

Et c'est alors seulement — de ces propos désapprobateurs de sa belle-sœur — que surgit à mes yeux l'image de Matriona, que je n'avais pas comprise, même en vivant à ses côtés.

C'est bien vrai qu'il y a un goret dans chaque maison ! Mais elle, elle n'en avait pas. Quoi de plus simple que d'élever un porcelet avide qui ne reconnaît au monde que la nourriture ! Lui préparer sa pâtée trois fois par jour, vivre pour lui et ensuite le tuer et avoir du lard.

Mais elle, elle n'en avait pas...

Elle se moquait bien de monter sa maison... Elle ne s'éreintait pas pour s'acheter des choses et ensuite les garder plus précieusement que sa propre vie.

Elle ne courait pas après les atours. Après les vêtements qui ornent les laids et les malfaisants.

Incomprise, abandonnée même par son mari, ayant enterré six enfants mais non son naturel sociable, étrangère pour ses sœurs, ses belles-sœurs, ridicule, travaillant stupidement gratis pour les autres — elle n'avait pas accumulé d'avoir pour le jour de sa mort. Une chèvre blanc sale, un chat bancal, des ficus...

Et nous tous qui vivions à ses côtés, n'avions pas compris qu'elle était *ce juste dont parle le proverbe et sans lequel il n'est village qui tienne.*

Ni ville.

Ni notre terre entière [9].

---

9. SOLJÉNITSYNE, *La maison de Matriona* (Julliard), pp. 59-60.

N'est-il pas nécessaire, l'Innocent, pour justifier notre monde de misère et de souffrance ?

C'est terrible à penser, mais alors toutes nos vies sacrifiées, nos vies boîteuses, et toutes ces explosions de nos désaccords, les gémissements des fusillés et des larmes des épouses — est-ce que tout cela aussi sera oublié tout à fait ? — est-ce que tout cela aussi donnera la même beauté éternelle et achevée ?

Oui, en vérité — et c'est là le message de A. Soljénitsyne — c'est dans l'Innocent que *tout* tient.

4. Le premier venu

C'est le même témoignage brûlant de redécouverte de l'homme dans sa profondeur que nous livre un autre écrivain soviétique : André Siniavski.

L'homme ne nous devient cher et proche que lorsqu'il perd ses caractéristiques officielles (nom, âge, profession). Lorsqu'il perd jusqu'à l'appellation d'homme et n'est plus que *le premier venu.*

L'Innocent, le premier venu !
Et là encore se perçoit le même mystérieux appel à l'enfance !

L'époque de l'enfance traverse toute la vie de l'homme comme son unique et irremplaçable assise.
Seule l'enfance garde, jusque dans notre vieillesse, une authenticité durable.

En vérité, tout ce après quoi les hommes courent, acquisitions, connaissances, argent, gloire, œuvres sont « sans aucune valeur en face du visage d'un enfant ». Seul d'ailleurs le réalisme des pauvres peut nous dévoiler la vérité de la Résurrection :

Une vieille rentra du bain et se déshabilla pour se reposer. Son fils voulut lui couper les ongles des pieds, des ongles monstrueusement cornus.
— « Voyons, Kostia ! Qu'est-ce qui te prend ! Je vais bientôt mourir. Alors comment veux-tu que je grimpe la montagne vers Dieu, sans ongles ! »
N'allez pas croire que la vieille avait oublié que son corps allait pourrir. Mais elle se représentait le royaume de Dieu aussi réellement qu'elle percevait les choses terrestres. Et son âme immortelle, elle l'imaginait comme une vieille en chemise, nu-pieds, avec des ongles durs.

Ce genre de certitude manque souvent à nos constructions philosophicothéologiques. Le danger de l'idéologie spirituelle c'est qu'on ne sait plus : Dieu existe-t-Il en vérité, ou n'est-Il que le symbole de nos penchants humanitaires ? Le sauvage qui se représente Dieu à l'image d'une bête sanguinaire est finalement moins sacrilège que le philosophe idéaliste qui lui substitue l'image d'une allégorie de la théorie de la connaissance. C'est littéralement, tangiblement, en chair et en os que le Christ a ressuscité et qu'il est apparu comme une évidence, dissipant les abstractions pharisiennes. Il buvait et mangeait avec nous à la même table et se manifestait par des miracles, c'est-à-dire par des preuves matérielles [10].

Paradoxe de la vérité humiliée, qui renverse toutes les réalités habituellement admises :

Celui qui a le plus accumulé est le meilleur, le plus célèbre, le plus cultivé, le plus intelligent, le plus populaire.
Et au milieu de ce cumul général : « Bienheureux les pauvres d'esprit. »

5. A la table des pécheurs

Au cœur de notre monde moderne, la littérature a donc pressenti le Visage de l'Innocent ! Mais Dieu s'est chargé de dévoiler lui-même au sein de notre monde de puissance des images de pauvres infiniment conscients de leur faiblesse, le Curé d'Ars, Bernadette, Thérèse de l'Enfant Jésus, le Père Silouane, qui sont descendus comme personne au cœur de l'absence de Dieu pour mieux mettre en lumière le mystère de l'Innocent.

Beaucoup de nos jours seraient tentés de sourire du Curé d'Ars, ce « vieil enfant sublime », comme l'appelait Bernanos ! C'est qu'ils n'ont pas mesuré à quel mystère d'abaissement il a été livré ! Ils comptent trop sur leurs forces, « leurs chevaux et leurs chars », comme dit la parole de Dieu, pour sauver le monde, et ils oublient l'invraisemblable anéantissement nécessaire à la formation d'un apôtre qui soit un instrument docile entre les mains de Dieu !

N'a-t-il pas connu l'humiliation d'être traité de fou par ses collègues ?

---

10. André Siniavski, *Pensées impromptues* (Christian-Bourgeois), pp. 88-89.

Pauvre, Bernadette l'a été, elle qui déclarait :

Je sais bien que si la Sainte Vierge m'a choisie, c'est (parce) que j'étais la plus ignorante. Si elle avait trouvé une plus ignorante que moi, elle l'aurait choisie.

Quel admirable jugement dans ses réponses :

« Tu devrais me faire croire que tu as réellement vu la Sainte Vierge ! — Oh, elle ne m'a pas dit de le faire croire ! »

L'entretien avec Sœur Philippine Molinery dit avec une force inégalable sa remise inconditionnelle à l'action divine, à laquelle elle s'était livrée :

Après m'avoir entretenue une heure environ des autres détails qui ont été écrits (sur Lourdes), notre sœur me dit avec une sorte d'énergie :
« Que fait-on d'un balai lorsqu'on a fini de balayer un appartement ?
De lui répondre (*sic*) :
— « Quelle question me faites-vous là ?
— Oui, je vous demande où on le place ? »
Je lui répondis :
— « Mais sa place est dans un petit coin derrière la porte. »
Alors, tout heureuse de cette réponse, elle me dit :
— « Eh bien, j'ai servi de manche à balai à la Sainte Vierge. Lorsqu'elle n'a plus eu besoin de moi, elle m'a mise à ma place qui est derrière la porte. »
Et, en frappant dans ses mains, elle ajouta :
— « J'en suis très contente et j'y reste. »

Vie cachée en Dieu, à l'image de l'Innocent !

Sainte Thérèse de l'Enfant-Jésus et de la Sainte-Face, elle, a eu sa spiritualité déterminée tout entière par l'image du Serviteur souffrant.

Ma dévotion à la Sainte Face ou, pour mieux dire, *toute ma piété, a été basée sur ces paroles d'Isaïe :* « Il n'a ni éclat ni beauté, nous l'avons vu et il n'avait pas un aspect agréable... Méprisé et le dernier des hommes, homme de douleurs, connaissant l'infirmité ; son visage était comme caché et méprisé, et nous l'avons compté pour rien... » Moi aussi, je désirais être sans éclat, sans beauté, seule à fouler le vin dans le pressoir, inconnue de toute créature.

Du fond de son impuissance acceptée comme une grâce, elle n'a désiré qu'être identifiée avec les pécheurs :

Seigneur, votre enfant l'a comprise, votre divine lumière ! Elle vous demande pardon pour ses frères incrédules, *elle accepte de manger aussi longtemps que vous le voudrez le pain de la douleur et ne veut point se lever de cette table remplie d'amertume où mangent les pauvres pécheurs avant le jour que vous avez marqué*. Mais aussi ne peut-elle pas dire en son nom, au nom de ses frères : « Ayez pitié de nous, Seigneur, car nous sommes de pauvres pécheurs ! O Seigneur, renvoyez-nous justifiés ! Que tous ceux qui ne sont pas éclairés du lumineux flambeau de la foi le voient luire enfin ! O Jésus ! s'il faut que la table souillée par eux soit purifiée par une âme qui vous aime, je veux bien y manger, seule, le pain de l'épreuve jusqu'à ce qu'il vous plaise de m'introduire dans votre lumineux royaume, la seule grâce que je vous demande, c'est de ne jamais vous offenser.

Aussi, s'offrant en victime d'amour, Thérèse s'oublie elle-même pour ne faire qu'un avec les pécheurs, imitant celui qui, étant « la Science, la Sagesse éternelle », à distance infinie des pauvres pécheurs s'abaissa « jusqu'au néant » pour « transformer en feu ce néant ».

C'est une longue et douloureuse descente aux enfers qu'ont été les derniers mois de sa vie :

Tenez, voyez-vous là-bas, à côté des marronniers, ce trou noir où l'on ne distingue plus rien... c'est dans un trou comme celui-là que je suis pour l'âme comme pour le corps.

Son agonie ressemble à celle du Sauveur :

Notre Seigneur est mort victime d'Amour, et voyez quelle a été son agonie.

Ainsi, celle qui n'a cessé de glorifier l'enfance spirituelle et qui a chanté son impuissance, est aussi celle qui vit les angoisses de l'agonie ! Thérèse de l'Enfant-Jésus, livrée à la divine fantaisie de l'Enfant Jésus est naturellement Thérèse de l'agonie.

Dans l'agonie acceptée, petitesse et faiblesse se laissent traverser par la toute-puissance divine : celle qui proclamait le jour même de sa mort : « Je n'aurais jamais cru qu'il fût possible de tant souffrir » retrouve les paroles mêmes de la Croix : « J'ai tout dit... tout est accompli ! C'est l'amour seul qui compte ! »

C'est ce même mystère d'anéantissement qu'un moine russe de l'Athos a connu, le starets Silouane. Il a porté le poids de toute la douleur du monde, surtout de ceux qui se posent en ennemis du Christ et ne connaissent pas Dieu, avec une douceur infinie, une miséricorde sans bornes :

Seigneur, Tu es miséricordieux, dis-je, fais-moi savoir ce que je dois faire afin que mon âme soit humble ! Et le Seigneur répondit dans mon âme : « *Tiens-toi dans ta pensée en enfer et ne désespère pas.* »

O miséricorde de Dieu ! Je suis une horreur devant Dieu et devant les hommes, mais le Seigneur m'aime, m'encourage, me guérit et enseigne Lui-même à mon âme l'humilité et l'amour, la patience et l'obéissance. Il a répandu toute sa bonté sur moi. Depuis ce moment-là, je tiens mon esprit en enfer et je me sens brûler dans des recoins obscurs, mais je désire Dieu, je Le cherche avec des larmes.

Il devient ainsi solidaire de toute la détresse humaine, il était devenu « l'homme » du Prétoire, l'Adam nu et flagellé, celui qui avait perdu Dieu et le cherchait avec le désir de toute l'humanité apeurée.

Mon âme souffre pour le monde entier ; je prie et je pleure pour tous les hommes afin qu'ils fassent pénitence et reconnaissent Dieu pour vivre dans l'amour et avoir la liberté en Dieu.

Il le savait d'expérience :

Prier pour les hommes veut dire donner le sang de son propre cœur.

C'est ce même mystère de descente dans l'abîme de l'humiliation qu'évoque le Père de Foucauld, et son admirable mot : « Jésus a tellement pris la dernière place qu'elle ne lui sera jamais ôtée. »

En ces temps de détresse où l'homme est cassé, brisé, anéanti, un seul visage est porteur d'espérance, celui de l'*Innocent*.

DEUXIÈME PARTIE

LE PARADOXE DU SALUT

(Sg 5, 2)

3

La venue du Juste

(Ac 7, 52)

L'Innocent, le Saint, le Juste, il a été parmi nous et nous l'avons tué...

Et dans la mort qu'il a reçue de nous, cet homme, Jésus, nous a révélé le Dieu qui surpasse toute connaissance :

> Nul n'a jamais vu Dieu, le Fils qui est dans le sein du Père est le dévoilement (Jn 1, 18).

Fascinant visage du Christ qui, à travers la plus totale humiliation, livre le secret de Dieu !

De là le paradoxe de l'Evangile : sa merveilleuse simplicité et son abrupte difficulté.

Car, en définitive, il n'y a rien de plus déconcertant que l'Evangile. Et c'est sans doute pourquoi, si souvent, nous rêvons d'avoir à notre disposition l'exégèse que le Christ fit de son propre mystère aux disciples d'Emmaüs.

Pauvres que nous sommes, nous n'oublions qu'une chose : cette exégèse, elle nous est donnée au cœur même de l'Evangile !

1. Conscience du Christ et témoignage apostolique

L'originalité de la personne de Jésus et de son œuvre n'apparaît qu'à celui qui la saisit à partir du centre où elle se saisit elle-même, la conscience du Christ.

C'est l'évidence.

Mais quels moyens avons-nous de rejoindre le contenu de cette conscience ?

La réponse est simple, diront certains : à partir des « ipsissima verba » du Christ, c'est-à-dire à partir des paroles que la critique historique regarde comme étant directement tombées de la bouche du Christ. Les historiens admettent généralement, en effet, que souvent les paroles prêtées au Christ reflètent les interprétations des évangélistes eux-mêmes, ou les préoccupations des premières communautés chrétiennes. Aussi s'efforcent-ils, à partir de leurs ressources propres, d'analyses, de conjectures, de vraisemblances, de *restituer* leur teneur aux paroles que le Christ aurait réellement proférées et, à partir d'elles, le contenu de la conscience de Jésus.

Il n'est pas dans notre intention de contester le moins du monde l'intérêt de ces recherches, qui nous passionnent sur leur plan proprement humain. Nous tenons cependant à dire qu'elles ne sont pas la source et le fondement de notre connaissance de Jésus par la foi : s'il en était ainsi, nous ne dépasserions pas, en effet, le niveau des hypothèses conjecturales concernant la personne de Jésus et son message !

Affirmons-le en toute clarté : *du point de vue théologique,* les « ipsissima verba » du Christ ont moins d'intérêt pour nous que les paroles attribuées au Christ par les évangiles ; elles sont, en effet, moins porteuses de *la parole de Dieu* que celles que nous a transmises la tradition apostolique. Celles-ci sont les paroles du Christ parce qu'attestées par les Apôtres qui, éclairés par la Révélation, ont saisi le sens profond de ce qui était dit par la vie du Christ ; elles traduisent vraiment la signification des gestes, des actions vécues par lui.

L'histoire vécue par le Christ ne peut être que l'histoire telle qu'il l'a déchiffrée lui-même. Et seul le témoignage apostolique plonge directement dans la lecture que Jésus a faite de lui-même et des événements de sa vie.

L'Eglise ne nous transmet rien d'autre que le fait de Jésus-Seigneur livré à nous dans le sens qu'il a lui-même donné à sa propre vie à travers la lecture qu'il en a faite.

Nous nous appuyons donc résolument sur la connaissance que l'Eglise a de Jésus dans la foi, et qui est une *participation à la connaissance apostolique.*

L'Eglise est ainsi assurée de communier à l'Esprit qui ouvre la conscience humaine du Christ à la plénitude divine : c'est pourquoi elle a toujours tenu et elle tiendra toujours qu'à travers le témoignage apostolique consigné dans les Ecritures, elle connaît de l'intérieur, comme l'épouse connaît l'époux, l'insondable secret de l'Homme-Dieu.

2. L'Innocent et l'Ecriture

Fixé pour nous dans l'ensemble des évangiles, des épîtres, des Actes des Apôtres, le témoignage apostolique devient dès lors pour nous, malgré la diversité des auteurs et des genres littéraires, le discours « un » qui jaillit du cœur et de la bouche de Dieu comme parole de Dieu. Il impose à l'attention de tout lecteur non prévenu deux faits en parfaite correspondance l'un avec l'autre.

a) *Le Christ a lu sa vie à la lumière des chants du Serviteur*

C'est dans Isaïe 53, qui nous livre l'image de l'Innocent, que le Christ a déchiffré l'annonce prophétique de son propre destin.

Les trois grandes prédictions que, dans les évangiles synoptiques, le Christ fait de sa passion et de sa résurrection impliquent, en effet, une référence aux poèmes du Serviteur.

Et il commença de leur enseigner que le Fils de l'homme devait beaucoup souffrir, être rejeté par les anciens, les grands prêtres et les scribes, être mis à mort et, après trois jours, ressusciter (Mc 8, 31-32 ; Mt 16, 21-23 ; Lc 9, 22).

Partant de là, ils faisaient route à travers la Galilée et il ne voulait pas qu'on le sût. Car il instruisait ses disciples et il leur disait : « Le Fils de l'homme va être livré aux mains des hommes et ils le tueront, et quand il aura été mis à mort, trois jours après il ressuscitera. » Mais ils ne comprenaient pas cette parole et ils craignaient de l'interroger (Mc 9, 30-32 ; Mt 17, 22-23 ; Lc 9, 44).

Ils étaient en route, montant à Jérusalem, et Jésus marchait devant eux, et ils étaient dans la stupeur, et ceux qui suivaient étaient effrayés. Prenant de nouveau les Douze auprès de lui, il se mit à leur dire ce qui allait lui arriver : « Voici que nous montons à Jérusalem, et le Fils de l'homme va être livré aux grands prêtres et aux scribes ; ils le condamneront à mort et le livreront aux païens, ils le bafoueront, cracheront sur lui, le flagelleront et le mettront à mort, et trois jours après il ressuscitera » (Mc 10, 32-34 ; Mt 20, 17-19 ; Lc 18, 31-33).

b) *Les Apôtres et les évangélistes, qui avaient été complètement déconcertés par les annonces prophétiques de leur Seigneur, ont, après sa mort, lu toute l'Ecriture à la lumière de la Croix et de la Résurrection, perçues comme l'accomplissement de la vie du Serviteur.*

A trois reprises, en Lc 24, 5-7 ; 24, 26-27 et 24, 44-48, le destin douloureux et glorieux du Fils de l'homme est donné avec insistance comme *l'accomplissement de ses propres prophéties* (« Rappelez-vous comment il vous a parlé... » « Telles sont bien les paroles que je vous ai dites quand j'étais encore avec vous »), éclairant la loi de Moïse, les Prophètes, les Psaumes, en vérité toutes les Ecritures.

« Pourquoi cherchez-vous parmi les morts celui qui est vivant ? Il n'est pas ici ; il est ressuscité. *Rappelez-vous comment il vous a parlé, lorsqu'il était encore en Galilée. Il faut, disait-il, que le Fils de l'homme soit livré aux mains des pécheurs, qu'il soit crucifié, et qu'il ressuscite le troisième jour* » (Lc 24, 5-7).

— Alors il leur dit : « Esprits sans intelligence, lents à croire tout ce qu'ont annoncé les prophètes. *Ne fallait-il pas que le Christ endurât ces souffrances pour entrer dans sa gloire ? » Et commençant par Moïse et parcourant tous les prophètes, il leur interpréta dans toutes les Ecritures ce qui le concernait* (Lc 24, 26-27).

— Puis il leur dit : « *Telles sont bien les paroles que je vous ai dites quand j'étais encore avec vous : il faut que s'accomplisse tout ce qui est écrit de moi dans la loi de Moïse, les Prophètes et les Psaumes.* » Alors il leur ouvrit l'esprit à l'intelligence des Ecritures, et il leur dit : « *Ainsi était-il écrit que le Christ souffrirait et ressusciterait d'entre les morts le troisième jour et qu'en son Nom le repentir en vue de la rémission des péchés serait proclamé à toutes les nations, à commencer par Jérusalem.* De cela vous êtes témoins » (Lc 24, 44-48).

Tous les témoignages concernant la Résurrection renvoient invariablement à ce que le Christ a dit durant sa vie terrestre, ou à l'Ecriture :

« Allez dire à ses disciples et notamment à Pierre, qu'il vous précède en Galilée : là vous le verrez, *comme il vous l'a dit* » (Mc 16, 7).

« Ne craignez point, vous ; je sais bien que vous cherchez Jésus, le Crucifié. Il n'est pas ici, car il est ressuscité *comme il vous l'avait dit* » (Mt 28, 6).

Ils n'avaient pas encore compris que, *d'après l'Ecriture*, il devait ressusciter des morts (Jn 20, 9).

3. La prédication apostolique

C'est d'ailleurs sur cette lecture des Ecritures, toute centrée sur la Croix et la Résurrection, que repose la prédication apostolique tout entière. Citons quelques témoignages :

Pierre :

« *Cet homme, qui avait été livré selon le dessein bien arrêté de la prescience de Dieu,* vous l'avez pris et fait mourir en le livrant à la croix par les mains des impies, mais Dieu l'a ressuscité, le délivrant des affres de l'Hadès » (Ac 2, 23-24).

« Mais vous, vous avez chargé *le Saint et le Juste,* vous avez réclamé la mort d'un assassin, tandis que vous faisiez mourir le prince de la vie. Dieu l'a ressuscité des morts : nous en sommes témoins... *Dieu, lui, a ainsi accompli ce qu'il avait annoncé d'avance par la bouche de tous les prophètes, que son Christ souffrirait...* Moïse, d'abord, a dit : Le Seigneur Dieu vous suscitera d'entre vos frères un prophète semblable à moi ; vous l'écouterez en tout ce qu'il vous dira. Quiconque n'écoutera pas ce prophète sera exterminé du sein du peuple. *Tous les prophètes,* ensuite, qui ont parlé depuis Samuel et ses successeurs, *ont pareillement annoncé ces jours-ci* » (Ac 3, 14-24).

« Car, c'est une *ligue,* en vérité, qu'Hérode et Ponce-Pilate avec les *nations* païennes et les *peuples* d'Israël ont formée dans cette ville contre ton saint serviteur Jésus, que tu as oint ; ils n'ont fait ainsi qu'*accomplir tout ce que, dans ta puissance et ta sagesse, tu avais déterminé par avance* » (Ac 4, 27-28).

« *C'est de lui que tous les prophètes rendent ce témoignage que quiconque croit en lui recevra, par son nom, la rémission de ses péchés* » (Ac 10, 43).

Ils ont cherché à découvrir quel temps et quelles circonstances avait en vue l'Esprit du Christ, qui était en eux, *quand il attestait à l'avance* les souffrances du Christ et les gloires qui les suivraient (1 P 1, 11).

JEAN :

Jean proclame :
« *Voici l'agneau de Dieu qui ôte le péché du monde*... Oui, j'ai vu et j'atteste que c'est lui, le Fils de Dieu » (Jn 1, 29 ; 1, 34).

Philippe rencontre Nathanaël et lui dit : « *Celui dont il est parlé dans la loi de Moïse et dans les prophètes,* nous l'avons trouvé ! C'est Jésus, le fils de Joseph de Nazareth » (Jn 1, 45).

« Vous scrutez *les Ecritures* dans lesquelles vous pensez avoir la vie éternelle, or ce sont elles qui me rendent témoignage » (Jn 5, 39).

PAUL :

« Les habitants de Jérusalem et leurs chefs *ont accompli sans le savoir les paroles des prophètes qu'on lit chaque sabbat.* Sans trouver en lui aucun motif de mort, ils l'ont condamné et ont demandé à Pilate de le faire périr. Et *lorsqu'ils eurent accompli tout ce qui était écrit de lui,* ils le descendirent du gibet et le mirent au tombeau. Mais Dieu l'a ressuscité ; pendant de nombreux jours, il est apparu à ceux qui étaient montés avec lui de Galilée à Jérusalem, ceux-là mêmes qui sont maintenant ses témoins auprès du peuple.

« Et nous, nous vous annonçons la Bonne Nouvelle : *la promesse faite à nos pères,* Dieu l'a accomplie en notre faveur à nous, leurs enfants : il a ressuscité Jésus. Ainsi est-il écrit au psaume premier : « Tu es mon fils, moi-même aujourd'hui, je t'ai engendré » (Ac 13, 27-33).

Il dit alors : « Le Dieu de nos pères t'a prédestiné à connaître sa volonté, à voir *le Juste* et à entendre la voix sortie de sa bouche » (Ac 22, 14).

Paul, serviteur du Christ Jésus, apôtre par vocation, mis à part pour annoncer l'*Evangile de Dieu, que d'avance il avait promis par ses prophètes dans les saintes Ecritures,* concernant son Fils, issu de la lignée de David selon la chair, établi Fils de Dieu avec puissance selon l'Esprit de sainteté, par sa résurrection des morts, Jésus-Christ notre Seigneur, par qui nous avons reçu grâce et apostolat pour prêcher, à l'honneur de son nom, l'obéissance de la foi parmi tous les païens, dont vous faites partie, vous aussi, appelés de Jésus-Christ, à tous les bien-aimés de Dieu qui sont à Rome, aux saints par vocation, à vous grâce et paix de par Dieu notre Père et le Seigneur Jésus-Christ ! (Rm 1, 1-7).

A Celui qui a le pouvoir de vous affermir conformément à l'Evangile que j'annonce en prêchant *Jésus-Christ, révélation d'un mystère, enveloppé de silence aux siècles éternels, mais aujourd'hui manifesté, et, par des Ecritures qui le prédisent, selon l'ordre du Dieu éternel,* porté à la connaissance de toutes les nations pour les amener à l'obéissance de la foi ; à Dieu qui seul est sage, par Jésus-Christ, à lui soit la gloire au siècle des siècles ! Amen (Rm 16, 25-27).

On connaît aussi la grande hymne liturgique de l'*épître aux Philippiens :*

Ayez entre vous les mêmes sentiments qui furent dans le Christ Jésus : Lui, en forme de Dieu, pensa qu'il n'usurpait en rien l'égalité avec Dieu. Mais il s'anéantit lui-même, prenant forme d'esclave, et devenant semblable aux hommes. S'étant comporté comme un homme, il s'humilia plus encore, obéissant jusqu'à la mort, et à la mort sur une croix !
Aussi Dieu l'a-t-il exalté et lui a-t-il donné le Nom qui est au-dessus de tout nom, pour que tout, au nom de Jésus, s'agenouille, au plus haut des cieux, sur la terre et dans les enfers, et que toute langue proclame de Jésus-Christ qu'il est *Seigneur,* à la gloire de Dieu le Père (Ph 2, 5-11).

L'*épître aux Hébreux* reprend le même thème :

Il convenait, en effet, que voulant conduire à la gloire un grand nombre de fils, Celui pour qui et par qui sont toutes choses rendît parfait par des souffrances le chef qui devait les guider vers leur salut. Car le sanctificateur et les sanctifiés ont tous même origine. C'est pourquoi il ne rougit pas de les nommer frères (He 2, 9-11).

ETIENNE :

« Lequel des prophètes vos pères n'ont-ils point persécuté ? Ils ont tué *ceux qui prédisaient la venue du Juste, celui-là* même que maintenant vous venez de trahir et d'assassiner » (Ac 7, 52).

PHILIPPE :

« Comme une brebis il a été conduit à la boucherie, comme un agneau muet devant celui qui le tond, ainsi il n'ouvre pas la bouche. Dans son abaissement la justice lui a été déniée, Sa postérité, qui la racontera ? Car sa vie est retranchée de la terre. »
S'adressant à Philippe, l'eunuque lui dit : « Je t'en prie, de qui le prophète dit-il cela ? De lui-même ou de quelqu'un

d'autre ? » Philippe prit alors la parole et, *partant de ce texte de l'Ecriture, lui annonça la Bonne Nouvelle de Jésus* (Ac 8, 32-35).

Ainsi les synoptiques, Pierre, Paul, Jean, n'ont cessé de faire refluer sur les données des Ecritures la plénitude de sens contenue dans la personne, les paroles et l'action de Jésus, le Christ.

A elle seule l'expression reprise dans le Credo résume la totalité du témoignage apostolique :

Je vous ai donc transmis tout d'abord ce que j'avais moi-même reçu, à savoir que le Christ est mort pour nos péchés *selon les Ecritures,* qu'il a été mis au tombeau, qu'il est ressuscité le troisième jour *selon les Ecritures* (1 Co 15, 3-4)

4. La réminiscence eschatologique des Ecritures dans l'Eglise

Cette lecture christologique des Ecritures, à laquelle l'Esprit Saint a ouvert l'esprit des Apôtres, il nous est aujourd'hui demandé de la redécouvrir dans la plénitude de son jaillissement originel.

Comme nous le proclame le témoignage des Apôtres gardé pour nous dans les écrits du Nouveau Testament, le Christ savait clairement que sa vie était une marche vers la gloire, à travers la mort.

Récuser cette interprétation reviendrait à bouleverser de fond en comble *la structure propre des évangiles.* Car, avec une unanimité qui transcende leurs divergences de style et de présentation, ceux-ci ont toujours attesté, *dans un parfait contraste :*

— que le Christ s'était engagé librement dans le mystère de sa mort, dans la certitude affichée de sa résurrection,

— mais que les Apôtres avaient manifesté la plus totale incompréhension de leur Seigneur jusqu'au moment de sa glorification.

Les récits évangéliques ne cherchent aucunement, en effet, à dissimuler les radicales insuffisances de la foi des apôtres, faiblesse, lenteurs, incompréhensions, dans le temps où menant leur vie commune avec Jésus ils étaient les témoins oculaires des événements de sa vie et les auditeurs privilégiés de sa parole. Ils le cherchent si peu qu'ils sont une attestation presque brutale de la dénivellation radicale de plan qui n'a cessé d'exister entre le Maître et ses disciples !

La structure même des dialogues évangéliques, traversée par des quiproquos et des malentendus incessants en est le témoignage irrécusable. Aussi bien, cette rupture de plan n'est-elle levée que par l'exégèse que, ressuscité, Jésus a faite lui-même de sa vie (Lc 24), et par le don de l'Esprit qui fait entrer dans la plénitude de la vérité évangélique (Jn 16, 13) par le rappel des paroles de Jésus (Jn 14, 26).

La conscience du Christ, qui s'est librement engagé sur le chemin de la Croix et que la Résurrection a justifié, fonde donc la lecture de l'Ecriture : seule elle dévoile pour nous le dessein de Dieu dans sa plénitude. Tel est *le fait absolument premier* qu'il nous faut respecter : les Apôtres n'auraient jamais compris *christologiquement* les Ecritures, c'est-à-dire ils ne les auraient jamais lues en fonction de la Croix et de la Résurrection, *si cette lecture n'avait pas d'abord été donnée dans la conscience du Christ.*

Nous avons d'ailleurs l'avantage de posséder quelques textes évangéliques qui nous font saisir sur le vif comment *le souvenir apostolique* a rejoint la vérité de la personne du Christ.

A deux reprises, saint Jean explique à merveille comment les Apôtres ont compris leur Seigneur.

Lorsque le Christ chasse les vendeurs du Temple, l'évangéliste cite cette parole du Seigneur : « Détruisez ce temple ; en trois jours, je le relèverai. » Mais il ajoute aussitôt : « Quand Jésus ressuscita d'entre les morts, ses disciples, *se rappelant qu'il avait tenu ce propos*, crurent à l'Ecriture et à la parole qu'il avait dite » (Jn 2, 22). La Résurrection actualise donc chez les disciples le *souvenir*, grâce auquel le mystère du Christ se dévoile à leur foi. Dans la lumière diffusée par le Ressuscité se fait la jonction éclairante de l'attitude du Christ, de sa parole et de l'Ecriture prophétique.

D'une manière analogue, l'entrée messianique du Christ à Jérusalem rappelle à l'esprit de saint Jean la prophétie de Zacharie (Za 9, 9) :

> Sois sans crainte, fille de Sion :
> voici venir ton roi,
> monté sur le petit d'un ânon (Jn 12, 15).

Mais il rectifie immédiatement :

Ses disciples ne comprirent pas cela tout d'abord ; mais quand Jésus eut été glorifié, *ils se souvinrent que cela avait été écrit de lui et que c'était bien ce qu'on lui avait fait* (Jn 12, 16).

Quel merveilleux résumé des différents moments de la compréhension du mystère du Christ par les Apôtres :

— incompréhension manifeste des Apôtres ;
— glorification de Jésus qui communique son Esprit ;
— souvenir des Apôtres.

Sous la motion de l'Esprit, ils relient le contenu prophétique de l'Ecriture aux faits concrets de la vie du Christ.

Le processus de reconnaissance de la personne de Jésus est donc simple : le sens de la personne de Jésus et de son œuvre se révèle aux Apôtres — et par eux à tous les disciples — grâce au don de l'Esprit qui leur permet d'éclairer et de lier entre eux l'Ecriture et les paroles ou les gestes de Jésus.

Cette mémoire de l'Eglise que l'Esprit suscite en elle comme le gage de l'entrée dans l'ère eschatologique, celle de la fin des temps, se situe tellement en plein cœur de la Révélation que saint Paul, dans son discours d'adieux aux anciens d'Ephèse, rapporté par saint Luc, leur demande simplement « *de se rappeler les paroles du Seigneur Jésus* » (Ac 20, 35). C'est la recommandation suprême, le véritable résumé de toute la tradition apostolique.

Les évangiles nous offrent d'ailleurs les paroles de Jésus telles que « nous les ont transmises ceux qui furent dès l'origine témoins oculaires et serviteurs de la Parole » (Lc 1, 2). Texte d'autant plus significatif que l'expression « ceux qui furent *dès l'origine* témoins... de la Parole » renvoie, selon toute vraisemblance, à saint Jean.

C'est donc qu'au cœur du « nous » de l'Eglise illuminée par l'Esprit — saint Luc ne parle-t-il pas des faits du salut manifestés en Jésus-Christ qui *nous* ont été transmis (Lc 1, 2) ? — le souvenir actualise pour nous la parole de Jésus et, à travers elle, toute l'Ecriture dévoilant le dessein de Dieu.

Comme le montre d'ailleurs la scène des disciples d'Emmaüs (Lc 24, 13-33), c'est au cœur même de l'Eglise, dans la célébration du mystère eucharistique, que, par l'Esprit, nous entrons en communion avec la conscience du Christ par la compréhension de l'Ecriture.

Les évangiles ne sont en vérité rien d'autre que la transmission, ou mieux, *la tradition,* dans la lumière de l'Esprit de gloire, du *fait du Christ* porteur du salut : leur rôle est de nous ouvrir à la réalité du mystère du Christ donné *en avant de nous* pour que nous y trouvions notre accomplissement.

5. Le refus, par l'Eglise, d'un visage défiguré

C'est l'événement de la Croix-Résurrection — principe du don de l'Esprit — qui seul ouvre l'Eglise au dévoilement de *Celui qui vient.*

Cette conscience qu'a l'Eglise d'être le lieu où dans l'Esprit se révèle le mystère du Christ, explique la résistance opiniâtre que la communauté chrétienne oppose à tous les essais de dissolution de la figure du Christ menés depuis des siècles avec l'inlassable tenacité des prophètes de la rationalisation close.

Depuis Spinoza, que d'efforts déployés pour convaincre les chrétiens de la nécessité où il sont de se faire de Jésus une idée « purifiée » ! Pourquoi, nous crie-t-on, ne pas s'accorder à reconnaître que Jésus est le plus grand moraliste, le plus grand des philosophes, mieux, le plus grand des hommes ? Ne suffit-il pas que l'idéal d'humanité qu'il portait au tréfonds de sa conscience imprègne toujours davantage l'héritage spirituel des générations successives ? Cessons donc de nous disputer à son sujet ! Ayons enfin le courage d'opérer les révisions qui s'imposent et de réintégrer selon les lois du développement culturel et du devenir historique, la conscience de soi que lui a prêtée l'Eglise. Allons ! Abandonnons, une bonne fois, la signification divine surimposée par la mentalité « précritique » de l'Eglise à sa réalité d'homme.

J'admire toujours cette condescendance avec laquelle des incroyants nous invitent, à tous les tournants de l'histoire, à tenter enfin notre dernière chance : monter dans le train de l'histoire, c'est-à-dire repenser Jésus selon les dernières « exigences de la pensée moderne ».

Soyez rassurés, chers amis, nous dira-t-on, les interprétations de l'exégèse critique qui permettent de rejoindre enfin « le Jésus authentique » s'en tiennent toujours au strict point de vue de la *conscience humaine* de Jésus. Mais on oublie de nous dire qu'en adoptant ce postulat on a, avec l'*a priori* le plus désinvolte qui soit, frustré Jésus de la conscience humaine *de son identité divine.* On l'a délibérément réduit à un individu dont la conscience de soi ne serait en rien différente de la conscience des autres hommes ! Pauvre reflet de l'humanité prise au filet de son immanence !

On comprend dès lors que l'Eglise ait toujours refusé de se laisser renvoyer à l'insaisissable image d'un inconnu, fût-il paré des prestiges de l'humanité, image résiduelle, à laquelle, à travers les interprétations subjectives qu'elle donne des individus et des milieux socio-culturels, une certaine exégèse nous renvoie avec candeur. La communauté chrétienne n'acceptera jamais de distinguer, d'une part, « Jésus », un homme génial, promoteur de morale et d'humanisme, parfaitement explicable par l'enchaînement historique des courants de pensée, sous-tendus eux-mêmes par le déterminisme des conditions économiques, sociales, raciales, politiques, psychologiques, de l'autre « Christ », symbole mythique de ce que la pensée éclairée appelle désormais l'*Humanité* et que l'action politique a charge de réaliser.

6. Une herméneutique de l'Ecriture et de la vie

Inlassablement l'Eglise proclame qu'il y a un *en soi* de Jésus, transcendant toutes les révolutions de l'histoire ; elle ne se contentera jamais d'un christianisme susceptible d'évoluer au gré des modes culturelles comme l'invention indéfinie par l'homme de sa propre humanité. Aussi bien sa tâche n'est-elle pas de conjecturer le contenu de la conscience du Jésus historique à la lumière de ses « ipsissima verba » ; elle a mieux à faire ; *dans l'Esprit, elle communie de l'intérieur à la conscience du Christ qui lui donne l'intelligence des paroles qu'il a prononcées lors de son passage sur la terre.*

La méthode d'analyse des textes scripturaires que nous mettrons en œuvre dans ce livre se dégage de ces quelques remarques. Elle repose sur la merveilleuse correspondance que nous avons décelée entre les deux lectures complémentaires des faits évangéliques :

— celle du Christ qui a vécu toute sa vie comme la marche du Serviteur vers la Croix et la Résurrection. Toutes ses paroles et tous ses actes non seulement tirent leur sens du but qu'ils visent mais encore *jaillissent de sa mort glorieuse.*

— celle des Apôtres qui, eux, relisent la vie du Christ à partir de l'intelligence de l'Ecriture et des paroles du Seigneur qui découle pour eux de la Croix et de la Résurrection.

Aussi, dans ce livre, étudierons-nous d'abord, à la lumière de la tradition biblique, les poèmes du Serviteur.

Nous lirons ensuite les évangiles à la lumière du Serviteur, dont ils dévoilent le mystère. Ce sera le cœur de ce livre.

Nous comprendrons alors pourquoi Pierre et Paul ont déchiffré leur propre destinée à la clarté de celle du Serviteur, et nous saisirons que les Béatitudes sont dans l'Eglise la marque spécifique du Serviteur.

L'herméneutique de l'Ecriture, qui est en même temps une herméneutique de la vie humaine, nous est à la vérité donnée dans le mystère du Serviteur souffrant et ressuscité.

C'est lui, *l'Innocent,* le foyer de toute lumière ; c'est lui le secret de Dieu.

4

L'image du Sauveur eschatologique

Avec la violence du plus extrême paradoxe, l'image du Sauveur eschatologique des poèmes du Serviteur (Is 42-53) dessine pour nous les contours prophétiques de l'événement inouï, que, de toute l'éternité, Dieu prépare pour son peuple.

Ils verront un événement non raconté, ils observeront quelque chose d'inouï (Is 52, 15).

Dans cette image prophétique, le projet de Dieu rejoint, assume, transforme, en la magnifiant, la longue et douloureuse expérience d'Israël et de ses prophètes[1].

1. Du Roi messianique au Fils de l'homme

Lorsque Nathan prophétise à David une royauté éternelle (2 S 7, 14 ss ; cf. Ps 89, 20-38) apparaît la figure du roi-messie, porteuse de l'espérance de salut d'Israël. Ce roi a pour mission de châtier les ennemis de Dieu (Ps 2 ; Ps 110) et d'instaurer le règne de la paix sur le monde entier (Ps 72). Roi idéal, il est cependant issu du royaume terrestre ; mais il transcende tous les rois de la terre car il est envoyé pour instaurer le salut qui vient de Dieu (Is 9, 1-6 ; 11, 1-5 ; Mi 5, 1-3). En médiateur de Dieu auprès

1. Pour nos prises de position exégétiques, nous avions d'abord pensé donner toutes les justifications nécessaires (dossiers de références aux discussions en cours, etc.), mais cela risquait d'alourdir fortement ce volume. Aussi avons-nous pris un parti radical : ne mettre aucune note.

d'Israël, il a mission d'apporter le salut de Dieu et d'être le sauveur de son peuple.

Mais plus la révélation progresse, plus il devient évident que le temps du salut dans sa plénitude n'arrivera qu'à la fin des temps (Is 2, 2 ; cf. Am 5, 18-20). Isaïe annonce pour *après ce temps-ci* la réalisation achevée du salut (Is 11, 6-9). Parce qu'il apporte le salut du Dieu vivant qu'il représente, le roi messianique présente ainsi un visage de plus en plus eschatologique.

Cette image messianique est cependant de plus en plus profondément mise à l'épreuve. Voilà qu'au temps de l'exil, la décadence de la royauté terrestre qui a conduit Israël au péché et au désastre, en altère si fortement la signification que la pensée du roi sauveur devient insoutenable. Comme en témoigne le langage des prophètes, il devient impossible d'en parler *explicitement :* Ezéchiel n'appelle pas son nouveau David roi ; il l'appelle *prince* et *serviteur*.

Le futur vainqueur du mal qui oppresse le monde (Ge 3, 15) ne se conçoit plus désormais que dans la lignée des prophètes qui ont payé de leur vie leur témoignage pour Dieu en même temps que leur amour pour Israël. Leur courage indomptable pour proclamer la Parole de Dieu, leur haine du péché, leur souci de l'alliance, leur destin tragique servent à pressentir les traits du Sauveur eschatologique. L'image du Serviteur, véritable prophète idéalisé, pénètre et transforme peu à peu, de l'intérieur, l'image du roi messianique.

Certes, le Serviteur de Dieu garde des prérogatives royales en parfaite continuité avec le Messie, roi du salut (Is 40, 4-9 ; 42, 1-7 ; 52, 13 ; 53, 12). Il est comparé au rejet misérable qui sort d'une terre desséchée (Is 53, 2 renvoie au texte messianique d'Is 11, 1-10) ; en d'autres termes, en lui se fait le ressurgissement de la dynastie davidique, mais privé de l'éclat qui lui attire des partisans. Mais il est beaucoup plus le prophète qui, de tout son être, écoute la Parole de Dieu et la dit, le gardien efficace de la tradition révélée, souffrant comme Israël exilé et pour lui.

Il n'est que de penser à Jérémie — et, à travers lui, aux prophètes traditionnellement persécutés depuis le temps d'Elie —, pour voir se profiler sous nos yeux les traits majeurs de la destinée du Serviteur souffrant. Il est devenu un objet de raillerie aux yeux des hommes (Jr

20, 7-8 ; cf. Jr 6, 10 ; 12, 6 ; 15, 20 ou encore 2 Ch 36, 16). Meurtri par la meurtrissure de la fille de son peuple (Jr 11, 19 ; 2 Mc 15, 13-14), telle une brebis, il est conduit à l'abattoir, voué à la mort pour ses ennemis qui veulent le retrancher de la terre des vivants (Jr 11, 19 à comparer à Is 53, 8).

Quel déchirement dans le cœur de Jérémie partagé entre la mission reçue d'en-haut qui l'oblige à se dresser avec Dieu contre son peuple coupable, à en proclamer la condamnation, et sa compassion pour son peuple qu'il aime de tout son amour. Intercesseur, à l'image de Moïse et de toute la tradition prophétique, il préfigure le médiateur qui se solidarise avec la misère de son peuple. Il est le type du prophète « toujours sur la brèche » (Ez 13, 5) s'exposant pour son peuple aux coups du Dieu qui châtie le péché et, au prix de sa propre vie, le protégeant.

En vérité, le Serviteur récapitule en lui l'héroïsme de l'expérience prophétique depuis Moïse et tous ceux qui, dans sa dépendance, ont été des intercesseurs entre Dieu et son peuple.

Cette expérience spirituelle reste cependant ouverte : après le retour de l'exil, on est tenté de croire à la réalisation de l'eschatologie ici-bas, mais, très vite, en présence du réel une nouvelle crise se fait jour. Des combats violents apparaissent nécessaires avant la réalisation de l'eschatologie. Alors se dessine l'image d'un Fils de l'homme, maître transcendant du royaume de Dieu — comme en témoigne sa manifestation sur les nuées du ciel —, Messie royal et eschatologique, gardant cependant, dans la ligne du Serviteur Souffrant, quelque chose de l'humilité de l'humaine condition.

2. L'Innocent

Le Serviteur condense en soi toute l'histoire d'Israël, dont il préfigure l'accomplissement.

Désigné par Dieu comme « l'alliance du peuple et la lumière des nations » (Is 42, 6), il vient, en défenseur des pauvres et des petits « pour ouvrir les yeux des aveugles, pour sortir de prison les captifs et de cachot ceux qui sont dans les ténèbres » (Is 42, 6). Il apporte le salut à Israël et il communique le commandement aux nations (Is 51, 4), assurant ainsi le gouvernement divin sur tous les peuples.

Mais — c'est là qu'éclate le paradoxe — celui qui est l'alliance du peuple, la lumière des nations, est en même temps *le rejeté* par excellence. Figure pleinement défigurée, il est la suprême figure ; pour ses frères, il perd tout visage ; il est le visage sans visage, le visage incomparable, réduit à néant et comme personne exalté.

Totalement défini par le mystère du Dieu Vivant qui se révèle à travers sa personne, il est pure écoute de la Parole de Dieu, disponibilité absolue à la volonté du Dieu qui veut restaurer l'alliance avec son peuple. Et c'est cette écoute même qui le rend capable d'accepter pour l'accomplissement de sa mission les outrages et les crachats.

« Quant à moi, je n'ai pas résisté et je n'ai pas reculé en arrière. J'ai tendu le dos à ceux qui me frappaient, les joues à ceux qui m'arrachaient la barbe, je n'ai pas soustrait ma face aux outrages et aux crachats » (Is 50, 5-6).

Seule la remise que le Serviteur fait de lui-même à Dieu lui permet de supporter l'hostilité des hommes. Il n'a d'autre appui que Dieu : « Le Seigneur m'aide, qui me condamnerait ? » (Is 50, 3). « Le Seigneur me vient en aide, c'est pourquoi je ne ressens pas les outrages » (Is 50, 7).

Parce qu'il est totalement remis entre les mains de Dieu, il est parfaitement abandonné à la malice des hommes, livré à leur bon plaisir.

Chargé d'annoncer l'intervention divine créatrice du peuple nouveau, il est, à l'image des grands Prophètes, le souffre-douleur des hommes, transpercé à cause de leur péché (Is 53, 5).

Il est

objet de mépris, rebut de l'humanité (Is 53, 3),

déconsidéré et méprisé (Is 53, 3),

homme de douleur et connu de la souffrance (Is 53, 3),

sans visage (Is 53, 3),

frappé de Dieu et humilié (Is 53, 4),

écrasé (Is 53, 5 ; Is 53, 10)

frappé à mort (Is 53, 8),

livré (par Dieu) (Is 53, 10),

compté parmi les pécheurs (Is 53, 12),

transpercé à cause de nos péchés (Is 53, 5).

Ces formules inlassablement reprises manifestent à quelle profondeur le Serviteur porte jusque dans sa chair le poids du péché de ses frères.

C'était nos souffrances qu'il supportait
Et nos douleurs dont il était accablé (Is 53, 4).

C'est délibérément qu'il ne joue aucun rôle politique : sa vocation de docteur des nations et de victime expiatoire est incompatible avec un tel rôle.

Le voilà devenu l'*Innocent* bafoué, tourné en dérision, « rebut de l'humanité » (Is 53, 3) ; lui qui se tient ferme sur le plan de l'absolu, celui de la volonté divine, il déconcerte tous les hommes qui, consciemment ou inconsciemment, refusent de vivre à ce niveau.

Oui, le Serviteur, c'est l'*Innocent* — celui qui n'a pas goûté au mal — acceptant *librement* par-delà moqueries, sarcasmes, mauvais traitements, le rejet dont il est l'objet de la part des hommes.

Rien n'est sans doute plus fortement attesté dans le chant d'Isaïe 53 que cette *innocence absolue*. C'est elle qui confère à la liberté, avec laquelle il accepte ses tourments pour en faire une expiation rédemptrice, un caractère mystérieux, profondément déroutant ! Si grande est l'ampleur de ses souffrances qu'il semble la souffrance même, la souffrance acceptée par amour comme une mission d'en-haut.

Affreusement traité, il s'humiliait (Is 53, 7),

en s'accablant lui-même de leurs fautes (Is 53, 11) ;

il offre sa vie en expiation (Is 53, 10),

il supportait les fautes des multitudes (Is 53, 12),

il intercédait pour les pêcheurs (Is 53, 12).

C'est une transposition spirituelle et eschatologique de la liturgie sacrificielle de l'Ancien Testament. Il est impossible d'offrir à Dieu quelque chose de défectueux : « tu sanctifieras pour Yahvé, ton Dieu, tout premier-né mâle » (Dt 15, 19) mais « s'il a une difformité, tu ne l'offriras pas à Yahvé, ton Dieu » (Dt 15, 21).

Le Serviteur s'offre lui-même en victime expiatoire (Is 53, 10) : à l'intégrité physique de la victime se substitue *la sainteté* comprise à la lumière du comportement des prophètes qui ont volontairement sacrifié leur vie pour leur mission. C'est parce que le Serviteur est une victime parfaitement innocente et qu'il ne fait que « porter le péché des multitudes » (Is 53, 12) qu'il est agréé de Dieu (Is 53, 9-10).

Le Serviteur est l'*Innocent* parce qu'il est pur de tout mal — il n'a pas commis de violence ni de sa bouche proféré de mensonge (Is 53, 9) —, mais aussi, et du même mouvement, parce que par son existence même il met en question tout homme au plus profond de lui-même. En lui la volonté de Dieu règne de façon tellement souveraine que sa fidélité s'exprime à travers les deux réalités intimement unies qui contestent l'homme à la racine de lui-même pour le désapproprier radicalement de lui-même : la souffrance et l'amour.

Le Serviteur n'est pas la réponse de Dieu à la question du philosophe devant l'univers ; il est la réponse personnelle que Dieu adresse aux pauvres, aux humiliés, aux méprisés et à travers eux au cœur de tout homme pour leur révéler, à travers l'expérience de la souffrance et de l'amour, à quelle expropriation d'eux-mêmes ils doivent s'offrir pour s'ouvrir à la plénitude du mystère de Dieu. Quelle merveilleuse révélation de la connivence secrète qui existe entre Dieu et les humiliés, entre Dieu et les pécheurs ! C'est avec eux que Dieu, de toute éternité, a partie liée.

Visage du Dieu qui aime d'amour, de miséricorde infinie, ceux qui le refusent, malgré leur ingratitude et leur révolte !

Le Serviteur se situe ainsi sur le plan de lutte eschatologique entre Dieu et le mal qui traverse toute l'histoire de l'humanité : pour lui, tout se joue au niveau mystérieux où l'homme, en contact avec Dieu, se donne ou se refuse à lui. Il accepte d'être fidèle à Dieu en portant sur lui, dans la nuit, le refus par les hommes de l'amour divin.

S'il est totalement dépossédé de lui-même pour être à Dieu et à ses frères, au cœur de la souffrance et de la mort qui l'anéantissent, c'est pour révéler à cet ultime niveau de profondeur — en définitive le seul qui compte — le mystère de l'amour divin.

Cet amour triomphe de tout, en effet. Le Serviteur survit à son martyre ; il connaît le retour à la vie, la résurrection qui justifie divinement ses humiliations et sa mort atroce.

Le prophète annonce, en effet, qu'après sa mort ignominieuse il reverra la lumière (Is 52, 11), qu'il sera souverainement élevé (Is 52, 13), exalté comme Dieu lui-même est exalté (Is 5, 16 ; 55, 9), qu'il connaîtra une gloire incomparable, grâce à laquelle il instruira et justifiera les multitudes (Is 53, 11-12).

Le Serviteur, sauveur des multitudes humaines (Is 53, 11) sera ainsi le réalisateur du dessein de Dieu. « Ce qui plaît à Yahvé s'accomplira par lui » (Is 53, 10).

Scandaleuse hardiesse de la Parole divine ! La figure du Messie apparaît sous l'aspect du lépreux rejeté par son peuple et traité en malfaiteur !

Invraisemblable paradoxe : à travers un visage d'homme livré à l'humiliation suprême se révèle celui qui est « Je suis », le Dieu vivant.

3. La vie des pauvres

Le Serviteur reprend en lui tout le destin des innocents broyés, des justes persécutés, des pauvres accablés, souffrant la honte, l'ignominie, mais que Dieu, finalement, délivre, ressuscite, glorifie. Il rassemble en lui toute la tradition d'Israël et lui donne la plénitude de sens qui se cherchait déjà dans certains Psaumes, et il permet à tous les humiliés d'exprimer enfin leur espoir. N'est-ce pas d'ailleurs en pensant au Serviteur *qui justifie les multitudes* (Is 53, 11) que Daniel promet une résurrection glorieuse *à ceux qui auront justifié des multitudes* (Dn 12, 3).

De son côté, le *Livre de la Sagesse* s'inspire des poèmes du Serviteur pour décrire les épreuves et le bonheur éternel du juste : la vue du juste est insupportable au méchant (Sg 2, 14 ; Is 53, 3) ; il est soumis aux outrages et aux tourments pour que soient éprouvées sa douceur et sa résignation (Sg 2, 19 ; Is 53, 7) ; il est agréé par Dieu comme un holocauste (Sg 3, 6 ; cf. Is 53, 10) ; il est « emporté », « enlevé » du milieu des méchants et transféré auprès de Dieu (Sg 4, 11 ; Is 58, 8) ; sur terre, il est objet des sarcasmes et des vexations des pécheurs, mais, au jour du jugement, ceux-ci reconnaissent avec stupéfaction leur grossière erreur (Sg 5, 1-8 ; cf. Is 53, 1-9, qui décrit la confession des péchés consécutive au martyre du Serviteur).

Bien plus, dans le tableau du jugement général, que nous lisons en Sg 4, 20 - 5, 23, le sort final des justes nous est décrit longuement sous la forme d'une *exaltation* consécutive à leur *abaissement*.

L'*Innocent*, c'est en vérité le merveilleux projet de Dieu sauvant l'homme dans un monde de péché, de misère et de souffrance ! Il est la contestation la plus radicale qui soit de tout l'homme ; il est la révélation au creux de la souffrance et de la mort, de l'amour infini du Dieu vivant. En un visage d'homme humilié, transparaît le visage même de Dieu.

TROISIÈME PARTIE

L'INNOCENT, PAROLE UNIQUE DU PÈRE

5
Le lieu d'où surgit l'Innocent

Les récits évangéliques sont tissés de malentendus.

De malentendus si graves qu'ils conduisent le Christ à sa perte.

Mais Jésus, lui, ne semble guère se mettre en frais pour dissiper les équivoques suscitées par sa parole et par son action.

Etrange conduite en vérité qui, aujourd'hui comme hier, fait planer sur l'Evangile un certain malaise.

W. Wrede n'avait-il pas raison d'écrire en substance :

« N'y aurait-il pas un moyen plus simple d'éviter les malentendus ? Pourquoi ne discute-t-il pas franchement, au moins avec les chefs du peuple — ou avec ses disciples — pour leur dire : 'Ecoutez, je comprends très bien votre raisonnement. Il avait valeur en son temps. Mais actuellement un événement d'un tout autre ordre vient de faire son apparition, et il rend caduques toutes vos façons de juger de la vie et de la conduite des hommes. Et cet événement, c'est moi qui suis chargé de l'annoncer et de l'enseigner' » ?

De nos jours encore, nombreux sont les chrétiens ou les incroyants que trouble l'attitude du Christ. Avec angoisse, ils se demandent pourquoi Jésus a accepté de déconcerter si radicalement ses auditeurs. N'aurait-il pas pu, d'une parole ou d'un geste, empêcher que s'amoncelle contre lui cette haine implacable qui, il le savait bien, aurait pour lui un jour ou l'autre de dramatiques conséquences ?

Car, nous sommes tous obligés de le reconnaître, rien n'est plus unanimement attesté par les récits évangéliques que l'invraisemblable énormité des accusations dont le Christ a été l'objet.

« Il a perdu le sens » (Mc 3, 21).

« Il est possédé de Béelzeboul » (Mc 3, 22).

« C'est par le prince des démons qu'il expulse les démons » (Mc 3, 22).

« Il est possédé d'un esprit impur » (Mc 3, 30).

Les pharisiens se moquaient de lui (Lc 19, 14).

« Voilà un glouton et un ivrogne, un ami des publicains et des pécheurs » (Mt 11, 19).

« Un démon te possède » (Jn 7, 20).

« N'avons-nous pas raison de dire que tu es un Samaritain et qu'un démon te possède ? » (Jn 8, 48).

« Maintenant nous sommes sûrs qu'un démon te possède » (Jn 8, 52).

« Il est possédé du démon, il délire. A quoi bon l'écouter ? » (Jn 10, 19).

« Cet imposteur » (Mt 27, 62).

Il a dû choquer bien rudement ses contemporains pour qu'ils se soient attendus de sa part aux gestes les plus extravagants !

« Va-t-il rejoindre ceux qui sont dispersés chez les Grecs et va-t-il instruire les Grecs ? » (Jn 7, 35).

« Va-t-il se donner la mort pour qu'il dise : où je vais vous ne pouvez venir ? » (Jn 8, 22).

Dès lors, au lieu de nous laisser prendre au piège de nos propres conceptions, ne vaudrait-il pas mieux nous demander si ce ne serait pas *la nature* même de ce qu'il est et de ce qu'il annonce qui oblige le Christ à se comporter comme il le fait ?

1. Le risque de la parole

Toute parole humaine — du simple fait qu'elle est parole humaine — court le risque d'être mal interprétée !

Nous en avons tous fait l'expérience. Aussi notre étonnement devant le comportement du Christ serait-il moins grand si nous réfléchissions aux rapports qui existent entre la parole humaine et *le lieu* d'où elle jaillit !

Nous disons *du lieu* où s'origine la parole car, dès lors que quelqu'un nous interpelle, se pose à nous, plus ou moins consciemment, la question de savoir d'*où* il nous parle et d'*où* nous l'écoutons.

Tout interlocuteur laisse, en effet, entendre dans ce qu'il dit le lieu d'*où* procède la parole, c'est-à-dire le lieu où il se situe lui-même, le lieu d'*où* il est. Et, en retour, dans l'écoute, l'auditeur manifeste dans sa manière d'être attentif et de se prêter à la parole qui lui est adressée le lieu d'*où* il écoute, témoignant ainsi d'*où* il est.

C'est dire que toute conversation, toute adresse et toute écoute réciproques de la parole, présupposent un *lieu* d'entente et d'accord susceptible de permettre la rencontre.

Ce fait est si spontanément perçu que, le plus souvent, d'instinct, les hommes sentent s'il y a entre eux cette harmonie préétablie qui permet le véritable dialogue ou, au contraire, si l'échange qui va s'instaurer risque de faire question. Ils se sentent attirés les uns vers les autres comme par une mystérieuse affinité, ou bien ils se tiennent sur une défensive prudente ou hostile. C'est si vrai que tant que l'auditeur n'a pas pu déterminer *le lieu* d'où parle l'interlocuteur, il y a inquiétude, ou, s'il y a menace plus ou moins pressentie, angoisse.

Aussi bien, des hommes qui s'abordent se comprennent d'autant plus facilement que sont plus proches les plans sur lesquels ils existent et d'où ils parlent.

Mais si quelqu'un s'adresse à d'autres en partant d'un niveau qui est pour eux très *en deçà* ou très *au-delà* de celui où ils vivent, il crée spontanément des risques de malentendus, de quiproquos, de méprises ou de déceptions. Ses réflexions ou ses questions partent de si loin ou de si près qu'elles déconcertent ou suscitent le trouble. Sa conduite correspond si peu à l'attente des autres qu'elle paraît soudain excentrique, scandaleuse, déraisonnable. Il n'est pas rare alors que ce comportement soit pris pour un jugement porté sur les autres : c'est un combat, une contestation. Comme nous l'avons vu pour l'Idiot, celui qui vient d'ailleurs déconcerte.

Ces réflexions concernant le lieu de la parole manifestent clairement qu'il y a plusieurs niveaux de rencontre entre les hommes.

Là où l'entente se détermine, comme c'est le plus souvent le cas, selon les seuls critères de la convenance ou de l'utilité sociales, le terrain est libre pour la communication d'informations, qui peut finalement se réduire à une pure technique de transmission. C'est aussi le monde de la futilité, du bavardage, de l'insignifiance.

Là où l'entente se détermine en fonction de ce qui fait question, se crée l'espace d'une recherche commune de vérité.

Là où elle défaille, la possibilité de parler se mine de l'intérieur par l'équivoque.

Là enfin où le lieu d'*où* parle l'interlocuteur — et d'*où* il est — est implicitement perçu comme une mise en question du lieu d'*où* l'auditeur écoute — et d'*où* il est —, surgit la contestation. Le dialogue devient alors un appel à un changement de plan dans l'existence. L'un des interlocuteurs sollicite l'autre à sortir de son lieu et à se confier à un autre niveau de vérité ou, au contraire à se refuser à cette communion. Par son attitude ou par sa parole, il l'accule ou à s'exproprier ou à se fermer car il y va de la vie, de la communication que l'homme fait du plus profond de lui-même. Et c'est l'éclosion de l'amour ou de la haine, de la conversion ou de l'aversion.

2. Jésus et son lieu

Que notre attitude ou notre parole fassent saisir d'*où* nous sommes, l'exemple de Nicodème le suggère fortement.

Lorsque celui-ci, pour défendre Jésus, rappelle qu'il est interdit de condamner un homme sans l'entendre, la riposte des Pharisiens part, telle une flèche empoisonnée :

« Serais-tu *de* Galilée, toi aussi ? » (Jn 7, 52).

La parole et l'action de Jésus obligent ses auditeurs à se demander d'*où* il est, et à dévoiler d'*où* ils sont :

S'étant rendu dans sa patrie, il enseignait les gens dans leur synagogue, de telle façon qu'ils étaient frappés d'étonnement : « *D'où* lui viennent, disaient-ils, cette sagesse et ses miracles ? N'est-ce pas là le fils du charpentier ? *D'où* lui vient donc tout cela ? » Et ils étaient *scandalisés* à son sujet (Mt 13, 53-56 ; cf ; Lc 4, 24-30).

Jésus lui-même laisse d'ailleurs entendre qu'il y a un mystère de son lieu. Au scribe qui affirme : « Je te suivrai *où* que tu ailles » (Mt 8, 19), il riposte :

« Les renards ont des tanières et les oiseaux du ciel ont des nids ; le Fils de l'homme, lui n'a pas *où* reposer la tête » (Mt 8, 20).

Suggestion souveraine : son lieu est *ailleurs.*

La controverse sur *le lieu* d'où survient le Christ, lors de la guérison de l'aveugle-né, saint Jean la décrit avec une verve amusée et ironique :

Ils l'accablèrent d'injures : « Toi, dirent-ils, tu es disciple de cet homme ; nous c'est de Moïse que nous sommes les disciples. Nous savons que c'est à Moïse que Dieu a parlé ; mais de lui, nous ne savons *d'où* il est. L'homme leur répondit : « C'est là justement l'étonnant, que vous ne sachiez pas *d'où* il est, alors qu'il m'a ouvert les yeux » (Jn 9, 28-30).

Et, lorsqu'il monte à Jérusalem pour la fête des tabernacles et que les gens disent de lui : « Nous savons pourtant *d'où* il est, tandis que le Christ, quand il viendra, personne ne saura *d'où* il est » (Jn 7, 27), Jésus commente solennellement :

« *Où* je suis, moi,
vous, vous ne pouvez venir » (Jn 7, 34).

Ou encore :

« Je sais *d'où* je suis venu et *où* je vais » (Jn 8, 14).

Au cœur de la passion, l'interrogatoire de Pilate se condense dans la question cruciale : « *D'où* es-tu ? » (Jn 19, 9).

Dans tous ces textes, *parole, lieu et scandale* sont si structuralement liés les uns aux autres qu'ils nous obligent à rechercher la raison de cette étonnante unité. Ils nous renvoient au paradoxe fondamental de l'existence du Christ, qui est celui de son *lieu*, c'est-à-dire celui de son origine — *d'où* il est —, celui de sa demeure — *où* il est —, celui de sa route — *où* il va.

C'est bien l'Evangile lui-même qui nous invite à découvrir le *lieu propre* de l'Innocent, celui à partir duquel il est pour le monde incessante provocation.

6

L'épiphanie du Serviteur

L'Evangile s'ouvre sur une scène bouleversante dans laquelle s'unissent inséparablement l'humiliation et la gloire : le baptême du Christ.

Quel geste public d'abaissement, délibérément posé par le Christ pour laisser transparaître le sens de son Evangile ! Lui, l'Innocent, qui aura l'audace d'apostropher les anciens d'Israël en ces termes : « Qui d'entre vous me convaincra de péché ? » (Jn 8, 46), confesse les péchés du monde, les prend sur lui et, se mettant volontairement au rang des pécheurs, demande à être baptisé comme eux.

Et voilà qu'au cœur de cet anéantissement préfiguratif de sa mort, s'annonce aussi prophétiquement la résurrection, proclamation au monde de son mystère de fils : « Tu es mon Fils bien-aimé, tu as toute ma faveur » (Mc 1, 10).

Merveilleux prélude à toute l'œuvre de Jésus ! Il contient en germe tout le paradoxe du mystère du Christ qui se déploiera jusqu'à son paroxysme dans la Croix et la Résurrection.

Seul, celui qui a le comportement humilié du Serviteur est le Fils bien-aimé.

1. La préfiguration du scandale

Les textes évangéliques se font l'écho de la stupeur du Baptiste devant cet abaissement insensé de Jésus :

« C'est moi qui ai besoin d'être baptisé par toi, et *toi, tu viens à moi* » (Mt 3, 14).

Celui qui confesse être l'esclave de son maître, s'estimant indigne d'enlever ses chaussures (Mt 3, 11), est bouleversé par le comportement d'esclave de son Seigneur.

Oui, Jean frémit devant la perspective de baptiser Jésus du baptême de conversion à Dieu, du baptême des pécheurs, lui qui a reconnu en Jésus le Juge de la fin des temps « qui baptise dans l'Esprit et le feu » (Mt 3, 11).

Cette volonté, affichée par Jésus, de passer par l'humiliation crée immédiatement entre lui et ses interlocuteurs une dénivellation si profonde qu'elle ressemble à une rupture. Sa vie se joue à un niveau qui déroute même celui qui est chargé de l'annoncer prophétiquement au monde.

Etrange conduite en vérité, cause d'un saisissement de Jean en tous points comparable à celui de Pierre à la veille de la Passion devant le Maître qui se fait serviteur !

« Toi, tu me laves les pieds ! » (Jn 13, 6).

Cette stupeur, proche de l'indignation, contient déjà en germe l'incompréhension latente, qui suscitera un jour la question du Précurseur :

« Es-tu celui qui doit venir ou devons-nous en attendre un autre ? » (Mt 11, 2).

Ce trouble du Baptiste n'est surmonté que dans un abandon docile à l'ordre donné par Jésus obéissant au dessein de son Père :

« Laisse-faire pour l'instant, dit le Christ à Jean-Baptiste, *c'est ainsi* qu'il nous convient d'accomplir toute justice » (Mt 3, 15).

Jésus sait ce qu'il doit faire : il vient, dans l'obéissance, accomplir cette justice originelle qui surpasse celle des scribes et des pharisiens (Mt 5, 20) et qui seule est l'expression de la volonté de Dieu. *Il l'accomplit en se faisant serviteur*, en se mettant, lui le saint de Dieu, au rang des pécheurs pour leur communiquer la justice de sa présence.

Déjà il s'avance vers cette Croix sur laquelle il prendra la place des pécheurs, intercédant pour eux (Lc 13, 34). Aussi demande-t-il à Jean-Baptiste, « le plus grand de ceux que les femmes ont mis au monde » (Mt 11, 11), de s'en remettre à lui comme un enfant. N'est-il pas — comme l'a bien vu le précurseur — celui qui était avant lui (Jn 1, 30), celui par qui se prendront les décisions ultimes concernant le sort de l'humanité ?

2. Le Serviteur

Le Christ, Roi-Messie et Serviteur de Dieu, se solidarise avec les pécheurs. *Pour eux*, par son baptême, il entre déjà dans sa Passion. Il est vraiment le Fils de Dieu qui, innocent, vient partager le destin de mort des pécheurs. Il inaugure et prophétise par cet acte le baptême qu'il recevra sur la Croix. Et parce qu'il s'engage ainsi dans le seul baptême qui compte, celui de sa mort (Mc 10, 38 ; Lc 12, 50), il annonce déjà que l'Evangile ouvrira pour les pécheurs la porte du ciel.

C'est, en effet, au moment où Jésus demande le baptême pour lier son sort à celui des pécheurs et prendre leur place que, dans une manifestation apocalyptique, véritable préfiguration de la résurrection, il est dévoilé comme un être d'en-haut, comme le Fils de Dieu.

Pour lui les cieux sont ouverts :

« Au moment où il remontait de l'eau, il vit les cieux se déchirer et l'Esprit comme une colombe descendre sur lui, et des cieux vint une voix : « Tu es mon Fils bien-aimé, tu as toute ma faveur » (Mc 1, 10-11).

A l'origine même de son ministère, Jésus est ainsi désigné comme le Fils bien-aimé qui doit accomplir la mission du serviteur de Dieu d'Isaïe :

Mc 1, 10-11
Tu es mon fils
bien-aimé
Tu es ma joie
... L'Esprit descendit sur lui

Is 42, 1 (cf Mt 12, 18)
Voici mon « enfant » que j'ai choisi
mon bien-aimé
il est la joie de mon âme
J'ai posé sur lui mon esprit

Le baptême de Jésus est la préfiguration de ce qui se produira plus tard : par sa vie et sa mort, les cieux, le saint des saints sont ouverts : « Au moment où il remontait de l'eau, *il vit les cieux se déchirer* », comme l'annonçait Isaïe 63, 19 : « *Ah, si tu déchirais les cieux* et si tu descendais... ! »

L'Esprit qui descend « comme une colombe », c'est-à-dire comme l'Esprit du Créateur et du Rédempteur, le « Saint-Esprit de la Rédemption », se révèle comme l'Esprit de Jésus et vient avec lui. Et tout le peuple eschatologique, symbolisé par la colombe, est déjà là, en principe, dans le Christ.

Voilà que l'Evangile qui communique la connaissance de Jésus, le Fils bien-aimé, le Roi-Messie et le Serviteur de Dieu, commence sa course triomphale !

L'événement baptismal est donc l'épiphanie du Fils de Dieu, au moment précis où, par son comportement de Serviteur, il inaugure et préfigure la manifestation de son être à travers la mort. Dans le baptême, il reçoit déjà mystérieusement le signe de sa glorification.

3. L'Innocent

Dès le principe de sa vie publique, Jésus est donc désigné comme le serviteur de Dieu qui prend sur lui le péché des hommes : il est l'*innocent* dont le prophète a prédit les souffrances expiatrices pour le péché des hommes. Il ne peut vivre qu'en s'offrant à la mort pour ses frères : aussi se fait-il baptiser en pensant à sa mort, pour que, par cette mort même, il entraîne tous les hommes dans son baptême. Il est destiné à être égorgé comme l'agneau, comme l'innocent préfiguré par Jérémie. C'est pourquoi Jean résume la scène d'une simple formule : « Voyant Jésus venir à lui (cf. « Et tu viens à moi », de Mt 3, 14), il dit : '*Voici l'Agneau de Dieu qui ôte le péché du monde*' » (Jn 1, 29).

Cette révélation se dessine sur le fond d'un conflit entre Jean et les pharisiens, prélude à la rupture définitive qui s'instaurera entre ces derniers et Jésus.

Le témoignage du Baptiste s'ordonne merveillement autour de cette proclamation : « C'est pour qu'il soit manifesté à Israël — comme le serviteur — que je suis venu baptiser dans l'eau » (Jn 1, 31). Le serviteur d'Isaïe 53 apparaît dans la lumière de la Croix et de la Résurrection. Celui qui vient, celui qui est auprès du Père, et qui, Verbe de Dieu, est le principe du renouvellement de toutes choses (Jn 1, 1), vient dans la chair se faire l'*esclave de tous*. Parce que l'Esprit repose sur lui, cet Esprit dont il ne cessera de parler à ses disciples avant sa mort, manifestation suprême de sa vocation de Serviteur, il apparaît déjà dès le baptême comme celui qui dirigera son Eglise par son Esprit.

4. L'affrontement de Satan et de la mort

A partir du moment où, par le baptême, Jésus a identifié son sort à celui des pécheurs, l'Innocent est appelé à rencontrer sur sa route ce qui est par nature lié au péché, Satan et la mort. C'est pourquoi dans les Evangiles synoptiques le baptême et la tentation dans le désert tiennent structuralement ensemble.

C'est toute son existence de Fils-Serviteur conçue comme pure obéissance à la parole de Dieu que Jésus dévoile dans sa rencontre avec Satan. En reprenant sur lui toutes les tentations que son peuple a connues lors de l'exode (Dt 8, 2-5 ; 34, 1-4), il récapitule toute la destinée d'Israël et, plus largement, toute l'histoire du monde, pour l'accomplir dans la seule fidélité à la volonté divine. Mais plus encore, il prophétise le style de toute son action publique, caractérisée par un refus délibéré de tout signe extraordinaire. Durant toute sa vie, et jusque sur la Croix, le Christ rejette la mise en demeure qui lui est faite de produire « un signe venant du ciel » (Mc 8, 11 ; Mt 12, 38 ; Lc 11, 16-29 ; Lc 23, 8-9 ; Mc 15, 32 ; Mt 27, 42-43 ; Lc 23, 35-37).

Le Christ, en effet, subit cette épreuve en sa qualité de Fils de Dieu, proclamé tel par la voix céleste au moment de son baptême. Il ne peut accepter les propositions que lui fait Satan : projet d'un monde d'abondance, publicité fracassante réalisée en opérant un prodige qui ralliera le peuple autour de lui, domination des nations païennes (Mt 4, 1-11). Il refuse de faire du pain, de l'amour, du pouvoir, des réalités qui ne soient pas réglées par la Parole. Il lui est impossible de s'engager dans la voie d'un messianisme temporel conforme aux aspirations de ses contemporains. Il lui faut suivre la voie qu'il a inaugurée au baptême, prendre la place des pécheurs dans l'humiliation, la souffrance et la mort, dans la fidélité à la mission de serviteur que Dieu lui a confiée et dans l'obéissance à sa parole ! Il ne veut s'appuyer que sur la parole de Dieu, il sait qu'il n'a pas le droit de tenter Dieu, il ne sert que Dieu seul.

Etabli « Fils de Dieu avec puissance » (Rm 1, 3-4), il est le « plus puissant » (Mc 1, 7 ; Mt 3, 11), investi de l'Esprit pour lutter contre Satan et témoigner ainsi de la venue du Royaume. Le salut ne peut résulter que de la destruction du péché et de la mort.

La vie du Christ ne sera dès lors qu'une longue tentation, car les quarante jours du désert symbolisent la durée d'une destinée humaine. Le Fils de l'homme sera soumis au pouvoir de Satan, en attendant qu'il en sorte définitivement victorieux.

Que ce combat entre le Christ et Satan ait pour horizon la mort, l'Evangile de Marc l'évoque à l'évidence d'un simple mot, concernant Jean, mais à travers lui Jésus : « après que Jean eut été *livré* » (Mc 1, 14).

Ainsi, dès le baptême, la mort est là qui déjà rôde, prête à happer Jésus. A chaque pas de sa vie, la misère des hommes, leur péché l'évoqueront à ses yeux. Il ne peut vivre — c'est sa vocation — qu'en s'offrant à la mort pour en triompher.

Ainsi, dès le baptême, commence à se manifester le mystère de la personne de Jésus. Il est *d'ailleurs ;* il est *d'en-haut :* il se réfère mystérieusement à la volonté de son Père, il vit de lui et il est cependant au niveau des pécheurs. Il annonce prophétiquement tout son mystère : il préfigure dans son baptême l'heure dans laquelle se révèlera *d'où* il est. Il est caché aux hommes qui ne s'en remettront pas comme des enfants au mystère de la volonté divine.

C'est tout le programme évangélique qui se condense sous nos yeux dans les scènes initiales de l'Evangile : baptême, tentation, présence voilée de la mort, préfiguration de toute la vie du Christ.

Dans le Serviteur, se profile ce qui se manifestera peu à peu : la Croix, la Gloire, l'Esprit, le ciel ouvert, l'entrée des pécheurs dans le Royaume.

7

Une déconcertante nouveauté

En s'identifiant aux pécheurs, par le baptême qu'il demande à Jean-Baptiste, Jésus ouvre le chemin de scandale qui mène à la Croix.
Et, d'emblée, éclate la bouleversante nouveauté de son ministère.

Dès le jour du sabbat, étant entré dans la synagogue (de Capharnaüm), il se mit à enseigner. *Et l'on était vivement frappé de son enseignement car il les enseignait en homme qui a autorité,* et non pas comme les scribes (Mc 1, 21-23).

« Qu'est-ce que cela ? *Voilà un enseignement nouveau, donné d'autorité !* Il commande aux esprits impurs et ils lui obéissent » (Mc 1, 27).

« Quelle parole ! Il commande *avec autorité et puissance* aux esprits impurs et ils sortent ! » (Lc 4, 36).

« *Nul n'a jamais parlé comme cet homme* » (Jn 7, 46).

En vérité, il n'est pas d'autorité plus souveraine.
Elle se manifeste aussi bien dans l'annonce de son message que dans l'expulsion des démons et la guérison des malades (Mt 4, 23-25).

« Vous avez appris qu'il a été dit aux anciens... Eh bien, *moi*, je vous dis... » (Mt 5, 21).

« *Moi, je te l'ordonne* » (Mc 9, 25).

Dans le choix de ceux qu'il appelle à vivre avec lui, il a une initiative absolue : « Venez à ma suite » (Mc 1, 17), « Suis-moi » (Mt 9, 9).

Il est à cent lieues des rabbins dont tout le souci est de s'attacher ceux qui viennent les trouver pour être formés !

En présence de cette autorité qui s'impose avec tant de force, de simplicité et de tranquille assurance, la foule sent qu'il se passe quelque chose.

Quelque chose qui ne s'est jamais vu !

Tous étaient hors d'eux-mêmes et glorifiaient Dieu en disant : « Jamais nous n'avons rien vu de pareil » (Mc 2, 12).

« Jamais on n'a vu pareille chose en Israël » (Mt 9, 33).

Tous furent alors saisis de stupeur et ils glorifiaient Dieu. Ils furent remplis de crainte et ils disaient : « Nous avons vu d'étranges choses aujourd'hui » (Lc 5, 26).

Dans ce monde de misère, l'irruption du Christ est lumière, joie, puissance de renouvellement.

Et les évangiles épuisent leurs mots pour traduire la *frayeur sacrée* qui s'empare de la foule à la vue de cette épiphanie de la puissance divine que sont les gestes et les paroles du Christ. Les gens sont « hors d'eux-mêmes » (Mc 2, 12), « saisis de frayeur » (Mc 5, 15), « dans l'étonnement » (Mc 5, 20), « saisis d'une grande stupeur » (Mc 5, 42).

1. La bonne nouvelle du Règne

« Les temps sont accomplis, le royaume de Dieu est proche » (Mc 1, 15).

Jésus, qui a été oint par l'Esprit, le proclame ouvertement dans un cri de triomphe ! Dieu, dont le dessein sur la création se parachèvera par la constitution d'un peuple consacré, libéré du mal, et par l'entrée des païens dans le royaume de l'éternelle félicité, est tout prêt à intervenir. La décision suprême, celle qui engage le sort éternel des hommes, approche.

Jésus annonce, en effet, la *proximité* de la manifestation de la justice divine qui libère le peuple de Dieu et lui apporte le salut, inaugurant ainsi le Règne de Dieu prophétisé par Isaïe.

J'ai fait *approcher* ma justice, elle ne restera pas loin, et mon salut ne tardera pas ; j'accorderai à Sion le salut et à Jérusalem ma splendeur (Is 46, 13).

Ma justice est *proche,* mon salut est sorti, et mes bras jugeront les peuples ; les îles mettront en moi leur espérance, et mon bras sera leur attente (Is 51, 5).

Observez le droit, pratiquez la justice, car *mon salut est près de venir, et ma justice de se manifester* (Is 56, 1).

Les merveilleuses promesses du Livre d'Isaïe concernant l'instauration du Règne vont donc être réalisées.

Oui, *Dieu vient consoler son Peuple.*

C'est cette consolation qu'apporte la bonne nouvelle que Jésus annonce aux pauvres et aux affligés (Is 52, 7 ; 61, 1).

Marc souligne très fortement cette perspective en rappelant à trois reprises, en quelques lignes, l'Evangile de consolation d'Isaïe :

Une voix qui crie dans le désert : Préparez le chemin du Seigneur, aplanissez ses sentiers. (Mc 1, 3 ; ces paroles renvoient à Isaïe 40, 3).

Au moment où il remontait de l'eau, il vit les cieux se déchirer et l'Esprit comme une colombe descendre sur lui : et des cieux vint une voix : « Tu es mon Fils bien-aimé, tu as toute ma faveur ». (Mc 1, 10-11 ; comme nous l'avons vu, ces versets évoquent Isaïe 42, 1 et 63, 19).

La répétition, manifestement délibérée, de ces citations bibliques signifie de toute évidence que l'Evangile — cette *bonne nouvelle* dont parle le second Isaïe — *est entré en action.* Le renouvellement eschatologique des merveilles de l'Exode commence.

C'est bien ce que clame le discours inaugural de Jésus, tel qu'il est présenté en saint Luc :

On lui présenta le livre du prophète Isaïe et, déroulant le livre, il trouva le passage où il est écrit :
« L'Esprit du Seigneur est sur moi
parce qu'il m'a consacré par l'onction.
Il m'a envoyé porter la bonne nouvelle aux pauvres,
annoncer aux captifs la délivrance
et aux aveugles le retour à la vue,
rendre la liberté aux opprimés,
proclamer une année de grâce du Seigneur. »

Il replia le livre, le rendit au servant et s'assit. Tous dans la synagogue avaient les yeux fixés sur lui. Alors il se mit à leur dire : « Aujourd'hui s'accomplit à vos oreilles ce passage de l'Ecriture » (Lc 4, 18-21).

C'est à la joie de ce même message de consolation (Is 61, 1-3 ; Is 49, 13 ; Is 55, 1-2) que fait allusion le discours inaugural des Béatitudes :

« Bienheureux les pauvres en esprit, car le royaume des cieux est à eux » (Mt 5, 3).

C'est encore aux mêmes prophéties d'Isaïe (Is 26, 19 ; Is 29, 18 ss ; Is 35, 5 ss ; Is 61, 1) que Jésus renvoie les émissaires de Jean-Baptiste :

« Allez rapporter à Jean ce que vous entendez et voyez, les aveugles voient et les boiteux marchent, les lépreux sont guéris et les sourds entendent, les morts ressuscitent et la Bonne Nouvelle est annoncée aux pauvres » (Mt 11, 4-6 ; cf Lc 7, 22).

Mais la parole de Jésus ne se contente pas d'évoquer le message de consolation d'Isaïe ; elle insinue aussi que nous sommes en présence de la réalisation des grandes prophéties de Daniel. Derrière la formule : « les temps sont accomplis et le royaume de Dieu est proche » (Mc 1, 15), se profile la grande vision du royaume promis aux « saints » : « le temps arrive et les saints possèderont le royaume » (Dn 7, 22). Les Béatitudes font penser au même mystère : le Christ suggère qu'il est le Fils de l'homme qui vient partager son Royaume avec les saints.

2. La venue du Règne

« Les temps sont *accomplis* » (Mc 1, 15).
« Aujourd'hui *s'accomplit* sous nos yeux ce passage de l'Ecriture » (Lc 4, 21).

Extraordinaires paroles du Seigneur ! Sa conscience contemple la réalisation du dessein de Dieu annoncée par l'Ecriture. Elle laisse transparaître sa joie messianique, la joie de l'intervention eschatologique du Dieu vivant.

L'intervention prophétique avait cessé en Israël depuis déjà longtemps et soudain, grâce à Jésus, l'Esprit, celui de la nouvelle création, travaille ce monde pour le transfigurer par sa présence. La joie des noces, symbolisée par le vin nouveau (Jn 2, 1-12), explose toute neuve ; la moisson de la fin des temps commence à blanchir (Jn 4, 35) ; déjà se manifestent les dons merveilleux du salut : l'empire de Satan s'écroule, les corps sont guéris, la mort perd son emprise terrifiante, les pécheurs sont pardonnés.

a) *L'expulsion des démons :*

« Si c'est par le doigt de Dieu (Mt : par l'Esprit de Dieu) que je chasse les démons, c'est donc que le Royaume de Dieu est arrivé pour vous » (Lc 11, 20 ; Mt 12, 28).

Jésus a conscience de n'avoir pas pour mission seulement d'annoncer que le Royaume de Dieu est tout proche, mais aussi de manifester, grâce à son action, les effets anticipés de ce Règne.

Un peu comme à l'aube, les rayons du soleil qui n'est pas encore levé éclairent la terre, les expulsions des démons anticipent le déploiement de puissance que verra son avènement ; elles sont par excellence le signe de la venue du Règne.

Elles tiennent d'ailleurs si profondément à sa mission d'annonciateur du Règne que quand Jésus charge ses disciples d'annoncer que le Royaume de Dieu est proche, il leur donne en même temps le pouvoir de chasser les démons et de guérir les malades (Mt 10, 1 ; 1, 7-8 ; Lc 9, 1-2 ; 6 ; 10, 9). Mise en œuvre de puissance qui est déjà celle du Royaume !

Le cri des démons : « Tu es venu pour nous perdre » (Mc 1, 24) traduit bien qu'à travers le rayonnement de la personnalité mystérieuse du Christ se manifeste « le plus fort », celui qui détruit la maison de Satan (Mc 3, 27).

Et, à travers la sentence imagée d'un fait divers, Jésus le proclame :

« Nul ne peut pénétrer dans la maison d'un homme fort et piller ses affaires s'il n'a d'abord ligoté cet homme fort, et alors il pillera sa maison » (Mc 3, 27, cf. Mt 12, 29 ; Lc 11, 21-22).

Il contemple déjà la chute de celui qui régnait sur le monde présent :

« Je voyais Satan précipité du ciel comme un éclair » (Lc 10, 18).

Tel le roi de Babylone de la satire d'Isaïe (Is 14), le diable est jeté à terre.

Ainsi l'action de Jésus met fin à l'empire de Satan ; en lui se déploient les énergies vivifiantes et transformantes de l'Esprit (cf. Mc 1, 8) ; elles témoignent de la venue du Règne et du triomphe sur le mal.

b) *Les guérisons et la rémission des péchés*

Les expulsions du démon opérées par Jésus attestent que Satan n'est plus maître chez lui ; il est enchaîné et ligoté (Mc 3, 27) ; son empire est brisé.

Les guérisons témoignent de même que le règne du mal touche à sa fin et que le Royaume de Dieu est proche. Que de fois Dieu n'a-t-il pas crié à Israël qu'il le guérirait !

La guérison du lépreux envoyé aux prêtres — en témoignage pour eux, et rappelant la guérison de Naaman (2 R 5, 1-27), évoquée d'ailleurs par Luc (Lc 4, 27) — montre bien que les temps messianiques sont arrivés. Les résurrections de la fille de Jaïre (Mc 5, 35-43 ; Lc 8, 49-56), du fils de la veuve de Naïm (Lc 7, 11-17) anticipent déjà quelque chose de la clarté du Royaume qui vient.

Toutes ces guérisons renvoient au-delà d'elles-mêmes ! Si Jésus chasse les démons, s'il rend la santé aux malades, c'est que ces actes sont le signe du bienfait eschatologique par excellence, le pardon des péchés. La guérison du paralytique l'atteste avec éclat :

> « Pour que vous sachiez que le Fils de l'homme a pouvoir de remettre les péchés sur la terre, je te l'ordonne, dit-il au paralytique, lève-toi, prends ton grabat et marche » (Mc 2, 10).

3. Un invraisemblable paradoxe

L'annonce de la rémission des péchés ! Mais elle survient de façon bien étrange !

Pourquoi Jésus se compromet-il avec la société des pécheurs et des publicains, que les Juifs fidèles considèrent comme pervertie ? Pourquoi sa rencontre avec tous ces méprisés prend-elle si spontanément l'allure d'un festin ? Pourquoi fait-il de ce repas de communion avec eux le critère de sa mission ? (Mt 9, 11-13).

Pourquoi, enfin, prend-il plaisir à choquer ses auditeurs par des gestes insolites — miracles accomplis avec prédilection le jour du sabbat, mise en question des traditions des anciens, etc. — et pourquoi, au lieu de clamer à tous qu'il est le Messie, préfère-t-il se laisser deviner par ceux qui peuvent le comprendre ?

Oui, il est déconcertant ce nouveau maître, et sa bonne nouvelle est étrange.

Par des paroles et par des actes d'une aisance absolument souveraine, plus encore par le rayonnement de toute sa personne, il proclame la venue lumineuse du Royaume, mais, par le plus profond de son être, le voilà qui échappe à toute prise et laisse ses interlocuteurs en face d'une douloureuse interrogation.

Lui qui se donne comme le héraut de la Bonne Nouvelle, qui pose des gestes révolutionnaires, n'est-il pas, paradoxalement, soucieux de demeurer dans une relative obscurité ? Au cœur même des actes par lesquels il se manifeste dans ce monde comme le principe d'un ordre nouveau, il garde une réticence incompréhensible et déconcertante. Quand des manifestations messianiques se dessinent, il semble craindre l'enthousiasme des foules, et quelle aubaine pour lui que, soudain, le désert lui offre un refuge !

Il suffit que les démons, pressentant en lui la menace que constitue pour leur propre existence sa force spirituelle extraordinaire, le saluent du titre de « Saint de Dieu » (Mc 1, 24) pour qu'aussitôt il se fâche et les réduise au silence.

Ceux qu'il a guéris sont invités à ne pas divulguer le miracle. Et que de fois ne laisse-t-il pas sans réponse les questions qu'on lui pose, ou ne répond-il pas à côté ! Qu'y a-t-il de plus troublant que ce mélange d'une volonté décidée de se manifester publiquement et d'une recherche délibérée d'obscurité et de silence ?

Avec Jésus, l'ère du salut, celle de la moisson messianique (Mt 9, 37 ; Lc 10, 3 ; Jn 4, 35-36), s'ouvre dans une explosion de joie.

Mais d'où vient donc que son air de fête est si étrange, tellement connu et tellement inconnu ?

8

Une incessante provocation

Il y a quelque chose de singulier en Jésus !

Quelque chose d'absolument unique !

On le dirait possédé par une mission qui crée entre lui et les autres une dénivellation de plan si profonde qu'elle suscite malentendu sur malentendu.

Scellé au plus profond de son être, ne porte-t-il pas un *secret* qu'il essaie de laisser transparaître, mais qu'il ne *peut* communiquer pleinement ?

Contemplons-le un instant en train de parler et d'agir.

1. Une bien curieuse conduite

Aussitôt après son premier enseignement et son premier miracle à Capharnaüm — c'est en vérité sa première manifestation messianique (Mc 1, 21-28) —, il se dégage de l'enthousiasme populaire, sort (Mc 1, 29) et se retire loin de la foule.

De même, quelques jours après, alors que devant toute la ville rassemblée (Mc 1, 33), il vient de réaliser une merveilleuse journée de miracles, *il sort* à nouveau hors de la ville (Mc 1, 35) et s'en va *seul* prier dans le désert.

De son attitude, la signification est nette : il refuse manifestement d'exploiter un triomphe qui ne demande qu'à se développer ; il entend rester tout entier livré à la volonté de son Père.

De toute évidence, les disciples, tout comme la foule, sont complètement désarçonnés par ce comportement paradoxal.

Simon partit à sa poursuite avec ses compagnons. Et, l'ayant trouvé, ils lui disent : « Tout le monde te cherche » (Mc 1, 36-37).

Loin de s'étonner, le Christ riposte par une allusion énigmatique à sa mission :

« Allons ailleurs, dans les bourgs voisins, afin que j'y prêche aussi, c'est pour cela que *je suis sorti* » (Mc 1, 38).

Très délicatement, n'oriente-t-il pas l'esprit de ses auditeurs vers le mystère de sa personne ?

Mais quelle pudeur infinie enveloppe cette discrète confidence ! Simple invite à s'ouvrir docilement à la volonté du Maître !

C'est la même attitude foncièrement paradoxale (Mc 2, 1-13) que nous révèle la guérison du paralytique.

Dans son contexte, la parole du Christ : « Tes péchés te sont remis » sonne comme une provocation. Ne déplace-t-elle pas totalement l'objet de la requête qui lui est faite ? Les démarches assez étonnantes qu'ont accomplies les amis du paralytique témoignent avec clarté que leur désir vise essentiellement la guérison de son infirmité, et voilà que Jésus se situe à un tout autre niveau, le plus déconcertant qui soit pour eux. Il prend prétexte de leur demande pour leur faire comprendre que le temps de la rémission des péchés est enfin venu et que, par conséquent, les temps messianiques et eschatologiques sont là. Remettre les péchés est bien plus important et plus messianique, laisse-t-il entendre, que guérir les malades. Un peu comme s'il affirmait de lui-même :

C'est de lui que tous les prophètes rendent ce témoignage que quiconque croit en lui recevra par son nom la rémission de ses péchés » (Ac 10, 43).

Quelle attitude déroutante ! Jésus prend l'homme au niveau du désir qui le tenaille — ici la guérison corporelle — pour lui révéler ce qu'il n'oserait pas désirer de lui-même, l'immensité du don que Dieu est prêt à lui faire : la rémission des péchés. Il déborde volontairement le champ de la guérison corporelle pour amener les esprits à se tendre vers la plénitude du salut.

Mais alors éclate le malentendu, et même le scandale, car il semble revendiquer des pouvoirs réservés à Dieu seul :

Il y avait là, dans l'assistance, quelques scribes qui pensaient en eux-mêmes : « Comment celui-là peut-il parler ainsi ? Il blasphème ! Qui peut remettre les péchés, sinon Dieu seul ? » (Mc 2, 6-7).

Pour lever l'incompréhension et faire saisir quelle est sa mission, Jésus condescend alors à signifier par un miracle le mystère de la rémission des péchés, qu'il a charge d'annoncer par sa mort et sa résurrection. Il guérit le paralytique mais, semble-t-il, presque à contrecœur, et seulement pour introduire les assistants au seul niveau qui lui tienne à cœur, celui du pardon accordé par Dieu aux pécheurs.

« Quel est le plus facile de dire au paralytique : Tes péchés sont remis ou de lui dire : Lève-toi, prends ton grabat et marche ? (Mc 2, 9-11).

Jésus laisse ainsi entendre qu'il est le Fils de l'homme de Daniel 7, 14, intronisé dans la gloire :

Le pouvoir lui fut donné, et toutes les nations de la terre selon leur race et toute leur gloire lui rendent hommage. Et son pouvoir est un pouvoir éternel (Dn 7, 14).

Mais c'est une simple suggestion d'une infinie discrétion. Sans le dire expressément, Jésus souligne la signification eschatologique et messianique de son acte, mais c'est très précisément elle qui échappe totalement aux scribes qui pensent : « Il blasphème » (Mc 2, 7). Mais pourquoi faut-il que l'annonce du pardon du péché, la proclamation solennelle de la miséricorde de Dieu, évoque déjà comme en filigrane le motif de sa condamnation à mort : « Il blasphème » (Mc 14, 64) ?

Inconcevable paradoxe ! Au moment même où à travers sa personne se manifeste la mystérieuse présence du Royaume (Dn 7, 14), Jésus demeure un pauvre lié à toute la faiblesse humaine, bien mieux, promis à la mort. Ne se plaît-il pas d'ailleurs à rappeler à quel point il est solidaire de la misère humaine, en mangeant avec les pécheurs et les publicains, en affirmant qu'il est le médecin venu pour les malades (Mc 2, 15-17) ? Et cette déclaration, comme celle qu'il a faite à propos du paralytique, prend dans sa bouche l'allure d'un défi ! Il entend bien, en effet, par ses paroles et par ses gestes, faire saisir qu'un événement inouï, celui qui fonde une nouvelle économie du salut, fait dans sa personne son apparition dans le monde, et qu'il rend caduques toutes les dispositions de l'ordre ancien, exigeant de tous un comportement radicalement nouveau. Mais jamais il ne le dit en clair.

2. Un chemin de malentendus

Jésus se situe dans le droit fil des prophètes qui, par leur conduite insolite, ont été un « signe » pour leurs contemporains (Jr 32, 6-15 ; Ez 12, 1-10, etc.). Aussi bien la guérison du paralytique n'est-elle qu'un cas majeur parmi les nombreux quiproquos suscités par le comportement de Jésus, plus encore que par ses paroles.

La volonté délibérée de Jésus de guérir des malades le jour du sabbat (Mc 3, 1-6 ; cf. Jn 5, 17-18 ; 9, 3-7) vise à faire comprendre que quelque chose de radicalement nouveau est en train de se réaliser dans le monde ! Le Fils de l'homme est le maître du sabbat (Mc 2, 27) parce qu'il a reçu le pouvoir de fonder un monde nouveau, celui du pardon des péchés (Mc 2, 10), de la joie eschatologique (Mc 2, 17), de l'évacuation de l'ordre ancien (Mc 2, 19-22) et qu'il a même le pouvoir de ressusciter les morts (Mc 3, 4).

Mais pour que ces guérisons, signes messianiques, soient perçues pour ce qu'elles sont, il faut qu'elles soient déchiffrées à partir même du *lieu* d'où elles jaillissent, *à partir même de Dieu !* « Si Dieu était votre Père, dit Jésus, vous m'aimeriez » (Jn 8, 42). Au contraire, pour qui ne se situe pas à ce niveau proprement eschatologique, Jésus n'est qu'un vulgaire violateur du sabbat, qui mérite la mort.

Les autres gestes symboliques et prophétiques de Jésus ont la même portée : si ses disciples ne jeûnent pas, scandalisant ainsi les Pharisiens (Mc 2, 18), s'ils arrachent des épis le jour du sabbat (Mc 2, 23-24), s'ils mangent des pains sans s'être lavé les mains selon la tradition des anciens (Mc 7, 1-23), c'est, insinue Jésus, parce que les temps messianiques — ceux de l'Epoux — (Mc 2, 19) sont là.

Si Jésus mange avec les pécheurs, c'est qu'en sa personne l'aurore des temps eschatologiques se lève, et que la distinction entre les « justes » et les « pécheurs », entre le pur et l'impur, est désormais périmée.

Mais ici encore toute cette activité ne prend sens que pour ceux qui comprennent les signes des temps, c'est-à-dire pour ceux qui voient dans l'activité de Jésus et de ses disciples un signe prophétique de la venue du Royaume, d'une réalité si nouvelle qu'elle met radicalement en cause le monde ancien, comme le vin nouveau fait craquer les vieilles outres (Mc 2, 21-22).

Ah qu'il est déroutant, ce Christ ! Son attitude met en question tous ceux qui, dans la conscience de leur dignité de membres du peuple de Dieu, refusent de se commettre avec les pécheurs. Il n'hésite pas à bouleverser les coutumes, provoquant outrageusement les Pharisiens en guérissant un homme à la main desséchée le jour du sabbat (Mc 3, 1-6). Il situe toutes choses par rapport à la Vérité, par rapport à l'absolu du mystère de Dieu, sans faire acception de personne, et voilà que la rupture se produit : contestés jusqu'au plus profond de leur être, les Pharisiens n'ont qu'une issue : reviser leurs positions ou se fermer.

Jésus oriente sans cesse vers celui qui est l'inspirateur de sa conduite et auquel il renvoie toujours, mais de façon très mystérieuse, Dieu.

Il se contente, en effet, d'agir. Il n'explique jamais en clair le pourquoi de son action. Et c'est ainsi qu'il scandalise ceux qui n'en perçoivent pas l'origine eschatologique.

Dès lors la source des quiproquos apparaît nettement : si le *lieu d'où* Jésus agit et *d'où* il parle est plus ou moins pressenti dans la clarté de Dieu, tout s'illumine ; on s'en remet à lui, et alors commence une longue marche pour la compréhension de son mystère. Mais si le lieu *d'où* Jésus agit et *d'où* il parle échappe à ses auditeurs, tout devient énigmatique. On bute contre lui et c'est le scandale, dont Jean témoigne avec plus d'éclat encore que les autres évangiles.

3. Incessants quiproquos

Cette rupture de plans entre Jésus et ses adversaires, voire ses disciples, provoque tout au long des évangiles, — aussi bien chez Jean que chez les Synoptiques —, d'incessants quiproquos. De façon déconcertante, les dialogues tournent court : le mystère est au-delà, dans la personne même de Jésus. Dans le dialogue, ce décrochage, ou si l'on préfère cette rupture, que nous rencontrerons constamment dans notre recherche est l'une des constantes les mieux attestées des paroles de Jésus : *c'en est, en quelque sorte, la signature.* Les exemples en sont innombrables, et nous aurons l'occasion d'en analyser plusieurs en détail, entre autres, ceux qui surviennent entre Pierre et le Christ (Mc 8, 27-33 ; Jn 13, 6-11), ceux qui jalonnent les chapitres 19 à 21 de Matthieu.

Pour fixer l'esprit, citons quelques cas :

Après cela, Jésus parcourait la Galilée ; il ne pouvait pas circuler en Judée parce que les Juifs voulaient le tuer. Cependant la fête juive des Tentes approchait. Ses frères lui dirent donc : « Passe d'ici en Judée, afin que tes disciples aussi voient les œuvres que tu fais : on n'agit pas en secret quand on veut être connu. Puisque tu fais ces œuvres-là, manifeste-toi au monde. » Même ses frères, en effet, ne croyaient pas en lui. Jésus leur dit alors : « Mon temps n'est pas encore venu, tandis que pour vous le temps est toujours bon. Le monde ne peut pas vous haïr ; moi, il me hait, parce que j'atteste que ses œuvres sont mauvaises. Vous, montez à la fête ; *moi,* je ne monte pas à cette fête, parce que mon temps n'est pas encore accompli. » Cela dit, il resta en Galilée. Toutefois, quand ses frères furent montés à la fête, alors il monta lui aussi, mais en secret, sans se faire voir (Jn 7, 1-10).

Quel étonnement que d'entendre le Christ déclarer solennellement : « Moi, je ne monte pas à cette fête », et presque immédiatement après de l'y voir monter ! Et comme on s'est donné bien du mal pour montrer que le Christ ne mentait pas ! Mais l'évangéliste sait très bien ce qu'il a charge d'annoncer : il s'entend à merveille à faire saisir *le paradoxe du Christ.* Jésus ne monte pas à Jérusalem *à la manière dont l'entendent ses frères.* Il refuse de faire à Jérusalem son entrée comme Messie ; il monte à Jérusalem *incognito.*

L'explication se trouve au niveau de la conscience de Jésus. Il sait que l'heure de son entrée messianique dans la capitale n'est pas encore venue, puisqu'elle doit coïncider avec la Pâque de sa mort. Il récuse donc la manifestation tapageuse, publicitaire, pour se situer sur un autre plan : celui de l'annonce messianique, *telle que l'a décidée son Père.* Il vient apporter l'eau vive aux pauvres ! Il monte donc *en secret !*

De toute évidence, le malentendu porte sur *le mode* de la manifestation messianique.

Parce qu'il parle à partir d'un *lieu* qui n'est pas celui de ses disciples ou de ses interlocuteurs, du moindre de ses mots jaillissent des incompréhensions étonnantes, quelques-unes, comme celles-ci, saisies sur le vif :

Comme ils passaient sur l'autre rive, les disciples avaient oublié de prendre des pains. Or Jésus vint à leur dire : « Ouvrez l'œil et méfiez-vous du levain des Pharisiens et des Sadducéens ! » Et eux de faire en eux-mêmes cette réflexion : « C'est que nous n'avons pas pris de pains. » Mais Jésus s'en aperçut et leur dit : « Gens de peu de foi, pourquoi faire en vous-mêmes cette réflexion que vous n'avez pas de pains ? Vous ne comprenez pas encore ? Vous ne vous rappelez pas les cinq pains pour cinq mille hommes, et le nombre de couffins que vous en avez retirés ? ni les sept pains pour quatre mille hommes, et le nombre de corbeilles que vous en avez retirées ? Comment ne comprenez-vous pas que ma parole ne visait pas des pains ? Méfiez-vous, dis-je, du levain des Pharisiens et des Sadducéens ! » (Mt 16, 5-12 ; cf. Mc 8, 14-20).

Jean n'a fait, à notre avis, que mettre en lumière *la manière propre* de Jésus qui provoque d'un bout à l'autre de l'Evangile d'incessantes équivoques (Jn 3, 11-15 ; 4, 1-31 ; 4, 32-34 ; 6, 41-42 ; 6, 52 ss ; 7, 15 ss ; 8, 13-15 ; 8, 21-24, 43 ; 8, 33-36 ; 8, 48-51 ; 9, 26-28 ; 11, 13-24-39 ; 13, 6-11 ; 13, 37 ss ; 14, 5-8 ; 16, 17-19 ; 20, 15 ss ; 20, 26 ss ; 21, 4).

A titre d'exemple, ne citons que le dialogue avec la Samaritaine, ou la réflexion des Apôtres concernant la nourriture de Jésus.

Entre-temps, les disciples le pressaient en disant : « Rabbi, mange. » Mais il leur dit : « J'ai à manger une nourriture que vous ne connaissez pas. » Les disciples se demandaient entre eux : « Quelqu'un lui aurait-il apporté à manger ? » Jésus leur dit : « Ma nourriture est de faire la volonté de celui qui m'a envoyé, et d'accomplir son œuvre » (Jn 4, 31-34).

Les refus de réponse de Jésus ont la même portée : ils révèlent la distance qui brutalement le sépare de ses interlocuteurs.

Interrogé par les Juifs sur le type d'autorité qu'il détient : « Par quelle autorité fais-tu cela ? ou qui t'a donné cette autorité pour le faire » (Mc 11, 27-28), Jésus renvoie ses auditeurs à une autre question :

« Je ne vous poserai qu'une question. Répondez-moi et je vous dirai par quelle autorité je fais cela. D'où venait le baptême de Jean, du ciel ou des hommes ? Répondez-moi » (Mc 11, 29-30).

Et comme ils refusent de répondre, Jésus se contente de remarquer que lui non plus ne leur répondra pas ! Le Christ ainsi renvoie miséricordieusement ses adversaires à leur propre conscience ! Il y a assez de lumière pour que son mystère puisse être compris !

Tout au long des évangiles le malentendu est vraiment à l'état endémique. Presque à chaque ligne — et cela dès le début —, le scandale éclate.

Luc est tellement persuadé que l'Evangile est lié au scandale qu'il fait suivre le grand discours inaugural du ministère du Christ de menaces de mort (Lc 4, 28-30).

Jean, quant à lui, résume le climat de l'annonce du Seigneur par une simple phrase :

Et les siens ne l'ont pas reçu (Jn 1,11).

9

Accueil des petits, scandale des grands

« Allez rapporter à Jean ce que vous entendez et voyez, les aveugles voient et les boiteux marchent, les lépreux sont guéris et les sourds entendent, les morts ressuscitent et la Bonne Nouvelle est annoncée aux pauvres ; et heureux celui pour qui je ne serai pas une pierre de scandale » (Mt 11, 4-6)

Quelle est surprenante la parole de Jésus !

Jean avait envoyé ses disciples interroger le Maître sur son paradoxal comportement messianique, et délibérément celui-ci passe à côté de la question.

Alors qu'on lui demande en clair : « Es-tu le Messie ? », le voilà qui, sans crier gare, se met à définir la *nature* de la mission messianique. Curieux changement de plan ! De toute évidence, Jésus sous-entend que la compréhension de ce qu'il dit permet, à la lumière de l'Ecriture, de discerner *qui* il est.

Le rôle du Messie, déclare-t-il en substance, — mais comment ne le savez-vous pas, puisque Isaïe l'enseigne ? — n'est-il pas de soulager ceux qui souffrent et d'annoncer la bonne nouvelle aux pauvres ? Comme s'il disait : « Mais ne le voyez-vous pas, ma conduite est très exactement celle-là même qu'annonçaient les prophètes ! »

Et du coup, avec une simplicité transcendante, il révèle où s'origine le malentendu croissant entre lui et ses adversaires.

1. L'INFINIMENT PROCHE

En parlant de Jean-Baptiste et de son ministère (Mt 11, 7-15) et en soulignant à dessein que Jean-Baptiste est l'Elie annoncé par Malachie (3, 23), celui qui clôt l'ère prophétique et ouvre l'ère eschatologique, Jésus attire l'attention sur sa propre personne.

Sa présence parmi les hommes est le signe d'une intervention actuelle du Dieu vivant, décisive pour l'histoire de l'humanité. Il n'est pas l'envoyé de Dieu qui annonce aux pécheurs l'heure prochaine du châtiment ; il n'a pas vocation de détruire le mal par un triomphe immédiat et définitif, il n'a pas mission de séparer l'ivraie du bon grain (Mt 13, 29 ss) ; médecin des pécheurs, il est venu consacrer ses soins à soulager ceux qui souffrent, à éclairer ceux qui ne voient pas.

Sa conduite étrange a beau attirer sur lui les reproches les plus perfides ou les plus ignobles, sans un regard en arrière, il passe outre : il manifeste *la miséricorde de Dieu ;* traité de fils rebelle et d'ivrogne (Mt 11, 19), d'ami des publicains et des pécheurs (Mt 11, 19), bref, d'impie qui fréquente ceux qui sont impurs (Jn 9, 16 ; 9, 24), il se sait, de ce fait, promis à la lapidation et à la mort, mais, devant le précipice qui s'ouvre sous ses pas, loin de trembler, il exulte de joie (Lc 10, 21) et de son cœur jaillit, comme la plus intime des confidences, le chant de sa vie :

« Je te bénis, Père, Seigneur du Ciel et de la terre, d'avoir caché cela aux sages et aux habiles et de l'avoir révélé aux tout-petits.

Oui, Père, car tel a été ton bon plaisir. Tout m'a été remis par mon Père et nul ne connaît le Fils si ce n'est le Père, comme nul ne connaît le Père si ce n'est le Fils, et celui à qui le Fils veut bien le révéler. »

« Venez à moi, vous tous qui peinez et ployez sous le fardeau, et moi je vous soulagerai. Chargez-vous de mon joug et mettez-vous à mon école, car je suis doux et humble de cœur, et vous trouverez soulagement pour vos âmes. Oui, mon joug est aisé et mon fardeau léger » (Mt 11, 25-30).

Oui, il exulte, émerveillé par la miséricorde infinie dont son Père enveloppe les petits et qui transparaît dans son propre ministère. Pour lui il n'est pas de plus grande joie que de voir l'amour dont il est aimé par son Père envahir, à travers sa personne, tous ceux que leur pauvreté ouvre à son message !

Les petits, mais — est-il besoin de le dire ? — il est leur fête ! Lui qui est la Vérité, bouleverse les coutumes les plus sacrées pour les rejoindre et les rencontrer dans un respect et une délicatesse infinis. Son amour inventif, passionné, saute par-dessus toutes les barrières pour être avec ceux qu'il aime ! Eux que le monde dédaigne, il leur donne d'exister ! Pour eux il est prêt à tout !

Ils n'avaient jamais connu que le mépris, et voilà qu'ils rencontrent en lui l'étonnante compréhension de la miséricorde.

Avec quelle tendresse n'accueille-t-il pas la pécheresse connue de toute la ville (Lc 7, 39-44) ! A ses pieds, elle se retrouve elle-même, recueillie parce qu'elle a senti, posé sur elle et la renouvelant, son regard d'amour.

C'est vrai, il a une prédilection pour les pécheresses, et elle est si manifeste qu'en lui présentant la femme surprise en flagrant délit d'adultère, scribes et pharisiens y font allusion : « Ces gens-là, Moïse nous a prescrit de les lapider. Toi, qu'en dis-tu ? » (Jn 8, 5). Et d'un simple mot, d'une discrétion infinie, il la libère de toute condamnation, tandis qu'il révèle à ses accusateurs que leur cœur est « creux et plein d'ordure ».

En vérité, il n'a d'yeux que pour les petits ! Et, même lorsque la mort sera sur le point de l'engloutir, il prendra le temps d'admirer la pauvresse qui, de son indigence, a donné tout ce qu'elle possédait (Mc 12, 44).

Les pécheurs, ils sont sa vie, et ses joyeux festins avec les publicains ne signifient qu'une chose : le salut est venu à leur rencontre.

Entre lui et les petits, il y a d'ailleurs une merveilleuse réciprocité d'amour. Comme le publicain de la parabole, ils n'ont, en effet, qu'une parole : « Aie pitié du pécheur que je suis ». Et cette parole les saisit tout entier et les transfigure (Lc 18, 13). Ils crient leur détresse et il les écoute : « Si tu le veux, tu peux me guérir » (Lc 5, 12 ; Mt 8, 2).

Ils ne se laissent pas déconcerter par ses apparents refus, car l'intuition de leur cœur les conduit au-delà des apparences.

« Il ne sied pas de prendre le pain des enfants pour le jeter aux petits chiens. — De grâce, Seigneur, reprit-elle, aussi bien les petits chiens mangent-ils des miettes qui tombent de la table de leurs maîtres ! » (Mt 15, 26-28).

La chananéenne a compris que cette dureté apparente était le signe d'un amour qui appelle à aller toujours plus loin.

Eux qui se sont laissés baptiser par Jean-Baptiste, à la différence des pharisiens qui ont rendu vain le dessein de Dieu (Lc 7, 30), ils jubilent de découvrir sur eux le regard de miséricorde qui les justifie. Ces pauvres, ces petits sont naturellement accordés au paradoxe du Royaume, en raison de la disponibilité radicale qui les ouvre au mystère de Dieu. Ils n'ont pas de plan préfabriqué : ce sont des enfants qui écoutent dans la simplicité de leur cœur ce que leur dit le Père des Cieux, et qui lui donnent raison (Lc 7, 35).

De tout leur être ils accueillent ce Jésus qui leur ressemble tant. N'est-il pas le petit par excellence, le Messie humble et miséricordieux, plein de douceur et de compassion qui a lié toute sa vie aux pauvres : « Je suis doux et humble de cœur » (Mt 11, 29) ?

La joie messianique qu'il proclame : « Bienheureux les pauvres en esprit ! », mais c'est le reflet de l'exultation qu'il a devant les menaces qui pèsent sur sa vie. Sa joie, c'est d'être totalement livré à l'amour de son Père qui le garde !

Elle vient accomplir celle de tous les petits dont le monde s'est moqué tant et plus à cause de leur fidélité au Seigneur, de tous les méprisés, de tous les persécutés qui se sont inconditionnellement remis à Dieu.

« Opprimons le juste qui est pauvre,
n'épargnons pas la veuve,
soyons sans égards pour les cheveux blancs chargés d'années du vieillard.
Que notre force soit la loi de la justice,
car *ce qui est faible s'avère inutile.*
Traquons le juste, puisqu'il nous gêne et qu'il s'élève contre notre conduite,
puisqu'il nous reproche nos manquements à la Loi
et nous accuse de trahir notre éducation.
Il se flatte de posséder la connaissance de Dieu,
et se nomme lui-même fils du Seigneur.
Il est un reproche vivant pour nos pensées,
sa vue seule nous est à charge ;
son genre de vie jure avec les autres,

sa conduite est excentrique.
Nous sommes pour lui chose frelatée ;
il évite notre commerce comme une souillure.
Il proclame heureux le sort final des justes
et se vante d'avoir Dieu pour père.
Voyons si ses dires sont vrais,
examinons ce qu'il en sera de sa fin.
Si le juste est fils de Dieu, Dieu l'assistera,
il le délivrera des mains de ses adversaires.
Eprouvons-le par des outrages et des tourments ;
nous connaîtrons ainsi sa douceur,
nous verrons à l'œuvre sa résignation.
Condamnons-le à une mort infâme,
puisque, à l'entendre, le secours lui viendra » (Sg 2, 10-20).

Parce qu'en se convertissant à la parole de Jésus ils font la volonté du Père des cieux, ils comprennent du plus profond d'eux-mêmes que l'Ecriture dans son mouvement le plus essentiel s'accomplit en Jésus venu révéler au monde la miséricorde du Père : ils sont les témoins reconnaissants de la sagesse divine (Lc 7, 35 ; Mc 11, 19). Ils ont pressenti *d'où* vient Jésus !
Du cœur de la miséricorde de Dieu.

2. Des rêves de puissance

En face de ces pauvres qui reconnaissent dans l'humble visage de Jésus la bonté du Dieu vivant, les Pharisiens se dressent dans leur justice et leur mépris des autres.
De leurs plans à eux, ils font la règle du dessein de Dieu.
Leur Dieu est un Dieu vengeur, souverain glorieux et puissant libérateur de son peuple et assurant la suprématie d'Israël sur les nations païennes.

Vois, Seigneur, et suscite-leur leur Roi, fils de David,
au temps que tu sais, toi, ô Dieu,
pour qu'il règne sur Israël, ton serviteur.
Et ceins-le de la force, pour briser les chefs injustes
pour purifier Jérusalem des païens qui la foulent en les perdant,
pour chasser, par la sagesse de la justice, les pécheurs de l'héritage,
pour fracasser l'orgueil des pécheurs comme des vases de potier,
pour briser avec une verge de fer toute leur substance,

pour détruire les païens impies d'une parole de sa bouche,
pour mettre en fuite, par sa menace, les païens loin de son visage
et pour reprendre les pécheurs par la parole de leur cœur.
Alors, il rassemblera le peuple saint, qu'il conduira avec justice
et il jugera les tribus du peuple sanctifié par le Seigneur son Dieu.

...

Et il aura les peuples païens pour le servir sous son joug
et il glorifiera le Seigneur à la vue de toute la terre,
et il purifiera Jérusalem par la sanctification, comme au commencement,
pour que les nations viennent du bout de la terre pour voir sa gloire,
en apportant comme offrande ses fils à elle, privés de force,
et pour contempler la gloire du Seigneur, dont Dieu l'a glorifié. (*Ps. Sal.* 17, 21-31).

Leur Dieu n'est que la projection de leurs rêves de puissance.

Ils aiment, en effet, l'argent et la domination (Lc 16, 14) et ils se croient intelligents et réalistes en se gaussant de Jésus, qui oppose durement le service de Dieu et celui de Mammon (Lc 16, 13) ; ils recherchent les premières places, soucieux d'être considérés par les autres comme des gens de bien (Mt 6, 1-4 ; 23, 5-6).

L'image qu'ils se forgent d'un Dieu qui triomphe du mal et qui leur donne raison les empêche de reconnaître le visage du vrai Dieu : les traits dont ils l'affublent contredisent ce qu'enseigne de lui la parole divine.

Quel Dieu de pacotille, inconsciente justification de leur bonne conscience !

Le pharisien, la tête haute, priait ainsi en lui-même : « Mon Dieu, je te rends grâces de ce que je ne suis pas comme le reste des hommes, qui sont rapaces, injustes, adultères, ou bien encore comme ce publicain ; je jeûne deux fois la semaine, je donne la dîme de tous mes revenus » (Lc 18, 11-12).

Leur aveuglement sur eux-mêmes en fait des hypocrites qui se posent en défenseurs des grands principes religieux dont ils ne vivent pas, soucieux des seules apparences, se constituant juges qui méprisent et condamnent leurs frères (Mt 6, 1-4 ; Mt 23, 5-6).

Ah ! on les entend ricaner, conscients de leur supériorité !

« Vous vous y êtes donc laissé prendre, vous aussi ! Est-il un seul des notables qui ait cru en lui ou un seul des pharisiens ? Mais cette racaille qui ignore la Loi, ce sont des maudits » (Jn 7, 47-49).

Et quand, par amour, Jésus laisse la pécheresse répandre sur ses pieds parfum, larmes et cheveux, les Pharisiens ne voient là que manquement aux sacro-saints principes :

« Si cet homme était prophète, il saurait qui est cette femme qui le touche et ce qu'elle est : une pécheresse ! » (Lc 7, 39).

Inlassablement, sûrs d'eux-mêmes et de leur bonne conduite, ils jugent les pauvres et les mettent en question. Et bien souvent Jésus doit prendre leur défense :

« Si vous aviez compris le sens de cette parole : *C'est la miséricorde que je désire, et non le sacrifice,* vous n'auriez pas condamné des gens qui sont sans faute » (Mt 12, 7).

Ou encore :

« Allez donc apprendre le sens de cette parole : *C'est la miséricorde que je désire, et non le sacrifice* » (Mt 9, 13).

Et pourtant quelle délicatesse dans l'attitude de Jésus pour tenter de les ouvrir à l'amour : il s'acharne à expliquer que ceux qui se scandalisent de l'amour de Dieu pour les pécheurs se coupent de lui par leur complaisance en eux-mêmes ; ils restent murés dans leur suffisance, alors que les pécheurs qui font pénitence reçoivent le pardon :

« En vérité, je vous le dis, publicains et prostituées entreront avant vous dans le royaume de Dieu » (Mt 21, 28-31 ; Lc 7, 41-43).

Comment les pharisiens ne comprennent-ils pas qu'ils sont comme ces fils qui ne répondent qu'un « oui » du bout des lèvres à la demande de leur père, et qui ne lui obéissent pas (Mt 21, 28-31) ; comme ces vignerons qui n'ont cessé de refuser le paiement de leur fermage et qui ont amoncelé crime sur crime (Mc 12, 1-9) ? Ils ressemblent à des hôtes de marque qui ont dédaigneusement décliné l'invitation à dîner qui leur avait été faite et qui sont pleins de ressentiment à l'égard des pauvres gens assis à la table de Jésus. Aussi les couvrent-ils de sarcasmes, d'injures, de moqueries (Mt 22, 1-10 ; Lc 14, 26).

« Malheur à vous, scribes et Pharisiens hypocrites qui acquittez la dîme de la menthe, du fenouil et du cumin, après avoir négligé les points les plus graves de la Loi, la justice, la *miséricorde* et la bonne foi » (Mt 23, 23-24).

La méconnaissance de la *miséricorde*, tout est là !

C'est ce manque de miséricorde qui empêche les adversaires de Jésus de comprendre les caractères de son action messianique, pourtant conforme à ce que la Parole divine laisse pressentir de Dieu. Jésus a beau leur dire : « Faut-il que tu sois jaloux parce que je suis bon ? » (Mt 20, 15), ils ne comprennent pas que l'Ancien Testament est tout entier tendu vers la manifestation de la *miséricorde*. Le mot d'Osée : « C'est la miséricorde que je désire et non le sacrifice », ils ne voient pas qu'il est le résumé de toute l'Ancienne Alliance, comme l'atteste la parole d'Isaïe :

« Ne savez-vous pas quel est le jeûne qui me plaît ? oracle du Seigneur Yahvé : Rompre les chaînes injustes, délier les liens du joug, renvoyer libres les opprimés, briser tous les jougs ; partager ton pain avec l'affamé, héberger les pauvres sans abri, vêtir celui que tu vois nu et ne pas te dérober devant celui qui est ta propre chair » (Is 58, 6-7).

Comme en témoigne encore l'étonnante recommandation de Michée :

« On t'a fait savoir, homme, ce qui est bien, ce que Yahvé réclame de toi : rien d'autre que d'accomplir la justice, d'aimer avec tendresse et de marcher humblement avec ton Dieu » (Mi 6, 8).

N'était-ce pas là pourtant le merveilleux pressentiment du message évangélique :

« Montrez-vous *miséricordieux* comme *votre Père céleste est miséricordieux* » (Lc 6, 36).

La logique de la fermeture à la miséricorde est pourtant terrible : elle conduit fatalement au meurtre :

« Est-il permis, le jour du sabbat, de *faire du bien* plutôt que du mal, de sauver une vie plutôt que de la tuer ? » (Mc 3, 4).

En d'autres termes — et Matthieu rapproche cette réponse du mot d'Osée sur la miséricorde, cité plus haut —, la miséricorde a-t-elle la primauté en tout ? Et parce que Jésus le proclame en guérissant miséricordieusement un homme à la main desséchée, voilà que les Pharisiens décident de le perdre (Mt 12, 11-14 ; Mc 3, 1-6).

Mis en question à la racine de leur être, ils butent devant la Parole qui conteste leur propre fonds. « Pourquoi ne comprenez-vous pas mon langage ? C'est que vous ne pouvez pas écouter ma parole » (Jn 8, 43), leur dit Jésus. Ils refusent de reconnaître *d'où* vient Jésus : ils proclament ne pas savoir *d'où* il est (Jn 9, 30), et ils affirment, mettant en cause le nom de Dieu : « Rends gloire à Dieu ! Nous, nous savons que cet homme est un pécheur » (Jn 9, 24).

Ils révèlent ainsi *d'où* ils sont :

« Vous avez pour père le diable et ce sont les désirs de votre père que vous voulez accomplir. Dès l'origine, ce fut un homicide ; il n'était pas établi dans la vérité parce qu'il n'y a pas de vérité en lui quand il dit ses mensonges, il les tire de son propre fonds, parce qu'il est menteur et père du mensonge » (Jn 8, 44).

Rejetant la volonté de *Dieu qui est miséricorde*, les Pharisiens deviennent aveugles : l'Ecriture leur échappe par son centre, ils ne comprennent rien au message et à la personne du Christ qui, pourtant, accomplit les annonces prophétiques (Jn 5, 39) ; insensibles aux signes du temps, ils butent contre sa personne ; ils ne connaissent pas le Dieu dont ils répètent sans cesse : « Il est notre Dieu » (Jn 8, 54). Alors ils demandent des signes, qui ne peuvent leur être donnés puisque le signe par excellence, c'est *Jésus en sa miséricorde*.

On voit dès lors pourquoi leur opposition à Jésus apparaît si radicale dès le début de l'Evangile : d'instinct, ils ont perçu que l'humble figure d'un Sauveur miséricordieux et compatissant, offerte par le Christ, met radicalement en cause l'image de Dieu qu'ils se sont fabriquée et qui leur tient tant à cœur, la physionomie d'un « Souverain Juge » sans pitié, réduisant les pécheurs à néant pour justifier leur propre conduite pharisienne.

Entre eux et Jésus, il y va du visage même de Dieu :

« Ce qui est élevé pour les hommes est objet de dégoût aux yeux de Dieu » (Lc 16, 15).

3. Le visage du vrai Dieu

Dans l'histoire d'Israël, depuis longtemps déjà, l'étonnant comportement du vrai Dieu avait causé un certain scandale. Dieu se révélait de plus en plus comme miséricorde, répudiant les manifestations violentes.

On connaît l'invraisemblable aventure survenue à Elie. Parvenu en fugitif à l'Horeb, il s'identifiait à Dieu et criait vengeance :

« Je suis rempli d'un zèle jaloux pour Yahvé Sabaot, parce que les enfants d'Israël t'ont abandonné, qu'ils ont abattu tes autels et tué tes prophètes par l'épée » (1 R 19, 10).

Et voilà que Dieu se manifeste dans la douceur de la brise !

Il lui fut dit : « Sors et tiens-toi dans la montagne devant Yahvé. » Et voici que Yahvé passa. Il y eut un grand ouragan ; et après l'ouragan un tremblement de terre, mais Yahvé n'était pas dans le feu, et après le feu, le bruit d'une brise légère. Dès qu'Elie l'entendit, il se voila le visage avec son manteau, il sortit et se tint à l'entrée de la grotte (1 R 19, 11-13).

Dieu, le Dieu vivant, est infinie *tendresse*.

Jonas lui aussi avait connu le scandale devant la conduite du Dieu miséricordieux qui refuse de détruire Ninive :

« Ah ! Yahvé, dit-il, n'est-ce point là ce que je disais lorsque j'étais encore dans mon pays ? C'est pourquoi je m'étais d'abord enfui à Tarsis ; je savais en effet que tu es *un Dieu de tendresse et de pitié,* lent à la colère, riche en grâce et te repentant du mal » (Jo 4, 2).

Jésus ne fait qu'accomplir ce dévoilement de la miséricorde divine.

A Jean qui lui demande de se manifester comme Messie, il répond pratiquement : « Regarde la bonté dont je suis la manifestation. Contemple ce que je fais et découvre que le mouvement des Ecritures converge vers la révélation de la miséricorde de Dieu. » La référence au verset d'Osée dans la bouche du Christ n'est pas fortuite, surtout lorsqu'elle sert à définir sa mission ; elle est le renvoi au prophète qui, comme nul autre, a révélé l'infinie proximité du *Dieu de miséricorde* (Mt 9, 13 ; 12, 7).

La grande scène entre Jean et Jésus rappelle quelque peu le dialogue entre Moïse et le Dieu-Vivant.

A Moïse qui lui demandait de voir sa gloire, Dieu répond :

« Je ferai passer devant toi *toute ma bonté* et prononcerai devant toi le nom de Yahvé. *J'ai compassion de qui je veux et j'ai pitié de qui bon me semble* » (Ex 33,19).

Oui, Dieu, le Dieu vivant et vrai, est un Dieu penché sur les petits d'ici-bas ! Il n'est pas un Dieu lointain, désintéressé de notre pauvre et misérable monde ; il est toute tendresse pour les humbles, témoignant à leur égard l'imprévisible comportement de l'amour.

Jésus confirme d'ailleurs que tout le mouvement de la Révélation débouche sur lui. Il n'hésite pas à dire à ses adversaires que s'ils croyaient que Dieu s'est révélé à Moïse, ils croiraient aussi en lui :

« Si vous croyiez Moïse,
vous me croiriez aussi ;
car c'est *de moi* qu'il a écrit » (Jn 5, 46).

Oui, il l'affirme, les Ecritures lui rendent témoignage (Jn 5, 39).

Et Jésus peut dire à ses disciples :

« Heureux les yeux qui voient ce que vous voyez ! Car, je vous le dis, bien des prophètes et des rois ont voulu voir ce que vous voyez et ne l'ont pas vu, entendre ce que vous entendez et ne l'ont pas entendu » (Lc 10, 23-24).

Ainsi la discrétion infinie, l'infinie bonté du Serviteur de Dieu est le signe — le signe unique — de la révélation du mystère du Dieu miséricordieux à tous les hommes.

En son nom (celui du Serviteur) les nations mettront leur espérance (Mt 11, 21).

Dans l'universalisme d'un amour qui ne fait acception de personne, se laisse voir le visage du Père.

Aussi bien, pour tenter de faire comprendre aux Pharisiens les motifs de sa conduite miséricordieuse (Lc 15, 1-3), lui qui est venu chercher et *sauver* ce qui était perdu (Lc 19, 10), Jésus leur dit cette parabole :

« Lequel d'entre vous, s'il a cent brebis et vient à en perdre une, n'abandonne les quatre-vingt-dix neuf autres dans le désert pour s'en aller auprès de *celle qui est perdue* jusqu'à ce qu'il l'ait retrouvée ? Et quand il l'a retrouvée, il la met, tout joyeux, sur ses épaules et, de retour chez lui, il assemble amis et voisins et leur dit : Réjouissez-vous avec moi, car je l'ai retrouvée, ma brebis qui était perdue ! » (Lc 15, 4-6).

Et il poursuit en parlant de la drachme *perdue* et de l'enfant *perdu !*

Pour retrouver ce qui était perdu, Jésus mange avec les pécheurs : c'est sa manière de révéler au monde qu'*aujourd'hui* Dieu pardonne ses péchés à tout homme qui croit à la Bonne Nouvelle. Il laisse pressentir qu'il existe un lien intime entre la conduite présente de Jésus et l'intervention de Dieu à l'égard de chaque pécheur.

C'est de Dieu que Jésus tient sa vocation de demeurer avec les pécheurs. Ne dit-il pas à Zachée : « Il me *faut* aujourd'hui demeurer chez toi » (Lc 19, 5), avec un « il faut » proprement eschatologique et apocalyptique, qui représente la volonté de Dieu.

De justification de l'Evangile, il n'en est pas d'autre que la miséricorde de Dieu : les malades ont besoin urgent de médecin (Mc 2, 17), les méprisés ne peuvent vivre sans estime, les publicains qui prient doivent être exaucés (Lc 18, 13).

Il suggère ainsi que son attitude est à l'image de celle de son Père plein de miséricorde : Dieu est pure bonté pour les pauvres, il est tout à la joie de retrouver ceux qui étaient perdus ; il est amour paternel pour l'enfant qui a mal tourné ; il est compréhension, clémence pour les désespérés, les abandonnés, tous ceux qui sont dans le besoin. Les petits ne s'y sont pas trompés — seuls en rient ceux qui se croient malins : Dieu est vraiment *le bon Dieu.*

L'humble tendresse de Jésus, quelle révélation du visage éternel du Père ! Annonce voilée de ce que le Christ dit dans Jean :

« Qui me voit voit le Père » (Jn 14, 9).

4. La pierre de scandale

A mesure que se déployait la révélation, Dieu, de plus en plus nettement, devenait pour son peuple pierre de scandale. Jésus connaît le même sort. Il en a pleine conscience :

« Heureux celui pour qui je ne serai pas une pierre de scandale » (Mt 11, 6).

Le contexte de cette déclaration en atteste la solennité. Aux envoyés de Jean qui viennent de poser la décisive question : « Es-tu celui qui doit venir ou devons-nous en attendre un autre ? » (Mt 11, 3), Jésus a précisé que son activité correspond aux grands signes eschatologiques de l'ère messianique (Is 61, 1 ss). Mais, pour souligner aussitôt l'incidence paradoxale de ses remarques, il unit la notion de celui qui vient à celle de pierre de scandale. Il fait ainsi écho au grand poème messianique (Ps 118), auquel il renvoie :

La pierre rejetée des bâtisseurs est devenue la tête de l'angle ; c'est là l'œuvre de Yahvé, ce fut merveille à nos yeux. Voici le jour que fit Yahvé, pour nous allégresse et joie. Donne le salut, Yahvé, donne ! Donne la victoire, Yahvé, donne ! *Béni soit au nom de Yahvé celui qui vient !* (Ps 118, 22-26).

Celui qui vient est aussi, selon la prophétie du psaume, *pierre de scandale !*

Aussi, pour bien attirer l'attention sur le paradoxe de sa vie, Jésus souligne-t-il que depuis que le Royaume est annoncé il subit la violence (Mt 11, 12 ; Lc 16, 16) : on voudrait, comme Jean-Baptiste vient de le faire, lui faire violence pour qu'il devance son heure !

Cette soudaine mise en lumière faite par le Christ du caractère scandaleux de sa mission s'accorde parfaitement avec le contenu des paraboles. Au travers de celles-ci, de façon symbolique et imagée, Jésus essaie de faire comprendre que, malgré sa faiblesse apparente, son ministère est l'instrument de la venue du Royaume de Dieu dans la gloire. Pendant tout le cours de son action terrestre, le Royaume demeure caché, inconnu, apparemment stérile mais, dans peu de temps, il se manifestera de façon si éclatante qu'il apparaîtra aux yeux de tous.

Le Christ déclare, en effet, qu'il est la plus petite de toutes les graines, appelée à devenir un grand arbre « dans les branches duquel les oiseaux du ciel viennent s'abriter ». Conformément à la prophétie de Daniel 4, 9 et 18 cette formule évoque le Royaume de Dieu.

Et ce grain de sénevé (Mc 4, 31) n'est pas sans analogie avec la petite pierre détachée de la montagne sans qu'aucune main l'ait touchée et qui devient une grande montagne emplissant toute la terre (Dn 2, 34-35). N'est-ce pas, finalement, la même réalité fondamentale qu'annonce la parole de Jésus :

« En vérité, en vérité, je vous le dis, si le grain de blé ne tombe en terre et ne meurt, il reste seul ; s'il meurt, il porte beaucoup de fruit » (Jn 12, 24).

Oui, Dieu agit en Jésus, et cependant les hommes ne sont pas contraints de se soumettre à son action. C'est là l'enseignement de la parabole du semeur qui, paradoxalement, associe la possibilité d'un libre choix de la part de l'homme à la venue de l'ère eschatologique.

A ceux qui demandent : « Mais pourquoi donc supporte-t-il parmi ses disciples des hommes qui sont loin d'être des saints ? Pourquoi, au lieu de « nettoyer son aire », comme la prédication de Jean-Baptiste l'avait fait espérer, laisse-t-il subsister le mal moral dans le monde ? », Jésus répond par la parabole du froment et de l'ivraie (Mt 13, 24-30) : le temps de la miséricorde exige la coexistence paradoxale des bons et des méchants dans le Royaume.

Jésus suggère ainsi que la manifestation du Fils de l'homme *dans la faiblesse* est le dévoilement du mystère de Dieu. En se faisant le médecin, qui mange avec les pécheurs, avec les malades, il leur donne la présence divine.

Pour celui qui ne s'ouvre pas à la miséricorde, le scandale est structuralement attaché à la personne du Christ et à son message. Il n'annonce pas, en effet, le jugement qui serait la justification des justes, mais il se présente sous les traits de faiblesse du Serviteur souffrant (cf. Mt 8, 17 ; 12, 15-21), qui a toujours délibérément omis de parler de jugement au sens où on l'entendait habituellement.

Il n'est que de lire ses grandes proclamations messianiques, que ce soit sa déclaration à la synagogue de Nazareth (Lc 4, 16-30 repris d'Isaïe 61, 1), que ce soit sa réponse à Jean-Baptiste (Lc 7, 22 ss et Mt 11, 5 : citation libre d'Isaïe 35, 5 avec référence à Is 29, 18 et addition tirée de Is 61, 1) pour constater son refus de mentionner le « Jour de vengeance » (Is 61, 2 ; Is 35, 4).

Dans tous les versets d'Isaïe 61 ou 35, qu'il cite presque à la lettre, il omet de façon délibérée la petite phrase : « annoncer un jour de vengeance pour notre Dieu » (Is 61, 2) ; « c'est la vengeance qui vient » (Is 35, 4).

Ces omissions volontaires de Jésus dans ses déclarations sont une annonce implicite de son mystère de Serviteur.

Le jugement, mais il est là pour l'attirer sur lui comme la foudre. Il se sait le Serviteur dont il est écrit :

Le *châtiment* qui nous rend la paix est sur lui (Is 53, 5).

Il a conscience d'être le berger *frappé* qui rassemblera son troupeau épuré (Is 53, 6).

Il est de la lignée des prophètes qui, tels Jérémie ou Ezéchiel, « sont montés sur la brèche » (Ez 13, 5), acceptant le châtiment pour les autres, prenant sur eux le jugement du peuple :

« Rappelle-toi comment je me suis tenu devant toi,
pour te parler en leur faveur,
pour détourner loin d'eux ta colère » (Jr 18, 20).

Si donc le Messie est sous un vêtement de faiblesse apparemment incompatible avec sa dignité de Fils de l'homme, c'est parce qu'il est la révélation de la miséricorde de Dieu. Il est *la* présence miséricordieuse et salutaire, infiniment proche de tous les petits et de tous les pauvres.

Celui donc qui refuse la lumière miséricordieuse sous son vêtement de faiblesse se juge lui-même : au lieu de se laisser conforter par la pierre qui seule peut lui donner son assise (Mt 7, 24), il achoppe à la pierre qui révèle les cœurs (Lc 2, 34).

Celui qui ne juge personne fait que les hommes se jugent eux-mêmes dans leur propre conscience : en refusant la lumière qui vient les sauver de leurs péchés, pour réclamer le jugement des autres, ils méconnaissent le mystère du salut.

On comprend dès lors que Jésus ne cesse de dire : « Cessez de juger sur l'apparence, mais jugez avec équité » (Jn 7, 24), et que Jean souligne qu'il est venu *sauver* le monde, non le *condamner*.

Dieu n'a pas envoyé son Fils dans le monde
pour condamner le monde,
mais pour que le monde soit sauvé par lui.
Qui croit en lui n'est pas condamné,
qui ne croit pas en lui est déjà condamné,
parce qu'il n'a pas cru
au Nom du Fils unique de Dieu.

Et le jugement, le voici :
la lumière est venue dans le monde
et les hommes ont mieux aimé
les ténèbres que la lumière
parce que leurs œuvres étaient mauvaises.
En effet, quiconque fait le mal
hait la lumière et ne vient pas à la lumière,
de peur que ses œuvres ne soient dévoilées ;
mais celui qui agit dans la vérité
vient à la lumière
pour qu'il apparaisse au grand jour
que ses œuvres sont faites en Dieu (Jn 3, 17-21).

L'Evangile, c'est la présence eschatologique de l'Innocent rejeté pour qu'il donne la paix aux hommes en se chargeant de tous leurs péchés.

La logique évangélique transparaît dans toute sa splendeur : *il fallait* qu'en annonçant le salut de Dieu — sa miséricorde infinie — le Christ rencontrât le refus.

Par ses gestes, ses paroles, sa personne, Jésus révèle le Dieu miséricordieux et laisse pressentir qu'il est dans un rapport spécial avec Dieu, mais, parce que ce dévoilement est encore énigmatique — comme ses paraboles —, voilà que Jésus apparaît essentiellement tourné vers un *à-venir*, vers un moment décisif où sera manifesté d'*où* il est et *où* il est.

10

Un énigmatique dévoilement

Tout en dévoilant le visage du Dieu miséricordieux, Jésus ne cesse d'attirer l'attention sur sa personne et sur le mystérieux destin auquel il se sait promis.

1. Une prétention divine

Dans tous les évangiles — dans les synoptiques aussi bien que dans saint Jean — le Christ a une manière fort curieuse de se manifester : il se rend constamment témoignage.

Avec une souveraine majesté, il dit au démon de l'enfant épileptique :

« *Moi,* je te l'ordonne » (Mc 9, 25).

Avec la même insistance, il déclare :

« *Moi,* je vais aller le guérir » (Mt 8, 7).

« Voici que *moi* je vous envoie » (Mt 10, 16).

« Voici que *moi* je vous envoie des prophètes » (Mt 23, 34).

« Et si *moi* je chasse les démons par Béelzeboul » (Mt 12, 27 ; Lc 11, 19).

« *Moi,* j'ai senti une force sortir de moi » (Lc 8, 46).

« *Moi,* j'ai prié pour toi, Pierre » (Lc 22, 32), etc.

Plus solennel encore, le « Mais *moi* je vous dis... » du Sermon sur la Montagne (Mt 5, 22, 28, 32, 34, 39, 44) qui oppose à l'ensemble de la tradition l'intelligence renouvelée que Jésus a de la volonté de Dieu.

Révélateur des « secrets du Royaume », il affirme sa transcendance en ne reprenant jamais les formules prophétiques : « Ainsi parle Yahvé », en n'invoquant jamais une intervention de l'Esprit de prophétie pour orienter sa prédication. De toute évidence, il est sur un autre plan et il a une manière absolument originale de présenter ce qu'il dit : par un *Amen* des plus solennels, il donne sa parole à ses auditeurs comme la preuve *unique* et décisive en faveur de la vérité :

« En vérité, en vérité, je vous le dis ».

En insistant ainsi sur son propre moi, Jésus élève une prétention proprement divine qui n'a pas de meilleur analogue que les proclamations que Dieu fait de lui-même dans la seconde partie d'Isaïe :

« C'est *moi* qui ai révélé, sauvé et proclamé » (Is 43, 12).

« *C'est moi*, oui, *c'est moi* qui ai parlé ; *c'est moi* qui l'ai convoqué et fait venir, et son entreprise réussira » (Is 48, 15).

Ces formules par lesquelles le Christ se met en avant, à l'image de Dieu dans l'Ancien Testament, sont spontanément accordées aux formules johanniques : « Je suis » ou « C'est moi ».

« Si vous ne croyez pas que *c'est moi* vous mourrez dans vos péchés » (Jn 8, 24).

« Quand vous aurez élevé le Fils de l'homme, alors vous saurez que *c'est moi* et que je fais rien de moi-même ; ce que le Père m'a enseigné, je le dis... » (Jn 8, 28).

« Je vous le dis dès maintenant, avant que la chose n'arrive, pour qu'une fois celle-ci arrivée, vous croyiez que *c'est moi* » (Jn 13, 19).

Toutes ces formules, de toute évidence, renvoient aux formules de révélation divine de l'Ancien Testament :

« Afin que vous sachiez, que vous croyiez et que vous compreniez que *c'est moi* » (c'est-à-dire que c'est moi qui suis Yahvé) (Is 43, 10).

Sa présence parmi les hommes est donc, pour Jésus, le signe d'une intervention actuelle de Yahvé d'une importance décisive pour les destinées de l'humanité. Ses œuvres rappellent l'œuvre merveilleuse accomplie par Yahvé dans l'histoire, en particulier ses promesses du temps de la libération de la servitude égyptienne et de la servitude babylonienne.

Dans le récit de la marche de Jésus sur les eaux, Marc, Matthieu et Jean ont en commun l'expression : « *C'est moi* » (Mc 6, 50 ; Mt 14, 27 ; Jn 6, 20). Elle a, selon toute vraisemblance, un sens divin d'autant plus qu'elle est suivie de l'expression : « Ne craignez pas » qui, dans l'Ancien Testament, accompagnait souvent la formule de révélation divine : « Je suis Yahvé. » Matthieu et Marc ont une exhortation plus forte encore : « Prenez confiance, *c'est moi*, ne craignez point. »

Le moi du Christ devient ainsi le sujet de l'histoire divine, et cette histoire n'est qu'une toute-puissante proclamation du Christ par lui-même.

C'est dans la même perspective que Jésus met l'accent sur son moi comme source des biens divins dont tous les hommes ont besoin.

« *C'est moi* qui suis le pain de la vie » (Jn 6, 35 ; 6, 51).

« *C'est moi* qui suis la lumière » (Jn 8, 12).

« *C'est moi* qui suis la résurrection » (Jn 11, 25).

« *C'est moi* qui suis la voie, la vérité, la vie » (Jn 14, 6).

Tous ces bienfaits, en définitive, se ramènent à la vie divine et renvoient au Christ qui a la vie en lui (Jn 5, 26), qui est proprement la vie (Jn 11, 25 ; 14, 6), et peut la donner en abondance (Jn 10, 10).

Ces déclarations sont très proches du contenu des paraboles : en mettant en lumière les caractères du Règne, elles définissent du même coup l'être, l'œuvre et les exigences du Christ Sauveur. Le secret du Royaume de Dieu n'est-il pas celui de la personne de Jésus, et l'option pour ou contre le Règne n'est-elle pas option pour ou contre la personne de Jésus ?

Les formules « C'est moi », employées par Jésus seraient-elles donc identiques à « Je suis Yahvé » ou l'équivalent de la définition du Nom ineffable : « Je suis celui qui suis » (Ex 3, 14) ?

A cette question, la réponse ne peut être, à notre avis, que positive.

A une condition toutefois : celle de bien voir qu'en raison de la dénivellation de plan qui existe entre le Christ et ses auditeurs — et que nous avons plusieurs fois analysée —, ces déclarations apparaissent à ces derniers comme des formules énigmatiques et mystérieuses qui insinuent beaucoup plus qu'elles n'affirment le mystère de l'être divin de Jésus.

Avec la divination que donne la haine, les adversaires de Jésus ne s'y trompent d'ailleurs pas, comme nous le montre bien leur comportement à son égard.

Comme Jésus, après avoir guéri un infirme le jour du sabbat déclare : « Mon Père travaille toujours, *et moi aussi* je travaille » (Jn 5, 17), saint Jean constate :

> Mais c'était pour les Juifs une raison de plus de vouloir le tuer, puisque, non content de violer le sabbat, il appelait encore Dieu son propre Père, se faisant ainsi l'égal de Dieu (Jn 5, 18).

Comment pourrait-il en être autrement alors que Jésus, au terme d'un affrontement très rude, laisse transparaître ce qu'il est dans l'expression bouleversante : « Avant qu'Abraham fût, *Je Suis* » (Jn 8, 58), ou encore : « Le Père et moi, nous sommes un » (Jn 10, 30) ! Aussi ses adversaires apportent-ils des pierres pour le lapider parce que lui, qui n'est qu'un homme, il se fait Dieu (Jn 10, 33) !

2. Toi qui n'es qu'un homme

> « Toi, qui n'es qu'un homme, tu te fais Dieu » (Jn 10, 33).

Formule brutale, qui est un peu comme la clé de toute l'histoire évangélique. Jésus a beau inlassablement renvoyer ses opposants au témoignage que ses œuvres lui rendent — et qui est le témoignage du Père —, ceux-ci ne cessent de revenir à la contradiction qu'il y a, à leurs yeux, entre la condition de faiblesse dans laquelle il est et ce qu'ils imaginent du mystère de Dieu.

> « Toi, qui n'es qu'un homme, tu te fais Dieu ! » (Jn 10, 33).

Oui, cet homme — un homme livré à toute la faiblesse humaine, puisqu'il subit la contradiction — ose s'attribuer les prérogatives les plus fondamentales de Dieu luimême en se parant des titres de Médecin, d'Epoux, de

Berger ! Il a même l'aplomb de se dire le pain du ciel : « Je suis le pain vivant, *descendu du ciel* » (Jn 6, 51) et de déclarer tout de go : « Le pain de Dieu, c'est *celui qui descend du ciel*, et qui donne la vie au monde » (Jn 6, 33). « *Je suis descendu du ciel*, pour faire non pas ma volonté mais la volonté de celui qui m'a envoyé » (Jn 6, 38), alors que chacun sait à Jérusalem *d'où* il est !

Il ne peut y avoir scandale plus grand !

« N'est-il pas, disaient-ils, ce Jésus fils de Joseph dont nous connaissons le père et la mère ? Comment peut-il dire à présent : Je suis descendu du ciel ? » (Jn 6, 42).

Les évangiles synoptiques, avec unanimité, rendent le même témoignage :

« *D'où* cela lui vient-il ? Et qu'est-ce que cette sagesse qui lui a été donnée et ces grands miracles qui se font par ses mains ? N'est-ce pas là le charpentier, le fils de Marie, le frère de Jacques, de Joset, de Jude et de Simon ? Et ses sœurs ne sont-elles pas ici, parmi nous ? Et ils se scandalisaient sur son compte » (Mc 6, 2-3 ; cf. Mt 13, 54-57 ; Lc 4, 22).

Ainsi, dans les évangiles, tout tourne finalement autour de la question *du lieu de Jésus !*

Oui, elle est cruciale la question que pose aux hommes la personnalité de Jésus dans sa condition de faiblesse : « *D'où* est-il ? *Où* va-t-il ? »

Et Jean a certainement raison de manifester que cette question, toujours implicite dans l'esprit de tous ceux qui ont rencontré Jésus, devient le cœur du débat entre Jésus et ses contradicteurs.

Ses contradicteurs, nous pouvons les entendre :

« Nous savons pourtant *d'où* il est, tandis que le Christ, quand il viendra, personne ne saura *d'où* il est » (Jn 7, 27).

Et Jésus proteste douloureusement :

« Oui, vous me connaissez et vous savez *d'où* je suis.
Cependant je ne suis pas venu de moi-même,
mais il m'envoie vraiment, celui qui m'a envoyé.
Vous, vous ne le connaissez pas.
Moi, je le connais,
parce que je viens d'auprès de lui
et que c'est lui qui m'a envoyé » (Jn 7, 28-29).

« *Je sais d'où je suis venu et où je vais* » (Jn 8, 14).

« *Où* je vais, vous ne pouvez venir » (Jn 8, 21).

Il n'est sans doute pas d'ironie plus féroce, et plus douloureuse à la fois, que celle qui traverse la scène de l'aveugle-né (Jn 9). C'est comme un film qui nous fait revivre, sur le vif, les réactions de ceux qui ne veulent pas voir *d'où* vient Jésus.

« Nous, nous savons que c'est à Moïse que Dieu a parlé ; mais lui, nous ne savons pas *d'où* il est. » L'homme leur répondit : « C'est là justement l'étonnant : que vous ne sachiez pas *d'où* il est alors qu'il m'a ouvert les yeux. Nous savons bien que Dieu n'exauce pas les pécheurs, mais que si un homme est religieux et accomplit sa volonté, celui-là il l'exauce. Jamais on n'a ouï dire que quelqu'un ait ouvert les yeux à un aveugle de naissance. Si cet homme-là *ne venait pas de Dieu,* il ne pourrait rien faire » (Jn 9, 29-33).

Le paradoxe évangélique — celui sur lequel butent ses adversaires —, ce sont donc les prétentions de Jésus à la toute-puissance, alors qu'il n'est qu'un homme dans la faiblesse de la chair.

Mais ce paradoxe se redouble jusqu'à devenir presque insoutenable, lorsqu'on voit Jésus, au moment même où ses adversaires se scandalisent de sa faiblesse, prendre plaisir à renchérir sur elle. Ma faiblesse, a-t-il l'air de dire, mais elle va au-delà de toutes les limites concevables, elle va à la mort pour donner la vie au monde :

« Je suis le pain vivant, descendu du ciel.
Qui mangera ce pain vivra à jamais.
Et le pain que, moi, je donnerai,
c'est ma chair pour la vie du monde » (Jn 6, 51).

Et comme les adversaires du Maître témoignent de leur totale inintelligence en discutant sur les paroles dont ils ne perçoivent pas le sens, Jésus insiste encore plus radicalement sur la nécessité de sa propre mort pour détruire la mort qui a envahi le monde (Jn 6, 53-58) et faire entrer l'humanité dans le mystère de la Résurrection (Jn 6, 40 ; 6, 58, etc.).

Une chose en tout cas est claire : la seule réponse de Jésus aux incompréhensions dont il est l'objet, c'est sa propre mort et, par elle, son retour au Père !

« *Cela vous scandalise ?* Et quand vous verrez le Fils de l'homme monter *là où* il était auparavant ? » (Jn 6, 62).

Sa propre mort : là est, pour lui, de toute évidence, le foyer de lumière.

Sommé de dire « Qui il est » (Jn 8, 25), Jésus renvoie de nouveau, mystérieusement, à la mort qui le happe et dont le signe est l'hostilité de ses adversaires. Cette hostilité a déjà pour lui, « conscient de ce qu'il y a dans l'homme » (Jn 2, 25), un goût de sang :

> « Pourquoi voulez-vous me tuer ? » (Jn 7, 19).
> « Quand vous aurez élevé le Fils de l'homme,
> alors vous saurez que *Je Suis*
> et que je ne fais rien de moi-même » (Jn 8, 27).

Il n'y a sans doute pas de texte johannique qui soit plus structuralement tissé de quiproquos en crescendo incessant que cet admirable chapitre 6 de Jean ! C'est comme le dévoilement de la structure fondamentale du message évangélique ! Jésus, loin d'éviter le scandale, semble soucieux de le provoquer ; avec son langage *dur*, « trop fort » au dire de ses auditeurs (Jn 6, 60), il entend bien affronter ses disciples à la difficulté radicale qu'il y a à comprendre son message ! Il veut les entraîner vers ces profondeurs divines où cette difficulté se dénouera d'elle-même dans la force et la douceur de l'Esprit, à la clarté de la Croix et de la Résurrection présentes au cœur même de sa vie.

Il le sait — et il faudra bien que les Apôtres comprennent : la lumière ne peut venir que de ce qui est le désir suprême de sa vie, sa mort d'amour.

Car, en définitive, *toutes les paroles de Jésus jaillissent de ce point mystérieux de lui-même où il se sait destiné à la mort glorieuse du Serviteur.* C'est ce qui provoque cette incessante rupture avec ses auditeurs, qui ne perçoivent rien du niveau mystérieux *d'où* il nous parle. C'est ce qui explique toutes les paroles du Christ et plus particulièrement certaines prophéties, qui ne prendront leur sens que par l'*à-venir*, par le destin mystérieux qui lui est réservé et qu'il laisse pressentir.

3. Discrètes prophéties

L'*à-venir*, c'est la croix et la résurrection, dont Jésus ne cesse de parler dans des formules mystérieuses.

a) *Le Fils de l'homme*

Dès le début du ministère de Jésus, le paradoxe du Fils de l'homme est étonnamment mis en lumière.

« Le Fils de l'homme, lui, n'a pas *où* reposer la tête » (Mt 8, 20).

En proclamant qu'il doit aller de lieu en lieu, comme la tente du désert, Jésus suggère qu'il n'est pas d'ici-bas.

Lorsqu'il affirme qu'il est le « Fils de l'homme », il évoque certes le triomphe eschatologique auquel il est promis (Dn 7, 14), mais, par un paradoxe bien dans sa manière, il lie structuralement cette appellation à la rémission des péchés qui, dans le contexte de la Nouvelle Alliance (Jr 31, 31-34 ; Ez 36, 25-29 ; 16, 62-63), exige toujours l'effusion de son sang.

« Pour que vous sachiez que le Fils de l'homme a le pouvoir de *remettre les péchés* sur la terre, je te l'ordonne (dit-il au paralytique), lève-toi, prends ton grabat et va-t-en chez toi » (Mc 2, 10-11).

Le Fils de l'homme est le *médecin* qui mange avec les pécheurs pour manifester parmi eux la présence du Sauveur qui délivre des péchés.

« Ce ne sont pas les gens bien portants qui ont besoin du médecin, mais les malades. Je ne suis pas venu appeler les justes, mais les pécheurs » (Mc 2, 17).

Mais cette dernière phrase évoque pour Jésus sa mort et sa résurrection. Il n'est pas le médecin qui guérit de n'importe quelle manière : il est le Serviteur qui vient *guérir* par ses plaies béantes (Is 53, 5).

Matthieu d'ailleurs ne s'y est pas trompé, lui qui, au cœur même de son grand chapitre concernant les miracles de guérison a inséré ce petit texte concernant le Serviteur :

Ainsi devait s'accomplir l'oracle du prophète Isaïe :
Il a pris nos infirmités et s'est chargé de nos maladies (Mt 8, 17).

Le Fils de l'homme se présente comme celui qui prend sur lui nos misères.

Ainsi, par ses gestes, avant que ce soit par sa parole, le Christ lie le Fils de l'homme et le Serviteur.

Les miracles du Fils de l'homme témoignent d'ailleurs du même mystère.

Avec une prédilection manifeste, Jésus fait ses miracles le jour du sabbat. Ne convenait-il pas, en effet, qu'il accomplît l'œuvre messianique le jour du sabbat, jour spécialement consacré à Dieu ? N'est-ce pas là le signe de la venue du monde nouveau ?

Il est évident que l'interrogation de Jésus : « Est-il permis le jour du sabbat de sauver une vie ? » (Mc 3, 4) manifeste qu'il interprète le miracle au sens eschatologique, comme le symbole de la résurrection des morts.

Par ses guérisons en ces jours de sabbat, le Fils de l'homme se proclame le Seigneur du Sabbat. C'est le jour où il lui importe de travailler comme son Père :

Mon Père travaille toujours et moi aussi je travaille (Jn 5, 17).

Ne prend-il pas de la boue pour oindre les yeux de l'aveugle-né, rappelant ainsi l'action de Dieu en Genèse 2, 7 (Jn 9, 6) ? Il fait ainsi aboutir l'œuvre créatrice de Dieu et il accomplit le jugement (Jn 5, 21.26.28-29 ; Jn 5, 22.27).

L'attitude de Jésus guérissant les malades le jour du sabbat vise donc à manifester que *le Fils de l'homme a reçu le pouvoir de fonder le monde nouveau.*

C'est pourquoi d'ailleurs il déclare caduques les traditions des anciens et met un terme à toutes les distinctions entre le pur et l'impur. L'ordre nouveau dépend de la Parole de Dieu par-delà les traditions périmées des anciens (Mt 15, 1-20 ; Mc 7, 1-23).

Comme le dit l'épître aux Hébreux, 9, 10 : les prescriptions juives étaient incapables de purifier le cœur : l'ordre ancien est périmé ; apparaît l'ordre nouveau et transcendant, *l'ordre définitif.* Une purification plus efficace est *déjà présente.*

Les miracles éclatent donc bien en toute vérité comme la manifestation du Royaume qui vient (Mt 11, 4-6 ; 21-24), et cependant le regard du Christ ne s'arrête jamais à eux. On dirait même qu'il ne les fait jamais qu'avec un certain regret. Ils sont pour lui une étape sur la route qui mène à la Croix ; la victoire sur les démons, il le sait, ne sera définitive qu'à sa mort et à sa résurrection, et cette heure décisive occupe toute sa pensée. Ils ont beau être une anticipation de la Résurrection : ils n'auront leur plein sens qu'après son passage par la mort. Cette conviction est si forte chez lui qu'à ses yeux ils seraient des manifestations sataniques s'ils ne se référaient pas à la Croix et à la Résurrection.

b) *L'époux*

Le titre d'époux que s'attribue le Christ signifie certainement que sa présence parmi les hommes inaugure la venue de l'ère de la grâce, l'accomplissement des promesses prophétiques de l'Ecriture concernant les épousailles définitives, l'irruption de la joie eschatologique. Mais là encore quel soin ne prend-il pas de le lier, comme tout naturellement, à une autre image, à première vue incompatible, celle du Serviteur souffrant.

Dans la scène où on le voit défendre ses disciples accusés de ne pas jeûner comme ceux de Jean-Baptiste, il emploie une série de formules expressives et énigmatiques à souhait :

« Pourquoi, alors que les disciples de Jean et les disciples des Pharisiens jeûnent, tes disciples ne jeûnent-ils pas ? » (Mc 2, 18).

Et la réponse de Jésus surgit absolument paradoxale :

« Sied-il aux compagnons de l'époux de jeûner pendant qu'ils ont l'époux avec eux ? Tant qu'ils ont l'époux avec eux, il ne leur sied pas de jeûner. Viendront des jours où *l'époux leur sera enlevé ;* et alors ils jeûneront, en ce jour-là » (Mc 2, 19).

Le Christ affirme bien que l'attitude apparemment scandaleuse de ses disciples est un signe de la venue des temps messianiques. Mais, au même moment, il révèle une perspective apparemment contradictoire, douloureuse : de même que les disciples de Jean-Baptiste ont perdu leur Maître, de même ceux de Jésus perdront le leur, de façon tout aussi tragique.

Le Christ témoigne ainsi de la conscience qu'il a d'être le Messie transcendant appelé à connaître le sort du Serviteur souffrant *enlevé* de la terre des vivants (Is 53, 8). L'inauguration de la venue de l'ère eschatologique, celle de l'époux, se réalisera donc sous une forme déconcertante, celle du Serviteur promis à une mort ignominieuse.

Cana nous donne un enseignement analogue. Là aussi, à l'origine même de son ministère, selon saint Jean, alors qu'éclate la somptuosité des temps messianiques, que coule le vin nouveau, symbole de la joie et de la fête eschatologique, symbole aussi de l'ère messianique où les montagnes suintent le vin et les colines le moût (Am 9, 13-14 ; Jl 2, 23-24 ; 4, 18), Jésus, qui se proclame concrètement l'époux des noces divines, pense à *son heure* — celle de sa glorification par la Croix et la Résurrection. Si le vin nouveau coule à flot, c'est qu'une économie toute neuve est en train de faire son apparition qui rend caduque tout l'ordre ancien, celui des purifications juives (Jn 2, 6-10 ; cf. Lc 5, 38).

c) *Le berger*

L'image du berger évoque la même perspective toute joyeuse et transcendante du renouvellement eschatologique, mais aussi de la mort et de la résurrection. Quand Jésus prend lui-même ce titre de pasteur : « Je n'ai été envoyé qu'aux brebis perdues de la maison d'Israël » (Mt 15, 24), c'est pour dire la volonté miséricordieuse de Dieu qui se met à la recherche de la brebis égarée (Lc 15, 4-7 ; cf. Mt 18, 12-14).

Mais cette recherche ne va pas sans la défense des brebis contre le loup ravisseur et le don de la vie « *pour elles* » (Jn 10, 11-16). L'image employée par le Christ évoque donc le Serviteur souffrant (Is 53) : elle est, en effet, implicitement présente à la multiplication des pains, prélude du banquet eucharistique et, de façon tout à fait explicite, le Christ n'hésite pas à dire qu'il « donne sa vie pour ses brebis » (Jn 10, 15) et qu' « il donne sa vie pour la reprendre » (Jn 10, 17).

d) *La moisson*

L'image de la moisson fait, elle aussi, penser à l'ère messianique, mais quand il en parle le Christ laisse se profiler devant ses yeux l'image de sa mort et de sa résurrection :

« Eh bien ! je vous le dis : Levez les yeux et voyez : les champs sont blancs pour la moisson. Déjà le moissonneur reçoit son salaire ; il amasse du grain pour la vie éternelle et le semeur partage ainsi la joie du moissonneur. Car ici se vérifie le dicton : l'un sème, l'autre moissonne, et je vous ai envoyés moissonner là où vous n'avez pas peiné ; d'autres ont peiné et vous, vous héritez du fruit de leurs peines » (Jn 4, 35-38).

La joie messianique présuppose la peine, le labeur.

Les Apôtres sont appelés à voir se multiplier les conversions, recueillant ainsi les fruits du labeur *d'un autre*. Et ce labeur, dont parle tout l'Evangile (Jn 10, 16 ; 11, 52 ; 12, 19-24.32-33), est la *souffrance de Jésus*, fondement de leur activité missionnaire. La mort de Jésus ouvre aux païens l'accès du salut. Aussi bien, quand Jean sera envoyé avec Pierre par l'église de Jérusalem pour examiner et confirmer l'accès des Samaritains à l'Eglise (Ac 8, 14), il aura compris que cette moisson inattendue résulte des labeurs et de la mort du Seigneur (Ap 2, 2 ; 14, 13, labeur = souffrances).

e) *Le Temple*

Ce n'est pas un hasard si, pour évoquer toute l'orientation de la vie de Jésus, saint Jean place au début de son évangile l'annonce de la destruction du Temple et de sa reconstruction, préfigurant sa mort et sa résurrection.

« Détruisez ce sanctuaire ; en trois jours je le relèverai. » Les Juifs lui répliquèrent : « Il a fallu quarante-six ans pour bâtir ce sanctuaire et toi, tu le relèveras en trois jours ? » Mais lui parlait du sanctuaire de son corps (Jn 2, 19, 21).

Jésus est le principe d'un monde nouveau, mais d'un monde nouveau qui ne jaillira que de la Croix.

Aussi saint Jean désigne-t-il d'un simple mot le moment décisif vers lequel, en toute lucidité, est tendue la vie du Christ : c'est *son heure !*

f) *Le futur et la conscience du Christ*

Dans les situations les plus diverses, Jésus évoque ce moment mystérieux de son propre destin vers lequel il s'achemine. Il suffit pour en prendre conscience de prêter attention *aux futurs* de ses déclarations.

Citons-en quelques-uns :

« Je *ferai* de vous des pêcheurs d'hommes » (Mc 1, 17).

Dès l'origine de son ministère, ainsi il suggère la prise du monde entier dans les filets eschatologiques de son Père.

« Je *bâtirai mon Eglise* » (Mt 16, 18).

« Je te *donnerai* les clés du Royaume des cieux » (Mt 16, 19).

« Le zèle de ta maison de Dieu me *dévorera* » (Jn 2, 17),

affirmation d'autant plus remarquable que le Psaume 69,10 a seulement un indicatif.

« *Viendront* des jours où l'époux leur *sera enlevé* » (Mc 2, 20 ; Mt 9, 15).

« Mais je vous dis que beaucoup *viendront* du levant et du couchant » (Mt 8, 11).

« L'heure vient... où les vrais adorateurs *adoreront* le Père... » (Jn 4, 23).

« De son sein *couleront* des fleuves d'eau-vive » (Jn 7, 38).

« Le pain que moi je *donnerai* »
c'est ma chair pour la vie du monde » (Jn 6, 51).

« Quand vous *aurez élevé* le Fils de l'homme,
alors vous *saurez* que Je suis » (Jn 8, 28).

« Génération mauvaise et adultère ! Elle réclame un signe, et de signe, il ne lui *sera donné* que celui du prophète Jonas » (Mt 12, 39 ; 16, 4).

« Et moi, quand j'*aurai été élevé* de terre, je *tirerai* tout à moi » (Jn 12, 32).

La conscience du Christ est ainsi toute tournée vers cette heure mystérieuse qu'il porte en lui aussi amoureusement qu'une mère porte en elle son enfant.

Aussi nous reste-t-il à examiner comment à travers ses gestes, comme à travers ses paroles, il laisse entrevoir l'heure décisive pendant laquelle sera révélé d'*où il est*.

11

Les préfigurations de la mort et de la résurrection

C'est aux profondeurs les plus secrètes du cœur de l'homme qu'achoppe le mystère de Dieu. Mais, comme le donnent à entendre les paraboles, cette résistance des pécheurs aux avances divines n'entrave en rien la réalisation du dessein divin : elle en devient paradoxalement l'instrument, car c'est à travers la faiblesse de Jésus que se dévoile la toute-puissance de Dieu.

Cette faiblesse du Fils de l'homme a, il est vrai, des profondeurs de mort et, conscient des horizons de sa mission, Jésus se décide à les laisser entrevoir.

En une progression dramatique de trois prédictions successives concernant son propre destin, Jésus scande sa marche vers la mort et la résurrection. Ces annonces ne constituent cependant pas une sorte de point de départ absolu ; elles prolongent les discrètes et énigmatiques prophéties dont nous avons parlé dans le chapitre précédent ; elles sont liées aux grands gestes symboliques qui les préparent et leur donnent leur plénitude de sens.

1. Le sort des prophètes

Presque dès le début de son ministère, la perspective d'une mort violente a hanté l'esprit du Christ.

Il savait fort bien que les accusations dont il était l'objet — blasphèmes (Mc 2, 7 ; Mt 9, 3 ; Lc 5, 21 ; Jn 10, 33-36), gloutonnerie et ivrognerie (Mt 11, 19), infractions à la loi du sabbat (Mc 2, 23 ; Mt 12, 1-8 ; Lc 6, 1-5 ; Mc

3, 2 ; Mt 12, 9-14 ; Lc 6, 6-11) — étaient punies de mort. A plusieurs reprises, il n'a échappé à cette menace que par la fuite (Lc 4, 29 ; Jn 8, 59 ; 10, 31-36 ; 11, 8).

Le sort tragique des prophètes a, depuis longtemps, fait l'objet de ses méditations (Lc 13, 33 ; Mt 23, 34-38) et, manifestement, le destin du Baptiste venu clore toute l'économie de l'ancienne alliance (Ml 3, 23 ; Mt 11, 14) a été pour lui l'image anticipée de son propre mystère. C'est ce qu'il nous confie avec une tristesse à peine voilée :

> « Oui, Elie doit venir et tout remettre en ordre ; mais, je vous le dis, Elie est déjà venu, et ils ne l'ont pas reconnu, mais ils l'ont traité à leur guise. Et le Fils de l'homme aura, de même, à souffrir de leur part. » Alors les disciples comprirent que ses paroles visaient Jean-Baptiste (Mt 17, 10-13).

Aveu d'importance ! Mais son sens n'apparaît qu'au terme d'une série d'actes prophétiques que nous allons analyser.

A la lecture des synoptiques, un fait s'impose à l'attention : les terreurs maladives d'Hérode, les rumeurs selon lesquelles le Baptiste témoignerait de sa propre résurrection par les miracles du Christ (Mt 14, 1-5), ont créé le climat propice à des interrogations décisives sur le mystère de la résurrection. Aussi amènent-elles Jésus à poser des actes symboliques qui prophétisent sa mort et plus encore sa résurrection.

Voilà qu'à la nouvelle de la mort du précurseur (Mt 14, 13), Jésus s'engage, en effet, sur la voie des préfigurations de son propre mystère : il entend se manifester comme le berger qui donne sa vie pour rassembler ses brebis dans l'unité (Mt 14, 14 ; 15, 32, à rapprocher de 9, 36 ; 15, 24), comme le Serviteur souffrant rejeté par son peuple, mais devenu, par sa résurrection, principe d'un peuple nouveau (Mt 16, 21). Tendu vers la Résurrection comme vers son terme, il se plaît à laisser pressentir quelque chose de ce que seront l'eucharistie, l'agonie, la résurrection, la constitution de son Eglise ouverte aux païens.

2. La préfiguration du mystère pascal

Pour préparer les Apôtres à la compréhension de son mystère, Jésus joue *symboliquement* les épisodes décisifs de son Exode, cet exode qui a commencé avec son baptême. Il se présente comme le vrai Moïse qui conduit son peuple en lui donnant la manne du pain de vie (Jn 6). Ne groupe-t-il pas la foule « par carré de cent et de cinquante » (Mc 6, 39-40), rappelant ainsi la manière dont les tribus d'Israël se distribuèrent au désert (Ex 18, 24-25) ?

Les textes évangéliques qui racontent l'épisode de la multiplication des pains indiquent clairement que celle-ci est une préfiguration du rassemblement eucharistique. Jésus nourrit la foule de l'Israël nouveau par l'entremise des Douze et il leur confie les fragments de la fraction du pain. Le rapprochement des textes est éclairant :

Et ayant donné l'ordre de faire étendre les foules sur l'herbe, il prit les cinq pains et les deux poissons, leva les yeux au ciel et dit la bénédiction ; puis, rompant les pains, il les donna aux disciples qui les donnèrent aux foules (Mt 14, 19-21).

Tandis qu'ils mangeaient, Jésus prit du pain et, après avoir prononcé la bénédiction, il le rompit et le donna à ses disciples en disant : « Prenez et mangez, ceci est mon corps » (Mt 26, 26).

Le mystère de la nourriture surabondante que seul Dieu donne à son peuple est évoqué par les formules suivantes :

Il donne à manger aux affamés (Lc 6, 21 ; Jn 6, 35).

Il les comble de ses biens (Jn 6, 12).

Il rassemble et nourrit le troupeau de Dieu (Jn 11, 52 ; Jn 10, 28 ; Mt 14, 20).

A l'arrière-plan de toute la scène se profile le mystère de la mort et de la résurrection de Jésus, comme le montre le grand discours du chapitre 6 de saint Jean, concernant le pain de vie, dans lequel le Maître annonce la trahison de Judas (Jn 6, 64-71). Pour Jésus, dire que sa chair est donnée *pour* la vie du monde (Jn 6, 51), c'est affirmer solennellement qu'il est le Serviteur souffrant, dont la faiblesse est la vie du monde.

Mais les bénéficiaires du miracle l'interprètent dans un sens messianique tout différent de celui que Jésus lui attribue.

Il se rendit compte qu'ils allaient venir l'enlever pour le faire roi ; alors il s'enfuit à nouveau dans la montagne, *tout seul* (Jn 6, 15).

Quant à eux, les évangiles synoptiques soulignent à l'envi le caractère insolite de l'attitude de Jésus :

Et aussitôt il *obligea* ses disciples à remonter dans la barque et à prendre les devants vers Bethsaïde, pendant que lui-même renverrait la foule (Mc 6, 45 ; Mt 14, 22).

Le sens de ce comportement est clair : soucieux de dissiper toute équivoque messianique, Jésus entend passer la nuit en prière, *seul*. Aussi empêche-t-il avec une certaine violence ses disciples de l'accompagner.

Qu'évoque cette prière de Jésus, seul dans la nuit, après la première multiplication des pains, préfiguration de l'eucharistie, alors que ses disciples dans les ténèbres peinent sur le lac ? A n'en pas douter, l'agonie de Gethsémani. Interprétation qui s'impose d'autant plus que la marche du Christ sur les flots déchaînés, annonciateurs de mort, préfigure sa résurrection.

On connaît la scène. La barque « tourmentée » par les flots (Mt 14, 24), enveloppée par les ténèbres, court un grand danger ! Et voilà que survient Jésus, lui qui était en prière, séparé des Douze comme à Gethsémani, seul et sur la montagne. Il marche sur la mer, comme Dieu sur les pistes de l'abîme (Job 9, 8 et 38, 16), comme la Sagesse sur la profondeur des abîmes (Si 24,5). Il transcende tout le terrestre, déjà glorifié en puissance.

Jésus apparaît vraiment comme le *Sauveur*, celui qui dit : « Rassurez-vous, c'est moi, n'ayez pas peur « (Mt 14, 27). N'est-il pas capable de communiquer sa puissance à Pierre qui demande à le suivre sur les eaux, si du moins celui-là lui accorde sa foi (Mt 14, 28-32) ?

Comme il est normal après une multiplication de pains où transparaît déjà le mystère de la Cène, l'épisode se conclut par la confession de foi de ceux qui se trouvent dans la barque : « Vraiment, tu es Fils de Dieu » (Mt 14, 33).

Un grand pas a été fait, que la suite de l'évangile révèle. Après avoir refusé une royauté terrestre, Jésus manifeste, en effet, à ses disciples sa royauté souveraine sur le monde. *Sa faiblesse apparente est le signe de sa puissance*. Aussi fait-il deviner quelque chose de l'ordre nouveau, qui jaillira de sa mort et de sa résurrection.

Toutes les dispositions de la Loi juive sur le pur et l'impur apparaissent provisoires, périmées et caduques, puisque Jésus est là, présent, qui dénonce les traditions purement humaines et qui restitue toutes choses dans la lumière de la Parole de Dieu :

« Ecoutez et comprenez ! Ce n'est pas ce qui entre dans la bouche qui rend l'homme impur ; mais ce qui sort de sa bouche, voilà ce qui rend l'homme impur » (Mt 15, 10-11).

C'est comme le présage de la vision symbolique de Pierre à Césarée. Une nappe remplie de tous les animaux considérés comme rituellement impurs par la Loi juive (Lv 11, Dt 14, 3-21) descend du ciel devant l'Apôtre qui s'entend dire :

« Ce que Dieu a purifié, toi, ne le dis pas impur » (Ac 10, 15).

Ce dégagement du cadre de la Loi permet à Jésus de se tourner vers les païens : malgré la formule apparemment dure qu'il lance à la Cananéenne : « Il ne sied pas de prendre le pain des enfants pour le jeter aux petits chiens » (Mt 15, 26), il la guérit et il préfigure, ainsi, son dessein de salut universel.

Ainsi la splendeur de la Parole de Dieu recréant le monde transparaît par-delà toutes les contaminations humaines : la création est rendue à sa vérité eschatologique. L'ordre ancien s'écroule ; la libération des traditions humaines s'opère ; l'universalisme de la révélation divine s'esquisse.

Dans toute cette scène, Jésus apparaît vraiment comme le Fils de l'homme, principe d'un monde nouveau. N'annonce-t-il pas l'eucharistie qui va rassembler son Eglise, l'agonie pour son Eglise, sa résurrection, solennelle affirmation de la royauté messianique qu'il doit exercer sur toutes les puissances démoniaques, l'association de son Eglise à son triomphe sur les forces du mal symbolisées par les flots déchaînés, la reconnaissance de cette résurrection par l'Eglise, la purification de l'Eglise par l'Esprit qui la libère de toutes les fausses entraves, l'universalisme de son Eglise ouverte à tous.

3. Le jeu de la mort et de la résurrection

Avec encore plus de force prophétique, la seconde multiplication des pains nous fait pénétrer dans le jeu de la mort et de la résurrection.

Nouveau Moïse, le Christ multiplie les pains pour rassembler son peuple dans son Royaume. Les deux multiplications des pains ne sont pas un doublet l'une de l'autre. Elles ont un sens profond, elles sont à mettre en parallèle avec deux récits de la Loi, la première avec celui de la manne (Ex 16), la seconde avec celui des cailles (Nb 11).

Naturellement, cette nouvelle manifestation messianique, qui récuse les démonstrations tapageuses et s'inscrit dans un contexte de faiblesse très apparent, suscite, une fois de plus, l'incompréhension radicale de la part des Pharisiens. Ceux-ci demandent des signes de puissance qui, dans la pensée de Jésus, évoquent tout le mystère de Satan. Ces signes, n'est-ce pas très exactement ce qu'il ne peut donner, puisque le signe que Dieu donne au monde c'est sa personne même en son mystère de mort et de résurrection, vers lequel il vient justement d'orienter les esprits ?

En vérité, les Pharisiens tentent Jésus comme Israël tentait Dieu au désert.

Aussi, tel Ezéchiel, qui annonce le rejet du peuple d'Israël, gémit-il sur cette génération infidèle (Mc 8, 11-12 ; 9, 19).

Fils d'homme, tu habites au milieu de cette engeance de rebelles qui ont des yeux pour voir et ne voient pas, des oreilles pour entendre et n'entendent pas (Ez 12, 2).

Gémissant du fond de l'âme, il dit : « Qu'a cette génération à demander un signe ? En vérité, je vous le dis, il ne sera pas donné de signe à cette génération » (Mc 8, 12 cf. aussi Jn 11, 33 et 38).

Et, préfigurant déjà ce rejet, « il les plante là » (Mc 8, 13 ; Mt 16, 4).

Que le Christ vive la multiplication des pains ainsi que le rejet des Pharisiens comme *la préfiguration de la création du véritable peuple de Dieu,* une formule de Matthieu, très proche de celle de Jean sur la vigne (15, 1-10) nous le suggère :

« Tout plant que n'a point planté mon Père sera déraciné » (Mt 15, 12).

Aussi le Christ n'a-t-il qu'un souci : mettre en garde ses disciples contre l'attitude des Pharisiens qui se révèlent incapables de percevoir la signification messianique et eschatologique de ses actes (Mt 16, 1-4). Mais il a beau attirer l'attention sur la signification symbolique de son activité messianique, ils ne comprennent pas.

« Vous ne comprenez pas encore ? Vous ne vous rappelez pas les cinq pains pour cinq mille hommes, et le nombre de couffins que vous en avez retirés ? ni les sept pains pour quatre mille hommes, et le nombre de corbeilles que vous en avez retirées ? » (Mt 16, 9-10).

L'allusion à l'Exode qu'il vient de leur faire jouer symboliquement est pourtant transparente. Comment ne saisissent-ils pas quelque chose du mystère de sa personne ? Mais ils ne sont pas à niveau, et les quiproquos entre Jésus et ses disciples éclatent plus virulents que jamais.

« Comment ne comprenez-vous pas que ma parole ne visait pas des pains ? Méfiez-vous, dis-je, du levain des Pharisiens et des Sadducéens ! » Alors ils comprirent qu'il avait dit de se méfier non du levain dont on fait du pain mais de la doctrine des Pharisiens et des Sadducéens (Mt 16, 9-12).

Jésus a essayé d'attirer l'attention sur les actes préfiguratifs de son destin. Il est temps de poser la question en clair.

Aussi prend-il l'initiative de demander à ses disciples : « *Qui* est le Fils de l'homme ? » (Mt 16, 13) pour susciter la confession de foi que les multiplications des pains — comme l'Eucharistie et l'Exode — appellent naturellement. Elle éclate triomphale dans la bouche de Pierre : « Tu es le Christ, le Fils du Dieu vivant » (Mt 16, 16). Elle lui vaut alors la merveilleuse déclaration :

« Tu es heureux Simon, fils de Jonas, car cette révélation t'est venue, non de la chair et du sang, mais de mon Père qui est dans les cieux. Eh bien ! moi, je te dis : Tu es Pierre, et sur cette pierre je bâtirai mon Eglise, et les Portes de l'Hadès ne tiendront pas contre elle. Je te donnerai les clefs du Royaume des Cieux : quoi que tu lies sur la terre, ce sera tenu dans les cieux pour lié, et quoi que tu délies sur la terre, ce sera tenu dans les cieux pour délié » (Mt 16, 17-19).

L'horizon eschatologique qui, depuis le début de la multiplication des pains, occupe l'esprit du Christ se dévoile tout à coup : c'est celui de *son Eglise*, appelée à triompher avec Pierre, son fondé de pouvoir, de toutes les forces du mal.

Cette Eglise, il est vraî, n'est encore qu'un futur, puisqu'elle doit jaillir de sa mort et de sa résurrection : « Je bâtirai *mon Eglise* » (Mt 16, 18). Pour y parvenir une longue route, douloureuse, est encore nécessaire :

A dater de ce jour, Jésus commença de montrer à ses disciples qu'il lui fallait s'en aller à Jérusalem, y souffrir beaucoup de la part des anciens, des grands prêtres et des scribes, être mis à mort et, le troisième jour, ressusciter (Mt 16, 21).

Moment décisif qui marque un tournant important de la révélation de la personne de Jésus : à la question « *qui* est le Fils de l'homme ? » (Mt 16, 13), c'est Jésus lui-même qui répond par une formule sans équivoque : « Le Fils de l'homme n'est autre que le Serviteur souffrant. » N'était-ce pas déjà ce qui était énigmatiquement annoncé dans la mystérieuse formule de pardon des péchés employée dans la guérison du paralytique ?

C'est alors qu'apparaît l'incompréhension radicale de ses disciples.

Face à Jésus, soumis à la volonté de son Père et conscient de son propre mystère, Pierre se dresse comme le tentateur :

Dieu t'en préserve, Seigneur, *non cela ne t'arrivera pas !* (Mt 16, 22).

Jésus se retrouve alors brutalement confronté à la tentation qu'il avait déjà rencontrée et rejetée au désert, et la violence de l'apostrophe atteste qu'il se sent mis en cause jusqu'au tréfonds de son être et de sa mission :

« *Arrière de moi, Satan !* » (Mt 16, 23).

L'attitude de Pierre a certainement évoqué en lui ce combat avec Satan dans lequel il est engagé depuis le baptême, qui a lié son sort à celui des pécheurs, combat qui se terminera, il le sait, par sa mort sur une croix.

Pierre juge, en effet, les souffrances annoncées par le Christ incompatibles avec la dignité messianique qu'il lui a reconnue. Comme Satan, il pense que le Messie ne peut souffrir — pas même de la faim, avait dit le tentateur au désert —, qu'il doit régner sur Israël en opérant un prodige qui ralliera le peuple autour de lui, qu'il doit dominer les nations païennes (Mt 4, 1-11).

Au Christ qui s'engage résolument sur le chemin de l'obéissance au Père, et qui répète inlassablement à ses disciples le « Il faut » eschatologique et apocalyptique de soumission à la volonté divine (Mt 16, 21-22 ; Mc 8, 31 ; Lc 9, 22), Pierre, tel Satan, propose l'autonomie de la liberté, en d'autres termes, l'émancipation du plan de Dieu ; s'affirmant dans son indépendance pécheresse, il récuse la voie d'obéissance du Serviteur.

Plus exactement, Pierre a laissé le Père lui dévoiler dans l'humble apparence de Jésus le visage du Messie (Mt 16, 17 à comparer avec Jn 6, 44 : « Nul ne peut venir à moi si mon Père qui m'a envoyé ne l'attire »). Mais il ne laisse pas le Père le mener jusqu'au bout de sa révélation. Il met finalement le Messie, le Seigneur de faiblesse, au service de ses rêves de puissance, il détourne ainsi la faiblesse de son sens le plus fondamental : celui de la révélation de la miséricorde du Père ! Le pauvre ! Il achoppe devant la profondeur insondable de la miséricorde divine, celle-là même dont Jésus perçoit l'abîme dans l'image du Serviteur.

La dénivellation entre Jésus et ses disciples, ici, apparaît totale. Elle demeurera inentamée jusqu'à la Croix : *il y va de la signification de la faiblesse du Christ*. Scandale ou chemin vers la glorification ? Car Jésus, s'il attire l'attention sur sa mort, pense plus encore à sa résurrection. Et voici qu'à la prophétie des abaissements du Serviteur souffrant correspond déjà l'exaltation de la transfiguration, avec reprise de la voix céleste :

« Celui-ci est mon Fils bien-aimé, qui a toute ma faveur : écoutez-le » (Mt 17, 5, cf. Is 42, 1).

C'est la proclamation par le Père que Jésus est le nouveau « prophète comme Moïse ».

Yahvé, ton Dieu, suscitera pour toi... un prophète comme moi, *que vous écouterez* (Dt 18, 15).

Ici encore c'est l'Exode qui, en plusieurs de ses détails, est évoqué par la Transfiguration : la montagne, la présence de Moïse, la nuée, les tentes qui rappellent le séjour au désert, la voix divine qui se fait entendre (Ex 24, 1-8 ; 34, 6-35). Mais l'arrière-plan de la fête des Tabernacles, orientée dès l'Ancien Testament vers l'eschatologie (Za 14, 16) montre que, sous les images de l'ère mosaïque, cette scène est la réalisation de l'attente messianique. La croyance selon laquelle les justes habiteraient au paradis dans des huttes (Lc 16, 9 ; Ap 7, 15 ; 12, 12 ; 13, 6 ; 21, 3) explique la remarque de Pierre. Sincèrement il se croit arrivé aux temps messianiques : « Il nous est bon d'être ici », dans le repos eschatologique.

De toute évidence, la Transfiguration évoque donc la grande théophanie du Sinaï.

La précision de Marc : « six jours après », invite, elle aussi, à penser à Moïse montant au Sinaï le septième jour (Ex 24, 15-16). Jésus prend d'ailleurs avec lui trois disciples, comme Moïse s'était fait accompagner d'Aaron, Hadab, Abihu et de soixante-dix anciens. Moïse n'avait-il pas été transfiguré par la gloire de Yahvé (Ex 34, 29 ; Mc 9, 2-3) et Dieu ne s'était-il pas manifesté dans la nuée (Ex 24, 15-18 ; cf. Mc 9, 7) ?

Moïse et Elie, qui entourent Jésus, ne sont pas seulement les symboles de la Loi et des prophètes. Ils sont bien plus encore les appariteurs du Messie. Leur présence signifie l'accomplissement de l'ère messianique, attestée dans la tradition palestinienne par le retour de Moïse et d'Elie.

Que la Transfiguration soit la préfiguration de la Résurrection, l'interprétation que nous donne Luc le confirme. Il nous révèle, en effet, de quoi parlaient Jésus et ses assesseurs :

> Ils parlaient de son départ (littéralement de son *exode*) qu'il allait accomplir à Jérusalem (Lc 9, 31).

Et ce mot d'exode signifie sans doute la sortie du royaume de la mort par la résurrection.

De plus, la scène de l'annonce par le Serviteur lui-même de sa Passion et de sa Résurrection, préfigurée elle-même par la Transfiguration, fait penser à l'épiphanie du Serviteur. A mesure que le Christ s'enfonce plus résolument dans l'humiliation de son mystère de Serviteur, et de son combat avec Satan, commence à transparaître plus clairement en lui le mystère de la gloire qui l'habite. La Transfiguration n'est certes qu'une manifestation temporaire, mais elle est pleine de sens parce qu'elle préfigure déjà quelque chose de la Résurrection (Mc 9, 9-13).

C'est la structure fondamentale du mystère du Christ qui, ici, apparaît ainsi que le confirme un texte de saint Jean :

« Maintenant mon âme est troublée. Et que dire ? Père sauve-moi de cette heure ? — Mais c'est pour cela que je suis arrivé à cette heure. Père glorifie ton nom. » Une voix vint alors du ciel : « Je l'ai glorifié et je le glorifierai à nouveau » (Jn 12, 27-28).

En vérité, Jésus est un être céleste dont l'identité n'est pas encore reconnue, mais qui se dévoile à quelques privilégiés.

L'opacité du monde reprend cependant ses droits. Satan est là, que Jésus doit débusquer de nouveau. Et solennellement celui-ci annonce que la victoire ne s'obtient que par le jeûne et la prière !

Ainsi, par deux fois, le Christ a laissé entrevoir son propre mystère : il a symboliquement fait entrer ses Apôtres dans le mystère de son eucharistie, préfiguratrice de sa mort ; il leur a donné de percevoir la transcendance de son être céleste, annonçant ainsi sa Résurrection ; il les a amenés à le reconnaître comme le Messie. Mais ils devront cheminer par la souffrance et les larmes avant de le confesser pour ce qu'il est en vérité : le Serviteur souffrant appelé à la Résurrection.

12

Le destin du Serviteur

La conscience prophétique qu'a le Fils de l'homme d'être le Serviteur souffrant promis à la Résurrection, domine de toute sa grandeur les scènes préfiguratrices de son destin, que nous venons d'évoquer. Clairement dévoilée, elle devient la clé de tous les récits évangéliques.

1. Le mystère du Serviteur

Après les deux multiplications des pains, le récit évangélique des évangiles synoptiques est dominé par les trois grandes annonces prophétiques de la mort et de la résurrection.

La première prophétie, dont Marc et Matthieu soulignent la nouveauté par la forme « il *commença* de leur enseigner », se place immédiatement — nous venons de le voir — après la confession de Pierre à Césarée de Philippe (Mc 8, 31-32 ; Mt 16, 21-11 ; Lc 9, 22).

Il commença de leur enseigner que le Fils de l'homme devait beaucoup souffrir, être rejeté par les anciens, les grands prêtres et les scribes, être mis à mort et, après trois jours, ressusciter ; et c'est ouvertement qu'il disait ces choses (Mc 8, 31-32).

La deuxième annonce (Mc 9, 31 ; Mt 17, 22-23 ; Lc 9, 44) suit, dans les trois synoptiques, la Transfiguration et la guérison d'un enfant épileptique :

« Le Fils de l'homme va être livré aux mains des hommes

et ils le tueront, et quand il aura été mis à mort, trois jours après il ressuscitera » (Mc 9, 31).

La troisième prédiction se situe dans le contexte de la dernière montée du Christ à Jérusalem (Mc 10, 32-34 ; Mt 20, 17-19 ; Lc 18, 31-33).

Ils étaient en route, montant à Jérusalem ; et Jésus marchait devant eux, et ils étaient dans la stupeur, et ceux qui suivaient étaient effrayés. Prenant de nouveau les Douze auprès de lui, il se mit à leur dire ce qui allait lui arriver : « Voici que nous montons à Jérusalem, et le Fils de l'homme va être livré aux grands prêtres et aux scribes ; ils le condamneront à mort et le livreront aux païens ; ils le bafoueront, cracheront sur lui, le flagelleront et le mettront à mort, et trois jours après il ressuscitera » (Mc 10, 32-34).

Le Christ s'engage résolument, seul, sur le chemin du destin tragique que Dieu lui réserve. Une détermination si inflexible l'habite qu'elle plonge les disciples dans l'effroi religieux le plus intense.

Jésus marchait devant eux et ils étaient dans la stupeur (Mc 10, 32).

C'est un son analogue que rend la formule de Luc 9, 51 : « Il durcit son visage vers Jérusalem », en une évidente allusion au mystère du Serviteur souffrant : « C'est pourquoi j'ai rendu mon visage dur comme pierre » (Is 50, 7). L'incompréhension des disciples, soulignée par la suite du texte — ils en sont encore à demander que le feu tombe sur ses adversaires (Lc 9, 54-55) — fait mieux apparaître, par contraste, l'inflexible décision du Maître et sa solitude (Lc 9, 51-56).

La mort et la résurrection forment donc l'horizon habituel des préoccupations du Maître, comme le laissent entendre, en termes voilés mais significatifs, quelques-unes de ses confidences :

« Je suis venu apporter le feu sur la terre, et comme je voudrais que déjà il fût allumé ! Mais *j'ai à être baptisé d'un baptême,* et quelle n'est pas mon angoisse jusqu'à ce qu'il soit accompli » (Lc 12, 49-50).

« Pouvez-vous boire la coupe que je dois boire et être baptisés du *baptême* dont *je dois être baptisé ?* » (Mc 10, 38).

Ce baptême, qui imite le passage d'Israël à travers la mer, c'est la traversée douloureuse de sa passion.

Jésus ne cesse d'ailleurs de parler d'un « il faut », d'un « j'ai à être », « je dois être »...

Que signifient exactement ces expressions inlassablement répétées ? Elles sont un rappel des annonces prophétiques de l'Ancien Testament. C'est à un destin voulu pour lui par Dieu que Jésus se soumet.

Le « il faut » proclamé par Jésus dans ses prédictions est un « il faut » eschatologique et apocalyptique. C'est dire que les événements de la fin de sa vie sont voulus et prévus par Dieu de toute éternité pour manifester le sens de l'histoire religieuse du monde. Ils constituent l'ère messianique qui, chez les prophètes, est déjà la fin des temps, au sens qualitatif de ce mot, c'est-à-dire le point culminant de l'histoire du salut.

Ces formules contiennent en un puissant résumé l'annonce prophétique de l'Ancien Testament, qui assigne au Sauveur eschatologique — nous l'avons vu — une destinée tout à la fois douloureuse et glorieuse. Le « il faut » équivaut à « cela est écrit ».

Au « il faut que le Fils de l'homme souffre beaucoup et soit rejeté » de Marc 8, 31 correspond le « Il est écrit au sujet du Fils de l'homme qu'il souffrira beaucoup et sera méprisé » de Marc 9, 12.

En Matthieu 26, 54, c'est dans une même phrase que se rencontrent : « il faut » et la référence aux Ecritures :

« Comment donc s'accompliraient les Ecritures (annonçant) qu'il *faut* qu'il en soit ainsi ? »

Le même *il faut* scripturaire se retrouve au début de la troisième prophétie (Lc 18, 31), et nous avons déjà vu que cette perspective revient constamment, surtout dans les apparitions du Ressuscité rapportant ce qu'il a dit sur la terre (Lc 24, 26-27, 44, 46).

A vrai dire, le « il faut » de Jésus n'a rien d'une nécessité qui s'imposerait de l'extérieur, comme une fatalité. Rien ne serait plus contraire au sens évangélique. Le Christ n'a rien d'un robot.

« *Le Fils de l'homme,* déclare Jésus, *s'en va selon ce qui est écrit à son sujet ; mais malheur à cet homme par qui le Fils de l'homme est trahi !* » (Mc 14, 21 ; Mt 26, 24 ; Lc 22, 22).

Le Fils de l'homme, dont parle Daniel 7, 14, investi de pouvoirs divins comme celui de remettre les péchés, ne peut être livré aux mains *des hommes* — on notera l'opposition soulignée par les textes entre Fils de l'homme et les hommes — que s'il est pleinement consentant. Entièrement maître de son destin, il entre dans sa passion avec la plus entière liberté :

« Je dépose mon âme parce que je le veux » (Jn 10, 18 ; 14, 30-31 ; 18, 8 ; 19, 11-17).

Le Fils de l'homme conserve donc l'entière initiative de ce douloureux voyage qui rappelle la marche vers le Père de l'évangile johannique (Jn 7, 33 ; 8, 14-21 ; 13, 3-33 ; 14, 2-12).

Un mot de Jésus résume d'ailleurs le contenu de toutes les prophéties auxquelles fait allusion son « il faut » :

« Ma nourriture est de faire la volonté de celui qui m'a envoyé et d'accomplir son œuvre » (Jn 4, 32).

Nous comprenons dès lors que le « il faut » de Jésus recèle un sens encore plus profond. Il concerne le cœur même du mystère de Dieu ! Il énonce en termes voilés le rapport mystérieux du Serviteur à son Père ! Se dire serviteur, soumis à cet « il faut » qui s'impose à lui, c'est pour Jésus affirmer qu'à travers sa personne se fait la révélation de la nature de Dieu, plus exactement de sa miséricorde, en d'autres termes, *la révélation du Nom*.

Et Matthieu l'a bien vu, qui a inséré dans les deux chapitres sur la manifestation du Serviteur (ch. 11-12), le chant de bénédiction du Fils, l'hymne à la connaissance réciproque du Père et du Fils (Mt 11, 25-30) et la révélation du *nom* du Serviteur.

En son Nom, les nations mettront leur espérance (Mt 12, 21).

Jean, quant à lui, ne fait qu'expliciter ce point de vue déjà présent dans tous les évangiles synoptiques.

La faiblesse du Christ apparaît dès lors comme *la* manifestation de la toute-puissance de Dieu, plus précisément encore : *la faiblesse du Christ est la toute-puissance de Dieu*.

Le « il faut » de Jésus n'est dès lors que le dévoilement de son être même, et, à travers lui, de l'être même de Dieu. Dieu est infinie miséricorde. *Dieu est Amour*.

Aussi n'est-ce pas un hasard si le « il faut » eschatologique revient dans les paraboles de la miséricorde :

« Le Père lui dit : « Toi, mon enfant, tu es toujours avec moi, et tout ce qui est à moi est à toi. Mais *il fallait bien* festoyer et se réjouir, puisque ton frère que voilà était mort et il est revenu à la vie ; il était perdu et il est retrouvé ! » (Lc 15, 31-32).

Et aussi dans la rencontre avec Zachée :

« *Il me faut* aujourd'hui demeurer chez toi » (Lc 19, 5).

L'explication de Jésus lui-même est d'ailleurs parfaitement explicite :

« Le Fils de l'homme est venu chercher et *sauver ce qui était perdu* » (Lc 19, 10).

Quand Jésus dit : « il faut », il dévoile donc qu'au cœur du mystère du salut — sauver ce qui était perdu — se tient le mystère de son rapport au Père, qui s'exprime dans une faiblesse qui va à la mort et dont la pleine signification n'apparaîtra qu'à partir de la passion elle-même et de la Résurrection.

En vérité la faiblesse du Christ, c'est déjà la toute-puissance divine à l'œuvre dans notre monde pour le transfigurer ; c'est déjà la puissance de la Résurrection illuminant notre monde.

Cela explique que la pointe des prédications du Christ soit toujours la Résurrection : Jésus est dans la faiblesse qui conduit à la mort, mais c'est là précisément que se dévoile la puissance de l'amour du Père.

Le Serviteur, c'est la révélation que Dieu est le plus petit des petits, le plus méprisé des méprisés. Le chemin qui va à la Croix, c'est le chemin de la miséricorde.

Jésus a donc contemplé son destin à la lumière du Sauveur eschatologique, tel que nous le présente Isaïe ! Et, s'il en était besoin, la parole sur la rançon, qui renvoie de toute évidence à Is 53, nous l'attesterait encore (Mc 10, 45 ; Mt 10, 28).

Aussi bien, le Fils de l'homme lui-même n'est pas venu pour être servi, mais pour servir et donner sa vie en rançon pour une multitude (Mc 10, 45).

Le Fils de l'homme n'est pas venu pour triompher et régner, il est venu — c'est là sa mission divine — pour donner sa vie. Une fois de plus, s'exprime la fidélité de Jésus au plan divin du salut. C'est encore ce que confirme le récit de l'institution de l'eucharistie (Mc 14, 24 ; Mt 26, 28 ; Lc 22, 19 s ; 1 Co 11, 23-25).

2. La pierre rejetée et exaltée

Au cœur du mystère du Serviteur, se trouve le mystère du *rejet.*

Il faut que le Fils de l'homme souffre beaucoup, soit *rejeté* des *anciens...* (Mc 8, 31).

Etre rejeté, être méprisé sont des expressions équivalentes qui servent à caractériser le sort de la pierre messianique du Ps 118, 22 : rejetée ou méprisée par les bâtisseurs, elle devient la pierre d'angle (pierre méprisée, Ac 4, 11 ; pierre rejetée, Mc 12, 10 ; Mt 21, 42 ; Lc 20, 17). Etre méprisé se dit de plus du Serviteur d'Isaïe dans quelques manuscrits des Septante d'Isaïe 53 ; c'est l'idée qu'exprime aussi le texte massorétique de Is 53, 2-3.

Cette expression présente dans les prédictions du Christ signifie donc que celui-ci a pensé son mystère de Serviteur en liaison avec le mystère de la pierre rejetée par les hommes et agréée de Dieu.

Que le Christ pense son mystère à travers le thème messianique de la pierre rejetée et cependant agréée de Dieu et exaltée, l'Evangile nous en donne de multiples témoignages.

Tout son ministère de la parole se résume dans le mystère de la pierre. Il le dit en termes voilés dans la fin du discours sur la montagne :

« Donc, quiconque écoute ces *miennes paroles*
Et les met en pratique
Sera comparable à l'homme avisé
Qui a construit sa maison sur le roc.
la pluie est tombée,
Les torrents sont venus,
Les vents ont soufflé,
Et se sont abattus sur cette maison :
Elle n'a pas croulé.
C'est qu'elle avait été fondée sur le roc.
Mais quiconque écoute *ces miennes paroles*

Et ne les met pas en pratique
Sera comparable à l'homme insensé
Qui a construit sa maison sur le sable.
La pluie est tombée,
Les torrents sont venus,
Les vents ont soufflé,
Et se sont rués sur cette maison :
Elle a croulé.
Grande fut sa ruine » (Mt 7, 24-27).

Le Christ est la solide pierre angulaire posée à Sion, qui fait tenir celui qui croit en lui (Is 28, 16).

« Qui croit en moi ne bronchera pas » (Is 28, 16).

Le disciple « avisé » est donc celui qui, conscient de la situation eschatologique, a bâti sa maison sur la parole du Christ *qui est la pierre*. Aux yeux des juifs, celui qui ne bronche pas est celui qui connaît la Tora et lui obéit ; pour le Christ, c'est celui qui écoute *ses* paroles et les met en pratique.

Mais cette petite parabole évangélique dévoile, en même temps, le tragique de la décision imposée par le discours du Maître : la connaissance de la parole qui n'est pas suivie d'obéissance conduit à une perte irrémédiable, corps et bien.

Le Christ mène ses interlocuteurs à la décision eschatologique. Il est pierre d'achoppement (Is 8, 14). Et il le dit nettement lorsqu'il est interrogé sur sa mission :

« Heureux celui pour qui je ne serai pas une occasion de chute » (Mt 11, 6).

Que cette réflexion renvoie elle aussi au Psaume 118, 22 — le psaume de la pierre rejetée et exaltée — nous avons déjà eu l'occasion de le montrer.

Nous retrouvons d'ailleurs les mêmes perspectives chez Jean :

« *L'œuvre du Seigneur,* c'est que vous croyiez en celui qu'il a envoyé » (Jn 6, 29), de sorte que :

« Qui *me rejette* et ne reçoit pas *mes paroles* sera jugé » (Jn 12, 48).

Ou encore, chez saint Luc :

« Les pharisiens et les scribes ont *rejeté* pour eux-mêmes *le dessein de Dieu* » (Lc 7, 30).

Ou chez saint Pierre :

« Ils s'y heurtent parce qu'ils ne croient pas à la Parole » (1 P 2, 8).

D'ailleurs, donnant à Simon le nom de Pierre, juste avant le moment où il va lui dévoiler son mystère de Serviteur, Jésus souligne lui-même qu'il est la *pierre.* En l'appelant Pierre, Jésus signifie qu'il l'associe prophétiquement à son mystère de pierre *rejetée* par Dieu et établie par Dieu dans la résurrection comme pierre angulaire (Ac 4, 11), c'est-à-dire à son mystère de Serviteur souffrant, *rejeté* et élevé dans la gloire. Il fait de son Apôtre la pierre de fondement du temple eschatologique, dont Dieu va commencer la construction (Mt 16, 17).

Que le thème de la pierre intervienne dans une perspective ecclésiale, quoi, en effet, de plus naturel ? L'image de la pierre est liée à celle du Temple : c'est le Rocher du Temple, qui donne l'eau de la vie.

Yahvé a été fréquemment appelé le Rocher, le lieu sûr en qui on peut se fier pour le don du salut aux hommes.

Le Messie est lui aussi le rocher (Is 28, 16). Mais ce rocher n'est pas une pierre isolée ; il intègre les hommes comme des pierres vivantes dans la demeure spirituelle du Temple. C'est ce que suggère encore la scène de la purification du Temple en saint Jean : Jésus se présente comme la pierre qu'on rejette mais qui sera reconstruite par la Résurrection.

Aussi bien, l'expression « *mon* Eglise » n'est-elle pas étonnante : elle est un écho de *ces miennes paroles* du Sermon sur la Montagne.

De plus, après la grande scène de l'investiture de Pierre, qui évoque l'Eglise comme fruit de la Résurrection — je bâtirai *mon* Eglise — le Christ se présente encore comme le Rocher d'où coule la boisson salutaire, l'eau qui rassasie dans le désert, comme le souligne l'Apôtre : « ce Rocher, c'était le Christ » (1 Co 10, 4).

Le dernier jour de la fête, le grand jour, Jésus, debout, lança à pleine voix :

« Si quelqu'un a soif, qu'il vienne à moi et qu'il boive, celui qui croit en moi. »

Selon le mot de l'Ecriture :

De son sein couleront des fleuves d'eau-vive.

Il parlait de l'Esprit que devaient recevoir ceux qui croient en lui, car il n'y avait pas encore d'Esprit, parce que Jésus n'avait pas encore été glorifié (Jn 7, 37-39).

Jésus établira son peuple sur la Pierre — il lui communiquera la stabilité devant les épreuves — et il donnera aux pauvres l'eau vive annoncée par les prophètes :

> Vous tous qui êtes altérés, venez vers l'eau,
> même si vous n'avez pas d'argent, venez.
> Achetez du blé et consommez, sans argent,
> et sans payer, du vin et du lait.
> Pourquoi dépenser votre argent pour autre chose que du pain,
> votre salaire pour ce qui ne rassasie pas ?
> Ecoutez-moi et vous mangerez de bonnes choses,
> vous vous délecterez de mets succulents.
> Prêtez l'oreille et venez à moi,
> écoutez et votre âme vivra (Is 55, 1-3).

Le Roc évoque ainsi le corps du Christ mort sur la Croix pour communiquer l'Esprit.

L'heure messianique est arrivée : le pain, l'eau, le Rocher sont donnés au peuple de Dieu.

Ainsi le Christ a déchiffré son destin de Fils de l'homme à la lumière du Serviteur souffrant et ressuscité et de la pierre rejetée et exaltée. L'Innocent broyé, brisé, c'est le Roc, le Roc de la miséricorde, le Roc de l'Amour.

13

Déjà pointe la lumière du Royaume qui vient

Dans la vie de Jésus, la Transfiguration a laissé transparaître l'aube de la Résurrection. Aussi s'empresse-t-il de donner à comprendre à quel point pour lui toutes choses baignent déjà dans la clarté du Royaume qui vient.

1. Le renversement évangélique des valeurs

Après avoir quitté la Galilée, Jésus entre en Judée et s'apprête à monter à Jérusalem. Il sait parfaitement qu'il va se jeter dans la gueule du loup, mais il est décidé à affronter, dans un ultime combat, les Pharisiens résolus à le faire mourir. Cette montée vers la ville « qui tue les prophètes » (Mt 23, 37) est pour lui une occasion de mettre plus vivement en lumière son propre mystère.

« Est-il permis de répudier sa femme pour n'importe quel motif ? » (Mt 19, 3).

Brutale, la question éclate, piégée. Voilà Jésus jeté, bien malgré lui, en plein cœur des discussions rabbiniques entre les écoles de Schammaï et de Hillel, qui divergeaient sur l'interprétation — stricte ou large — à donner de la permission de répudier contenue dans le Deutéronome (Dt 21, 10 ss).

Ainsi apostrophé, Jésus ne se laisse pas entraîner sur ce terrain miné. D'un simple mot — *dès l'origine* —, il fait basculer le débat sur un tout autre plan :

« N'avez-vous pas lu que le créateur, *dès l'origine,* les fit homme et femme, et qu'il a dit : Ainsi donc l'homme quittera son père et sa mère pour s'attacher à sa femme, et les deux ne feront qu'une seule chair ? Ainsi ils ne sont plus deux, mais une seule chair. Eh bien ! ce que Dieu a uni, l'homme ne doit point le séparer » (Mt 19, 4-6).

Prenant le problème de plus haut, il se libère, d'un seul coup, du filet de la casuistique, dans lequel ses adversaires prétendaient l'enfermer. Il a complètement changé de registre. L'interprétation de la loi écrite est sans intérêt pour lui, et il invite ses interlocuteurs à contempler le dessein de Dieu en sa source : *« Dès l'origine ».*

A nouveau, Jésus déconcerte ses auditeurs, qui se méprennent sur le sens de son intervention. Comme s'ils n'avaient rien entendu, ils poursuivent sur leur propre lancée :

« Pourquoi donc Moïse a-t-il prescrit de donner un acte de divorce quand on répudie ? » (Mt 19, 7).

Incisive et mordante, la riposte de Jésus ne se fait pas attendre :

C'est en raison de l'endurcissement de votre cœur que Moïse vous a permis de répudier vos femmes ; mais *à l'origine* il n'en fut pas ainsi. Or, je vous le dis : quiconque répudie sa femme — le seul cas des unions illégales excepté — et en épouse une autre, commet un adultère (Mt 19, 8).

Quel rappel de l'ordre divin de la création, par-delà les concessions faites par Moïse au peuple de Dieu, en raison de son refus de croire !

Mais aussi quelle dénonciation publique, intransigeante, du caractère transitoire des prescriptions mosaïques ! Ne laisse-t-il pas entendre que l'heure est venue — puisqu'il est là — de restaurer l'ordre parfait de la création et de l'eschatologie ?

Bouleversés par l'extraordinaire nouveauté des propos de Jésus, désemparés, les disciples eux-mêmes laissent échapper une remarque désabusée :

« Si telle est la condition de l'homme envers la femme, il vaut mieux ne pas se marier » (Mt 19, 10).

Loin de s'étonner du porte-à-faux qui s'est glissé entre lui et ses disciples, Jésus se fait provocant :

« Tous les hommes ne comprennent pas ce langage, mais *ceux-là seulement à qui il est donné.* »

Il poursuit :

« Il y a, en effet, des eunuques qui sont nés ainsi du sein de leur mère, il y a des eunuques qui le sont devenus par l'action des hommes, et il y a des eunuques qui se sont eux-mêmes rendus tels en vue du Royaume des Cieux. Comprenne qui pourra » (Mt 19, 11-12).

Jésus prendrait-il plaisir à dérouter ses fidèles ?

Elle est déjà bien épineuse en elle-même, la question du divorce et, pour l'éclairer, est-il utile de renvoyer à une question bien plus difficile encore, celle du célibat, et même celle du célibat volontaire pour le Royaume ?

En vérité, il est invraisemblable, ce Maître, pour qui la fidélité du mariage monogamique représente un don de Dieu. Pour lui, elle ne prend sens que dans la lumière du Royaume qui vient.

Est-il plus merveilleuse annonce du Royaume que cette discussion d'apparence rabbinique dans laquelle Jésus a toujours gardé l'initiative ? Quelle étonnante manifestation du monde nouveau, déjà présent en sa personne ! Elle évacue l'ordre provisoire de la Loi !

Voilà bien, pris sur le vif, l'enseignement d'autorité dont nous parlent les évangélistes, bouleversant jusqu'au scandale ! Oui, l'enseignement du Maître a un accent absolument unique ! Il proclame, dans une lumière tamisée certes, mais réelle, que la création divine est en train de retrouver la plénitude de sa signification parce que le Royaume — le monde de la Résurrection — anticipe déjà en lui sa présence. Par-delà toutes les casuistiques, replacé dans la lumière de la création et de l'eschatologie, qui se répondent du point de vue de l'éternité divine, le mariage se revêt de sa splendeur originelle !

Jésus a fort bien compris qu'il déconcertait profondément ses auditeurs. Aussi, pour leur faire entendre que l'intelligence des choses d'en haut — du mariage dans la lumière divine — est un don qu'il faut recevoir, il leur déclare :

« Laissez les petits enfants et ne les empêchez pas de venir à moi ; car c'est à leurs pareils qu'appartient le Royaume des Cieux » (Mt 19, 14).

C'est la vérité ! Pour comprendre le mystère du Royaume, il faut, comme l'enfant, accepter d'être considéré comme quantité négligeable dans la vie sociale, de n'avoir pas voix au chapitre, mais d'avoir pour tâche essentielle d'écouter et d'apprendre. Etre enfant, c'est regarder le Christ avec amour, comme le Maître, dépendre totalement de lui, s'abandonner inconditionnellement à sa parole et à sa volonté. A l'image du Serviteur souffrant, le disciple parfait doit avoir l'oreille toujours ouverte (Is 50, 5).

L'opposition entre le monde des petits, de ceux qui s'ouvrent au Royaume, et le monde de ceux qui prétendent réaliser par eux-mêmes la Loi, est on ne peut plus radicale. Aussi, pour manifester l'originalité de son message, le Christ proclame-t-il catégoriquement l'impuissance de la justice de la Loi à faire entrer dans le Royaume : il faut, certes, observer la Loi, mais cela ne suffit pas ; il est nécessaire de tout quitter pour suivre *le Christ pauvre :*

« Si tu veux être parfait, lui dit Jésus, vends ce que tu possèdes, donne-le aux pauvres, et tu auras un trésor aux cieux, puis viens, suis-moi » (Mt 19, 21).

Exigence qui contriste le jeune homme, qui avait de grands biens (Mt 19, 22).

Et Jésus en profite pour enseigner à quel point il est difficile à un riche d'entrer dans le Royaume des Cieux. Cette fois, le désappointement des Apôtres est complet :

« Qui donc peut être sauvé ? » (Mt 19, 25).

Il ne peut être surmonté que dans un accueil totalement humble de celui qui seul peut sauver, Dieu. Il avait bien raison de leur donner en exemple les enfants !

En révélant ainsi les exigences et la nature du Royaume dont il est le Maître, Jésus renverse tout l'ordre humain des valeurs : il juge de tout en fonction de la fin des temps, *en fonction de la vie éternelle.*

Jésus leur dit : « En vérité, je vous le dis, à vous qui m'avez suivi : dans la régénération, quand le Fils de l'homme siègera sur son trône de gloire vous siègerez vous aussi sur douze trônes pour juger les douze tribus d'Israël. Et quiconque aura quitté maisons, frères, sœurs, père, mère, enfants ou champs, à cause de mon Nom, recevra le centuple et aura en partage *la vie éternelle* » (Mt 19, 28-29).

C'est dans ce prodigieux renversement des valeurs que l'enseignement de Jésus éclate dans son originalité.

— Il était permis de par la loi de Moïse de répudier sa femme. Et Jésus l'interdit avec une implacable sévérité :

« Il a été dit (...) : Celui qui répudie sa femme doit lui remettre un acte de divorce. Eh bien ! moi je vous dis : Quiconque répudie sa femme, le seul cas d'impudicité légale excepté, la voue à devenir adultère, et si quelqu'un épouse une répudiée, il commet un adultère » (Mt 5, 31-32).

— C'était une honte d'être ennuque, puisqu'on ne pouvait participer au culte ni être admis à l'assemblée de Yahvé, et voilà qu'on peut être ennuque pour le Royaume des Cieux !

— L'enfant était méprisé, et il se dresse comme modèle de celui qui entre dans le Royaume.

— Il était légitime et juste d'être riche ; c'était même la récompense du travail et de l'obéissance à la Loi, et tout cela est proclamé insuffisant, bien en deçà de la volonté de Dieu.

Tout est bouleversé, et pour une raison très simple : c'est que Dieu est essentiellement accueil et qu'on peut toujours tout recevoir de lui, parce qu'il est toujours prêt à donner et à pardonner. Dans sa bonté souveraine, il accueille avec une joie infinie ceux qui viennent bien tardivement au Royaume (Mt 20, 1-16).

La miséricorde divine, tel est, en vérité, *le critère dernier de tous les jugements :*

« Faut-il que tu sois jaloux parce que je suis bon ? » (Mt 20, 15).

Parce qu'il aime avec une gratuité absolue, le Dieu vivant fait de ceux qui n'ont aucun droit, de ceux qui, aux yeux du monde, sont privés de sagesse, de richesse, de sécurité, ses privilégiés :

Beaucoup de premiers seront derniers et de derniers seront premiers (Mt 19, 30).

Ce changement de perspective, c'est le mystère d'abaissement et d'exaltation qu'évoque pour Jésus le mystère de la Croix !

« Quiconque s'élèvera sera abaissé et quiconque s'abaissera sera élevé » (Mt 23, 12).

Aussi prend-il ses disciples à part pour leur annoncer, pour la troisième fois, son destin de mort et de résurrection (Mt 20, 17-19).

Cette révélation, déjà scandée de tant de quiproquos, en suscite un nouveau ! La mère des fils de Zébédée demande pour ses fils — Jacques et Jean — les places d'honneur dans le Royaume des cieux. Une fois de plus, Jésus se heurte à des vues d'hommes, qui ont leurs plans préétablis et qui oublient de se confier comme des enfants à leur Père des Cieux !

Solennelle, la parole du Christ dévoile une nouvelle fois le cœur de son mystère qui va bientôt être manifesté grâce à la Croix. Il est la révélation de la miséricorde de Dieu :

« Vous savez que les chefs des nations leur commandent en maîtres et que les grands leur font sentir leur pouvoir. Il n'en doit pas être ainsi parmi vous ; au contraire, celui qui voudra devenir grand parmi vous, se fera votre serviteur, et celui qui voudra être le premier d'entre vous, se fera votre esclave. C'est ainsi que le Fils de l'homme n'est pas venu pour être servi mais pour servir et donner sa vie en rançon pour une multitude » (Mt 20, 25-28).

Le centre du renversement de toutes les valeurs, il est là, dans la réalité *du Fils de l'homme devenu Serviteur*. Et on sent en Jésus comme un douloureux étonnement devant l'attitude de ses disciples. Comment donc n'ont-ils pas encore compris sa démarche ? A l'heure la plus décisive de sa vie, celle de la montée à Jérusalem, inlassablement ne s'occupe-t-il pas des petits et des pauvres ? Oui, au grand étonnement des foules et des disciples qui, avec violence, refusent de laisser les enfants s'approcher de leur Maître, au moment où il gagne sa ville comme Messie, il s'arrête auprès des petits pour les accueillir et les bénir. Alors que la foule, qui ne veut pas qu'on importune le Fils de David montant dans sa ville, menace pour les faire taire deux aveugles assis au bord de la route, il prend le temps de les secourir. Il y va du sens de sa mission : n'est-il pas venue donner sa vie en rançon pour tous les hommes ? (Mt 20, 28).

2. Le Roi de douceur

Délibérément Jésus fait son entrée à Jérusalem monté sur un âne, en Messie pauvre.

Non, ce n'est pas le guerrier dominateur et fastueux qui, sur un cheval, emblème de la puissance (Jr 17, 25 ; 22, 4, etc.) pénètre en vainqueur dans sa ville ! C'est le roi tout pétri d'humilité et de douceur, qui a volontairement choisi la pauvreté. Sa monture est celle des Pères d'Israël, de David en particulier (Gn 49, 11 ; Jg 5, 10 ; 10, 4 ; 12, 14). Il a pris le seul apparat qui permette de le reconnaître pour ce qu'il est, « doux et humble de cœur » (Mt 11, 29), né dans une crèche (Lc 19, 38 à comparer avec Lc 2, 14).

Et l'émoi s'empare de Jérusalem : le voilà présent celui qui est sans doute le prophète eschatologique des derniers jours, tel que l'attendait un important courant de l'apocalyptique juive, en référence à Deutéronome 18, 18 :

> « Je leur susciterai du milieu de leurs frères un prophète, tel que toi » (cf. Ac. 3, 22 ; 7, 37 ; Jn 1, 21 ; 7, 40).

Ceux qui l'acclament, ce sont les pauvres, les pécheurs, les petits, tous ceux qui sont privés d'appuis officiels et de puissance. N'est-ce pas l'accueil de ceux qui, prévenus par la miséricorde divine, savent la reconnaître sous son visage d'humilité (Mt 21, 13-16) ?

Mais — paradoxe suprême — ce roi, qui se contente d'un triomphe de pacotille, pose un acte par lequel il revendique une autorité prophétique et messianique sur le Temple en son entier (Mt 21, 13-27). Il purifie le Temple, qu'il appelle la maison de son Père, en chassant les vendeurs. Quelle invraisemblable audace! La stupeur qui avait envahi ses auditeurs en le voyant prétendre exercer une autorité qui n'appartient qu'à lui seul (Mc 2, 7) — n'avait-il pas remis les péchés (Mc 2, 10), disposé, en Maître, de la Loi et de toutes les traditions juives (Mc 1, 22), chassé les démons, transmis ses pouvoirs à ses disciples (Mc 3, 15 ; 6, 7) ? — est ici à son comble ! Celui qui s'est déclaré « plus grand que le Temple » (Mt 12, 6) ne se manifeste-t-il pas dans le Temple comme Dieu lui-même y était attendu et ne déclare-t-il pas prophétiquement que tous les païens auront accès à la maison de Dieu (Mc 11, 17) ? Et pour mieux appuyer le sens de son geste, au cœur même de cette manifestation souveraine, ne continue-t-il pas à se révéler comme le *miséricordieux*, celui qui guérit aveugles et boiteux (Mt 21, 14).

Ainsi, ce qu'il avait laissé pressentir à de nombreuses reprises se réalise maintenant en clair ; il se prétend bien le Messie, l'instaurateur d'une économic nouvelle, celui qui bâtit le Temple eschatologique !

En agissant ainsi Jésus sait bien que cette manifestation messianique entraînera inévitablement la rupture avec les Pharisiens. La scène de l'entrée du Messie à Jérusalem et de la purification du Temple se termine, en effet, par une « sortie » du Christ. Plus brutalement encore, Matthieu, qui n'a cessé de laisser pressentir ce rejet de l'Israël infidèle dit :

« Il les planta là » (Mt 21, 17).

Jésus ne se contente d'ailleurs pas de cette attitude : dans un geste symbolique, il maudit le figuier qui ne porte pas les fruits qu'il en attendait.

Les scènes qui suivent évoquent désormais, en parfait contraste, le peuple nouveau — temple eschatologique, vigne fertile — qui *en lui* — pierre angulaire, cep — va porter du fruit, et le peuple infidèle appelé à subir la condamnation du Dieu vivant.

3. Le monde qui vient et le rejet de l'Israel infidèle

Désormais, la tension entre Jésus et les Pharisiens atteint son paroxysme. Avec ses prétentions ouvertement messianiques, il a laissé percer le bout de l'oreille ; il a osé contester au cœur les autorités officielles d'Israël !

Aussi celles-ci saisissent-elles l'occasion de poser publiquement la question décisive :

« Par quelle autorité fais-tu cela ? Et qui t'a donné cette autorité ? » (Mt 21, 23).

Mais la réponse de Jésus retourne complètement la question. D'accusé, le voilà qui se fait accusateur :

« Je ne vous poserai qu'une question. Répondez-moi, et je vous dirai par quelle autorité je fais cela. *D'où* venait-il, le baptême de Jean, du ciel ou des hommes ? » (Mt 21, 24-25).

Ouvertement, il met en cause la bonne foi de ses adversaires et il place leurs consciences en face de la seule question qui importe, celle de *son lieu : « D'où* venait-il le baptême de Jean, du ciel ou des hommes ? » (Mt 21, 25), car il est évident que la réponse qui sera faite à propos de Jean-Baptiste concernera, comme en transparence, sa propre personne. Ils croyaient prendre Jésus et les voilà, eux, pris au piège ! L'alternative est inéluctable : Jésus tire son autorité soit de Dieu, soit des hommes. Il n'y a pas d'échappatoire possible et ils risquent de perdre sur tous les tableaux :

Ils se faisaient en eux-mêmes ce raisonnement : « Si nous répondons : 'Du Ciel', il nous dira : 'Pourquoi donc n'avez-vous pas cru en lui' ? Et si nous répondons : 'Des hommes', nous avons à craindre la foule, car tous tiennent Jean pour un prophète. » Et ils firent à Jésus cette réponse : « Nous ne savons pas. » De son côté, il répliqua : « Moi non plus, je ne vous dis pas par quelle autorité je fais cela » (Mt 21, 25-27).

Ceux qui se targuaient de réduire Jésus, les voilà démasqués, attaqués jusque dans le repaire de leur mauvaise conscience. Ils voulaient le confondre et c'est leur méchanceté qui est percée à jour, comme par celui qui « sonde les reins et les cœurs » !

A mots couverts, il laisse entendre quelle est l'attitude fondamentale de ses interlocuteurs :

« Mais dites-moi votre avis. Un homme avait deux fils. S'adressant au premier, il lui dit : 'Mon enfant, va-t-en aujourd'hui travailler à la vigne.' — 'Je ne veux pas', répondit-il, mais plus tard, pris de remords, il y alla. S'adressant au second, il lui dit la même chose ; l'autre répondit : 'Entendu, Seigneur', et il n'y alla point. Lequel des deux a fait la volonté du Père ? — « Le premier », répondirent-ils. Jésus leur dit : « En vérité, je vous le dis, les publicains et les prostituées arrivent avant vous au Royaume de Dieu » (Mt 21, 28-32).

Travailler à la vigne, faire la volonté du Père. Comment ne pas reconnaître la transparence de l'allusion ! Il s'agit bien de la construction du Royaume et du dévoilement de la miséricorde de Dieu ! Car, c'est sur cette miséricorde du Père des Cieux que butent les Pharisiens ; c'est au mystère de sa vie à lui, Jésus, accueillant publicains et prostituées, qu'ils achoppent. Aussi le Christ évoque-t-il la parabole des vignerons révoltés et homicides (Mt 21, 33-43). Il est la pierre exaltée et rejetée, le fondement de l'Eglise qui jaillira de sa résurrection pour porter du fruit. Le Temple eschatologique que Jésus doit édifier, mais n'est-ce pas cette vigne à laquelle travaille le Père depuis toujours et dans laquelle il a envoyé une multitude de prophètes avant d'envoyer son propre Fils ? Elle implique le rejet de tous ceux qui n'ont pas accepté l'héritier :

« Aussi, je vous le dis, le Royaume de Dieu vous sera retiré pour être confié à un peuple qui lui fera produire ses fruits » (Mt 21, 43).

La purification du Temple était déjà la prophétie symbolique de l'entrée des païens dans le Royaume. Cette fois, Jésus proclame que leur entrée dans le mystère du salut tient au fait qu'il est la pierre rejetée par les Pharisiens, érigée par la résurrection en pierre angulaire.

Il n'est pas étonnant que le Christ cite lui-même ce passage du psaume 118 pendant la Semaine Sainte (Mt 21, 42), puisque, lors de son entrée à Jérusalem (Mc 11, 9), la foule l'a acclamé au chant du verset 26 de ce psaume messianique par excellence :

« Béni soit au nom du Seigneur, celui qui vient. »

De plus, tout le psaume 118 faisait partie du Hallel qui — d'après Pesachim 10, 5 — était récité le jour de la fête de la Pâque.

De façon plus précise encore, Luc met dans la bouche du Christ une allusion à la pierre de Daniel :

« Quiconque tombera sur cette pierre s'y fracassera et celui sur qui elle tombera, elle l'écrasera » (Lc 20, 18).

Cette formule « elle l'écrasera » renvoie à Daniel 2, 44 :

Dieu par son peuple choisi « vannera » (écrasera, détruira) tous les royaumes de la terre.

Ainsi se trouvent identifiées la pierre de Daniel 2, 34,

« la pierre qu'avait rejetée les bâtisseurs » (Ps 118, 22) et la « pierre d'achoppement » d'Isaïe 8, 14.

La pierre, qui brise tous les royaumes de la terre est, en germe, la présence du Royaume qui ne finira pas !

Mais qui donc fera partie du Royaume si les invités officiels du festin déclinent l'offre qui leur est faite ? Jésus répond : Dieu décide de convier à leur place les pauvres, les estropiés, les aveugles, les impotents, en bref tous ceux qui reconnaissent leur misère dans la lumière de la miséricorde divine (Mt 22, 1-10 ; Lc 14, 16-24).

L'extravagance des paroles de Jésus devient éclatante lorsqu'on sait qu'à Qumrân l'accès aux séances de la Congrégation était interdit à « toute personne frappée dans sa chair, paralysée des pieds ou des mains, boiteuse ou aveugle, ou sourde ou muette ou frappée dans sa chair d'une tare visible aux yeux » (*Règle*, annexe II, 5-7).

Cette audace absolument folle n'est d'ailleurs que la transcription du mystère personnel du Christ, celui d'un Roi « doux et humble de cœur » (Mt 11, 29), qui a pris sur lui les infirmités et les maladies de tous (Mt 8, 17) ; son Royaume, c'est le Royaume de l'infinie miséricorde divine.

Mais le temps presse ! La Révélation approche de son moment décisif, et une nouvelle question posée par ses adversaires oblige Jésus à préciser encore la nature du Royaume qu'il vient instaurer :

« Est-il permis ou non de payer l'impôt à César ? » (Mt 22, 17).

Gravité exceptionnelle de la question qui, sous une apparence anodine, met en péril les prétentions messianiques de Jésus ! Selon la croyance juive, en effet, le Messie libérerait son peuple du joug des Romains et rétablirait l'hégémonie d'Israël. C'était la raison pour laquelle les zélotes refusaient de payer le tribut.

Dans sa brutalité, la question : « Est-il permis de payer l'impôt, *oui* ou *non* ? » met littéralement Jésus au pied du mur. Un *non* prônerait la révolte contre César — ce ne serait alors qu'un jeu de le dénoncer aux autorités romaines ! —, un *oui* réduirait à néant ses prétentions messianiques.

Avec une ironie mordante, le Christ leur renvoie la balle :

« Pourquoi me tendez-vous un piège ? Apportez-moi un denier, que je le voie. » Ils en apportèrent un et il leur demanda : « De qui est l'effigie que voici ? Et la légende ? » Ils lui répondirent : « De César. » Alors Jésus leur dit : « Rendez à César ce qui est à César et à Dieu ce qui est à Dieu » (Mt 22, 15-17).

Jésus ne commente pas un point de Loi ou de morale ; pas davantage il ne traite de la distinction entre l'Eglise et l'Etat. Il prêche le mystère du Royaume qu'il situe à son vrai niveau, en soulignant qu'il est d'un autre ordre que le Royaume de César. Il laisse entendre ce qu'il dira plus tard à Pilate :

Mon Royaume n'est pas de ce monde (Jn 18, 36).

Les adversaires de Jésus ont si bien mesuré à quelle profondeur le débat s'était déplacé qu'ils engagent d'emblée la discussion sur le monde futur et sur l'ère de la Résurrection. Avec l'opacité de leurs vues toutes charnelles, ils font les malins et ridiculisent l'idée de la Résurrection par l'histoire de la femme mariée successivement à sept frères (Mt 22, 23-33). La réponse de Jésus fait appel au sens du Dieu vivant dans la tradition d'Israël : le Royaume eschatologique est celui de la Résurrection, il fait entrer l'homme dans l'intimité de Dieu et fait de lui un être céleste (Mc 12, 25). Et, avec une âpre vivacité, il reproche aux Docteurs sadducéens leur inintelligence des Ecritures et de la puissance de Dieu.

De nouveau quelle autorité souveraine ! Il est bien le Maître qui enseigne la vraie nature du Royaume qu'il vient fonder. Il parle *d'en-haut,* lui qui connaît de l'intérieur le dessein du Père.

Le temps n'est plus aux tergiversations. Aussi Jésus passe-t-il à l'offensive. N'a-t-il pas déjà laissé entrevoir la profondeur de son mystère ? Il poursuit :

« Comment les scribes peuvent-ils dire que le Christ est fils de David ? C'est David lui-même qui a dit par l'Esprit-Saint : 'Le Seigneur a dit à mon Seigneur, siège à ma droite, jusqu'à ce que j'aie mis tes ennemis dessous tes pieds.' David en personne l'appelle Seigneur, comment alors peut-il être son fils ? » (Mc 12, 35-37).

Dans le psaume 110, le roi David disait son attente « dans l'Esprit » de quelqu'un qui viendrait après lui, qui serait plus grand que lui et qu'il nomme son Seigneur.

Et Jésus rappelle que le Fils de David vient accomplir l'attente d'Israël, mais selon une modalité toute différente, une modalité divine.

Il suggère qu'il est de rang divin : « Le Seigneur a dit à mon Seigneur. » A-t-il cessé depuis le début de son ministère de revendiquer un pouvoir qui n'appartient qu'à Dieu seul ?

Lui qui interprète souverainement la pensée divine, il laisse deviner *son lieu :* il est *auprès* du Dieu vivant (Mc 12, 36-37) :

> Le Seigneur a dit à mon Seigneur, siège à ma droite jusqu'à ce que j'aie mis tes ennemis dessous tes pieds.

Quelle invraisemblable revendication ! Il s'arroge le titre divin de « Seigneur » !

C'est ce Messie qui vient de laisser entrevoir sa véritable stature, sa stature divine, qui met en question les scribes et les Pharisiens. Avec amour il interpelle une dernière fois ceux qui le méprisent : que de fois n'aurait-il pas voulu protéger ses adversaires du danger foudroyant qui les menace, celui du jugement dernier, signifié par la chute de Jérusalem (Mt 24, 37-39) !

Quel malheur ! Les adversaires de Jésus n'ont pas compris que les temps étaient changés par la venue mystérieuse de cet homme qui se dit le Fils de l'homme ; ils n'ont pas été dociles à la vérité divine, ils n'ont pas écouté le Père qui voulait réaliser en eux son dessein ; ils se sont bloqués devant la miséricorde divine, ils se sont murés. Ils ont oublié le cœur de l'alliance divine : la sainteté, la miséricorde et la bonne foi (Mt 23, 23).

Ils prennent le secondaire pour l'essentiel. Pourquoi donc ne purifient-ils pas la coupe, en d'autres termes, pourquoi n'obéissent-ils pas sincèrement à la loi de Dieu, *telle qu'elle est maintenant réinterprétée par Jésus ?*

Aussi Jésus annonce-t-il à l'Israël infidèle le jugement qui l'attend (Mt 23, 38). Et cette venue du Fils de l'homme pour juger son peuple lors de la chute de Jérusalem évoque, aux yeux de Jésus, le mystère de la fin des temps.

Par-delà toutes les ruptures, Jésus pense à son règne à la fin des temps, son règne qui concernera tous les hommes ; il révèle le bonheur messianique qu'il réserve à ses disciples, mais on le sent plus attentif encore à les mettre en garde contre l'agitation et l'infidélité.

Attendre dans la patience, se montrer pleins de miséricorde pour leurs frères, spécialement attentionnés aux petits, tel est le devoir des disciples jusqu'au retour de leur Seigneur.

Et, une fois de plus, il leur montre l'exemple : avant de prononcer ses grands discours eschatologiques (Marc, Luc), Jésus fait l'éloge de la pauvre veuve qui « de son indigence, a mis tout ce qu'elle possédait, tout ce qu'elle avait pour vivre » (Mc 12, 44).

4. Le jugement de l'Innocent

En Matthieu, c'est une scène d'une grandeur sans pareille qui attire l'attention.

Voilà que le paradoxe de l'Innocent éclate, grandiose, dans la lumière de la Parousie.

« Quand le Fils de l'homme viendra dans sa gloire, escorté de tous les anges, alors il prendra place sur son trône de gloire. Devant lui seront rassemblées toutes les nations, et il séparera les gens les uns des autres, tout comme le berger sépare les brebis des boucs. Il placera les brebis à sa droite, et les boucs à sa gauche. Alors le Roi dira à ceux de droite : 'Venez, les bénis de mon Père, recevez en héritage le Royaume qui vous a été préparé depuis la fondation du monde. Car j'ai eu faim et vous m'avez donné à manger, j'ai eu soif, et vous m'avez donné à boire, j'étais un étranger et vous m'avez accueilli, nu et vous m'avez vêtu, malade et vous m'avez visité, prisonnier et vous êtes venus me voir.' Alors les justes lui répondront : 'Seigneur, quand nous est-il arrivé de te voir affamé et de te nourrir, assoiffé et de te désaltérer, étranger et de t'accueillir, nu et de te vêtir, malade ou prisonnier et de venir te voir ?' Et le Roi leur fera cette réponse : 'En vérité, je vous le dis, dans la mesure où vous l'avez fait à l'un de ces plus petits de mes frères, c'est à moi que vous l'avez fait.' Alors il dira encore à ceux de gauche : 'Allez loin de moi, maudits, dans le feu éternel qui a été préparé pour le Diable et ses anges. Car j'ai eu faim et vous ne m'avez pas donné à manger, j'ai eu soif et vous ne m'avez pas donné à boire, j'étais un étranger et vous ne m'avez pas accueilli, nu et vous ne m'avez pas vêtu, malade et prisonnier et vous ne m'avez pas visité.' Alors ceux-ci lui demanderont à leur tour : 'Seigneur, quand nous est-il arrivé de te voir affamé ou assoiffé, étranger ou nu, malade ou prisonnier, et de ne te point secourir ?' Alors il leur répondra : 'En vérité, je vous le dis, dans la mesure où vous ne l'avez pas fait à l'un de ces plus petits, à moi non plus vous ne l'avez pas fait.' Et ils s'en iront, ceux-ci à une peine éternelle, et les justes à la vie éternelle » (Mt 25, 31-45).

Parabole de Jugement ? Certes non ! Disons plutôt que l'expression est maladroite, car il ne s'agit en rien d'une parabole, mais bien de la vision que Jésus a de son propre mystère de Juge eschatologique.

Le Roi du Jugement, c'est le Fils de l'homme qui s'est fait serviteur, celui-là même qui, dans sa vie et son ministère, n'a cessé de s'identifier aux pauvres et aux petits.

Sont condamnés ceux qui n'ont été que mépris pour les pauvres et les petits comme l'ont été les Pharisiens qui ont manqué de miséricorde pour le Christ. On pense immanquablement au texte d'Osée : « Ce n'est pas le sacrifice mais la miséricorde que je désire », cité à deux reprises par Matthieu et inséré en plein cœur de la définition de sa mission par le Christ (Mt 9, 13). Oui, tout sera jugé en fonction de celui qui a été méconnu dans les *pauvres* et les petits.

En vérité, le jugement sera celui du Serviteur. Voilà bien l'envers de l'humiliation du Christ, qui fait penser au grand retournement du livre de la Sagesse : le juste, non reconnu ici-bas par les impies, se dresse en juge de ses accusateurs (Sg 5, 1 ss). Le Fils de l'homme est le juge suprême qui a pour seul critère de discernement des justes et des mauvais *la miséricorde divine,* celle de son Père : « Venez, les bénis de mon Père. »

Les grandes prophéties concernant le Serviteur :

Il a pris nos infirmités et s'est chargé de nos maladies (cité en Mt 8, 17)

ou

Voici mon Serviteur que j'ai choisi,
mon Bien-aimé qui a toute ma faveur.
Je répandrai sur lui mon Esprit
et il annoncera la vraie foi aux nations.
Il ne fera point de querelles ni de cris
et nul n'entendra sa voix sur les grands chemins.
Le roseau froissé, il ne le brisera pas,
et la mèche fumante il ne l'éteindra pas,
jusqu'à ce qu'il ait mené la vraie foi au triomphe :
en son Nom les nations mettront leur espérance (cité en Mt 12, 15-21) ;

l'exhortation de Jésus

« Venez à moi vous tous qui peinez »... (Mt 11, 28)

débouchent enfin sur leur justification suprême : *le Serviteur est le Roi de gloire.*

Mais, dira-t-on, les justes sont dans l'étonnement aussi bien que les méchants. C'est que le sens plénier de leurs actes ne leur est révélé qu'à la dernière heure. Et la raison en est fort compréhensible ! Le mystère du Fils de l'homme, identifié ici-bas aux petits, est une réalité cachée, comme toute l'histoire évangélique le proclame. Il ne sera dévoilé en pleine lumière qu'à la fin des temps.

Ce jugement, c'est le résumé de tout l'Evangile !

La mort du Christ, acte décisif de l'histoire du monde, va désormais se dérouler sur cet extraordinaire horizon de la conscience royale de Jésus jugeant le monde à la Parousie. Celui qui va bientôt paraître le jouet des événements et qu'on va condamner comme un malfaiteur est en réalité le Maître souverain. Il se rit du jugement inique qui va s'abattre sur lui.

14

L'agonie de l'Innocent

La conscience royale du Christ, Fils de l'homme — Serviteur souffrant, dominant de son regard toute l'histoire du monde pour la référer, à travers lui, à Dieu son Père, montre avec éclat qu'il entre *librement* dans sa Passion. Malgré les apparences, c'est lui qui domine les événements et, à travers le commentaire que, par sa parole et ses actes, il fait des Ecritures, il nous permet de saisir que la merveille de l'œuvre de Dieu s'accomplit en lui.

Avec assurance, il répète que ses grandes prédictions vont se réaliser :

« Oui, le Fils de l'homme s'en va selon qu'il est écrit de lui » (Mc 14, 21).

« C'en est fait. L'heure est venue : voici que le Fils de l'homme va être livré aux mains des pécheurs » (Mc 14, 41).

Cette conscience d'accomplir le dessein de Dieu est si forte qu'il ne s'arrête pas aux manœuvres de ceux qui veulent se mettre en travers du plan de Dieu. Elles se plieront, en définitive, il le sait, à la volonté divine :

Il dit à ses disciples : « La Pâque vous le savez, tombe dans deux jours, et le Fils de l'homme va être livré pour être crucifié. »

Alors les grands prêtres et les anciens du peuple s'assemblèrent dans le palais du grand prêtre, qui s'appelait Caïphe, et se concertèrent en vue d'arrêter Jésus par ruse et de le mettre à mort. Ils disaient toutefois : « Pas en pleine fête : il faut éviter un tumulte parmi le peuple » (Mt 26, 1-5).

C'est pourquoi la Passion s'ouvre sur des gestes symboliques et prophétiques, des prédictions à travers lesquelles s'atteste la prescience de Celui qui, de lui-même, se livre à la mort.

L'onction de Béthanie, le choix de la salle pascale, la prédiction de la trahison de Judas, l'institution de l'eucharistie, l'annonce du reniement de Pierre, l'humiliation du Serviteur aux pieds de ses disciples, la promesse du don de l'Esprit, préparent la confession solennelle faite par le Christ devant le Sanhédrin de sa réalité de Fils de l'homme appelé à connaître la gloire de la Résurrection et de la Parousie.

1. L'onction de Béthanie

L'originalité de la scène dans laquelle Marie brise un flacon d'albâtre contenant un parfum très précieux « pour le répandre sur la tête de Jésus », réside tout entière dans le fait que Jésus donne lui-même sa plénitude de sens à ce geste :

> « Si elle a répandu ce parfum sur mon corps, c'est pour m'ensevelir qu'elle l'a fait. En vérité je vous le dis, partout où sera proclamée cette Bonne Nouvelle, dans le monde entier, on redira aussi, à sa mémoire, ce qu'elle vient de faire » (Mt 26, 13).

Jésus voit donc dans cet acte l'annonce prophétique d'une mort qui va ouvrir pour le monde entier le temps de l'intervention eschatologique de Dieu à travers l'annonce missionnaire de l'Evangile.

Quel paradoxe ! Tout se passe comme si la proximité d'une mort qui, d'ordinaire, brise toutes les espérances, dilatait son cœur à l'infini.

Certes, la purification du Temple avait déjà laissé pressentir que le temps de l'ère eschatologique était arrivé pour tous les païens. Mais cette fois, l'embaumement prématuré de son corps rend en quelque sorte tangible le fait que le Temple eschatologique, dont il est la pierre angulaire, va bientôt s'ouvrir à tous les hommes.

Que ce geste prophétique, posé par l'humble amour d'une femme intuitive, provoque une fois de plus l'incompréhension, quoi d'étonnant ! Le Christ pense à sa mort, ouverte sur la mission, et sur la construction du Temple eschatologique, et les disciples restent rivés au train-train de la vie quotidienne ! Ils ne perçoivent rien de la grandeur de l'événement qui se prépare.

Que la mort du Christ évoque à ses propres yeux l'expansion missionnaire, saint Jean nous l'atteste à sa manière en rapportant la demande des Grecs qui veulent voir Jésus et auxquels celui-ci proclame :

« En vérité, en vérité, je vous le dis,
si le grain de blé ne tombe en terre et ne meurt,
il reste seul ;
s'il meurt,
il porte beaucoup de fruit » (Jn 12, 24).

Le grain de blé qui tombe en terre et meurt, c'est Jésus, semence d'une Eglise capable de recevoir tous les hommes.

Ah, il le sait bien ! La gloire de Dieu va être manifestée même aux païens. Les prophéties de l'Ancien Testament qui voyaient les peuples païens monter en cortège à Jérusalem (Is 2, 2-3 ; So 3, 9-10 ; cf. Mi 4, 1-2 ; cf. Is 4, 2-6 ; cf. aussi Is 40, 5 ; 60, 3-11 ; 62, 2 ; 66, 1-2 ; 66, 18-21) l'avaient annoncé. Mais la prophétie majeure à ce sujet était celle du Serviteur souffrant (Is 52, 13,15), l'instrument par excellence du dessein de Dieu sauvant tous les hommes. Aussi Jésus proclame-t-il :

« Moi, élevé de terre, j'attirerai *tout* à moi » (Jn 12, 32).

2. Les préparatifs de la salle pascale

Tout est désormais prêt pour l'heure décisive, celle de la Pâque. Jésus a déjà fait le choix de la salle pascale, et tous les évangélistes soulignent à leur manière la prescience du Christ :

Il envoie alors deux de ses disciples, en leur disant : « Allez à la ville ; vous rencontrerez un homme portant une cruche d'eau. Suivez-le, et là où il entrera dites au propriétaire : Le Maître te fait dire : Où est ma salle, où je pourrai manger la Pâque avec mes disciples ? Et il vous montrera, à l'étage, une grande pièce, garnie de coussins, toute prête, faites-y pour nous les préparatifs. Les disciples partirent et vinrent à la ville, et ils trouvèrent tout comme il le leur avait dit, et ils préparèrent la Pâque (Mc 14, 13-16).

Plus solennellement, mais plus nettement encore, Matthieu note simplement :

« *Mon temps est proche,* c'est chez toi que je vais faire la Pâque avec mes disciples » (Mt 26, 18-19).

3. La prédiction de la trahison de Judas

C'est au cours du repas pascal que Jésus annonce la trahison de Judas :

Le soir venu, il arrive avec les Douze. Et tandis qu'ils étaient à table, et qu'ils mangeaient, Jésus dit : « En vérité je vous le dis, l'un de vous me livrera, un qui mange avec moi. Ils devinrent tout tristes et se mirent à lui demander l'un après l'autre : « Serait-ce moi ? » Il leur répondit : « C'est l'un des Douze, qui plonge avec moi la main dans le même plat. Oui, le Fils de l'homme s'en va selon qu'il est écrit de lui, mais malheur à cet homme-là par qui le Fils de l'homme est livré ! Mieux eût valu pour cet homme-là de ne pas naître » (Mc 14, 17-21).

L'annonce est solennelle :

« En vérité, je vous le dis, l'un de vous me livrera, *un qui mange avec moi* » (Mc 14, 18).

Les évangiles synoptiques ne précisent pas leur référence à une quelconque parole prophétique, mais Jean dit qu'il s'agit de la trahison de l'ami dont parle le psaume 41, 10 :

« Celui qui mange mon pain a levé contre moi son talon » (Jn 13, 17).

Ne convenait-il pas que le traître ait été assis à la table de Jésus, cette table qui évoque le festin de la miséricorde ouverte aux pécheurs, et celle de la fin des temps ?

Jésus s'identifie ainsi au juste du Psaume, image du Serviteur souffrant.

En citant ce psaume, il évoque d'ailleurs implicitement sa résurrection : « Toi, Seigneur, fais-moi lever » (Ps 41, 11), et sa louange pour le salut de Dieu : « Béni soit Yahvé, le Dieu d'Israël, depuis toujours et à jamais, Amen, Amen » (Ps 41, 14).

La trahison de Judas, qui est là, déjà présente, provoque la bénédiction débordante du cœur de Jésus :

« Maintenant le Fils de l'homme a été glorifié
et Dieu a été glorifié en lui.
Si Dieu a été glorifié en lui,
Dieu aussi le glorifiera en lui-même
et il le glorifiera bientôt » (Jn 13, 31-32).

4. La célébration eucharistique

Et c'est, tout naturellement, l'institution de l'Eucharistie : là il proclame sa mort de Serviteur souffrant et sa résurrection qui vont être le germe d'un peuple nouveau ; là il fait librement de sa mort une bénédiction qui entraîne tous les hommes dans la bénédiction éternelle de son Père, qu'il est lui-même.

Que sa mort soit celle du Serviteur, la Cène l'atteste avec éclat. Le « pour beaucoup » des paroles de la Cène, attestée dans les cinq versions du Nouveau Testament (Mc 14, 23 ; Mt 26, 38 ; 1 Co 11, 24 ; Lc 22, 19-20 ; Jn 6, 51) montre que c'est à partir du chant du Serviteur (Is 53) que Jésus explicite le sens de sa passion et de sa mort.

La formule de Marc confirme cette perspective :

« Aussi bien le Fils de l'homme lui-même n'est pas venu pour être servi, mais pour servir et donner sa vie en rançon pour une multitude » (Mc 10, 45).

Le « pour beaucoup » est de toute évidence une référence à Isaïe 53. C'est en ce passage de l'Ecriture que l'on trouve à la fois le « pour » — c'est-à-dire l'idée de suppléance — et le « beaucoup » qui signifie « nombreux, grande foule, multitude, tous ».

Le texte de Jean, qui parle de l'eucharistie : « Le pain que moi je donnerai, c'est ma chair *pour* la vie du monde » (Jn 6, 15) renvoie certainement lui aussi à Isaïe 53. Et, en vérité, chaque fois qu'il utilise la préposition « pour », lorsqu'il parle de la mort rédemptrice de Jésus, Jean fait allusion à la prophétie du Serviteur souffrant. Jésus sacrifie sa vie pour la vie du monde (Jn 6, 15), pour ses brebis (Jn 10, 11.15), pour le peuple (Jn 11, 50), pour la nation (Jn 11, 52), pour ses amis (Jn 15, 13), pour ses disciples (Jn 17, 19). Plus précisément encore, la formule : déposer sa vie (Jn 10, 11, 14, 17-18) appliquée par Jean à Jésus est probablement un des équivalents néotestamentaires de *sîm naphsô (ponere animam suam)* d'Isaïe 53, 10 (texte hébreu seulement).

L'expression « pour la rémission des péchés » (Mt 26, 28) renvoie à un trait essentiel de la nouvelle alliance décrite par Jérémie : « Je pardonnerai leurs fautes. »

Le Christ est donc le fidèle Serviteur de Dieu qui prend sur lui, librement et volontairement, le péché de tous, qui livre son âme à la mort en sacrifice d'expiation, intercède pour les pécheurs, et constitue ainsi le peuple de la nouvelle alliance.

Voici donc venu le moment décisif où la mort est définitivement vaincue, retournée, assumée dans le mouvement de bénédiction, qui est celui de tout l'être de Jésus dans son rapport au Père ! En acceptant de mourir pour eux, Jésus fait entrer tous les hommes dans le mystère de bénédiction et d'amour dans lequel il est enveloppé depuis toujours. L'eucharistie s'ouvre ainsi spontanément sur la Résurrection, que le Christ évoque d'ailleurs :

> Après le chant des psaumes, ils partirent pour le mont des Oliviers. Jésus leur dit : « Tous vous allez être scandalisés, car il est écrit : Je frapperai le pasteur et les brebis seront dispersées. Mais après ma résurrection, je vous précéderai en Galilée (Mc 14, 26-28).

La phrase de Zacharie : « Je frapperai le pasteur, et les brebis seront dispersées » (13, 7) est, elle aussi, un écho du Serviteur souffrant : la mort du pasteur — qui renvoie à Isaïe 53, cf. Jn 10, 15-17 —, apporte l'affliction, mais elle entraîne aussi le rassemblement du troupeau épuré.

Le texte s'ouvre naturellement sur la Résurrection : le Christ Pasteur du troupeau rassemblera ses brebis et les guidera jusqu'à la Parousie.

5. La prédiction du reniement de Pierre

Cette déclaration de Jésus entraîne la prédiction du reniement de Pierre, et de sa conversion au mystère du Serviteur :

> « Simon, Simon, voici que Satan vous a réclamés pour vous cribler comme le froment ; mais j'ai prié pour toi, afin que ta foi ne défaille pas. Toi donc, quand tu seras revenu, affermis tes frères » (Lc 22, 31-32).

Le reniement de Pierre — de celui qui doit devenir le Roc de l'Eglise — et son soutien par le Christ, apparaît ainsi au cœur même du don du Christ, comme dans le contexte symbolique de Matthieu 16 ! Pierre peut avoir confiance : tout est enveloppé par le mystère du Dieu vivant, qui accorde son pardon aux pécheurs.

6. L'ESCLAVE

Jean a si bien compris que seule la conduite humiliée du Serviteur permettait de comprendre le mystère du Christ, qu'il a placé tout le mystère du passage de Jésus à son Père : Passion, Résurrection, Ascension, sous le signe du serviteur esclave.

Jésus est l'esclave qui lave les pieds des hôtes (1 Sm 25, 41) pour les faire entrer dans la maison de son Père. Par sa conduite d'esclave, il révèle *d'où* il vient et *où* il va et il introduit ceux qui croient en lui dans son *lieu.*

Sachant que le Père avait tout remis en ses mains, et qu'*il était venu de Dieu et retournait à Dieu,* il se lève de table, quitte son manteau, et, prenant un linge, il s'en ceignit. Puis il verse de l'eau dans un bassin et se mit à laver les pieds des disciples et à les essuyer avec le linge dont il était ceint (Jn 13, 1-6).

Ainsi la révélation de sa grandeur — de sa dignité suprême et de son amour —, c'est son comportement d'esclave.

Cette révélation du mystère encore caché de Jésus provoque une fois de plus l'incompréhension de Pierre, scandalisé par l'humiliation volontaire de son Maître. Mais Jésus lui rétorque brutalement :

« Si je ne te lave pas, tu n'as pas de part avec moi » (Jn 13, 8).

En d'autres termes, si je ne te lave pas, tu ne partageras pas mon lieu, tu n'entreras pas dans mon royaume.

C'est, en effet, l'*idée de son lieu* qui habite l'esprit de Jésus : il ne pense qu'au lieu qu'il va préparer à ses Apôtres — le Royaume qui leur est préparé par le Père depuis la fondation du monde, comme dit saint Matthieu (Mt 25, 34) ! Mais les Apôtres, qui n'ont pas encore compris que Jésus s'offre en esclave pour le péché du monde, ne comprennent pas de quoi il s'agit, et cela aboutit à un émouvant quiproquo entre Pierre et Jésus.

« Mes petits enfants, je n'en ai plus pour longtemps à être avec vous. Vous me chercherez... et comme je l'ai dit aux Juifs, je vous le dis à vous aussi maintenant : *où* je vais, vous ne pouvez venir. »

Simon-Pierre lui dit : « Seigneur *où* vas-tu ? » Jésus lui répondit : « *Où* je vais, tu ne peux me suivre maintenant ; tu me suivras plus tard. » Pierre lui dit : « Pourquoi ne puis-je pas te suivre dès maintenant ? Je donnerai ma vie pour toi. » — « Tu donneras ta vie pour moi ? répond Jésus. En vérité, en vérité, je te le dis, le coq ne chantera pas que tu ne m'aies renié trois fois » (Jn 13, 36-38).

Pierre ne peut suivre. C'est absolument impossible ; il ne pourra suivre qu'après que le Seigneur *seul* lui aura montré le chemin. Seul, en effet, il sait *où* il va.

Jésus suggère que son humiliation va permettre le dévoilement de son *lieu* — il va au Père *d'où* il vient —, ce lieu où il veut que les siens soient avec lui.

« Et quand je serai allé vous préparer un lieu, je reviendrai vous prendre avec moi, afin que *là où* je suis vous soyez, vous aussi. Et du lieu *où* je vais vous connaissez le chemin » (Jn 14, 3-4).

Mais les Apôtres sont absolument décontenancés :

Thomas lui dit : « Seigneur nous ne savons pas *où* tu vas. Comment en connaîtrions-nous le chemin ? » (Jn 14, 5).

Et le Christ répond que, *dans son comportement d'esclave,* il est « le Chemin, la Vérité, la Vie ».

Oui, Jésus est l'unique chemin vers le Père (Jn 7, 35-36 ; Jn 8, 14-22).

Et dans cette perspective du lieu qu'il doit dévoiler, il annonce l'envoi de l'Esprit.

Les Apôtres mesurent tout à coup que le Christ parle clair et sans figures :

« Nous voyons maintenant que tu sais tout ; pas n'est besoin qu'on t'interroge. Cette fois, nous croyons que tu es sorti *de* Dieu » (Jn 16, 30).

Mais avec une douce ironie, le Christ leur dit :

« Vous croyez à présent ? Voici venir l'heure — elle est venue — où vous serez dispersés chacun de son côté, et me laisserez seul. Mais non, je ne suis pas seul : le Père est *avec* moi. Je vous ai dit ces choses, pour qu'en moi vous ayez la paix. Dans le monde vous aurez à souffrir. Mais gardez courage ! J'ai vaincu le monde » (Jn 16, 31-33).

La Révélation *du lieu* est proche ! Elle est déjà là. Elle va être donnée à tous dans la glorification de Jésus. C'est avec l'amour du Père, qui l'enveloppe de toute éternité, que Jésus entre dans son agonie.

7. L'INNOCENCE A L'AGONIE

Voici Jésus qui entre dans son mystère de Serviteur souffrant, identifié au Juste des psaumes (Ps 42 et 43), qui est exclu de la présence divine et qui espère rentrer en grâce.

« Abba, Père, tout t'est possible, éloigne de moi cette coupe ; cependant non pas ce que je veux, mais ce que tu veux » (Mc 14, 36).

Jésus va boire à la place des coupables la coupe du châtiment divin. L'image de la coupe évoque, en effet, la justice vengeresse de Yahvé dont les prophètes menaçaient ceux qu'ils considéraient comme ses ennemis.

Il avait déjà évoqué la coupe qu'il devait boire et le baptême dont il avait à être baptisé (Mc 10, 35-40) ; il avait déclaré qu'il devait recevoir un baptême, et qu'il était angoissé jusqu'à ce qu'il soit accompli (Lc 12, 49-50).

Le Christ pense sa mort en connexion avec le baptême et avec les souffrances expiatoires qu'il signifie : le baptême, qui liait son sort avec celui des pécheurs, n'était que l'annonce et l'ébauche de cette mort. Le sens est clair : le Christ, comme Serviteur souffrant, accepte de prendre sur lui le péché des hommes et de mourir à leur place.

Par-delà l'image de la coupe, nous rejoignons le contenu réel du texte d'Isaïe 53 :

« Il a été transpercé à cause de nos péchés, écrasé à cause de nos crimes. Le châtiment qui nous rend la paix est sur lui, et c'est grâce à ses plaies que nous sommes guéris. »

C'est tout le mystère de la prière du Christ qu'évoque la scène de l'agonie : il se tient sur la brèche pour son peuple (Ez 13, 5), il se place sous le jugement de la colère pour la prendre sur lui et préserver le peuple du châtiment. Il l'évoquera dans la montée au Calvaire :

« Si l'on traite ainsi le bois vert, qu'en sera-t-il du bois sec ? » (Lc 23, 31).

Toute sa vie n'a été que prière, intercession pour les pécheurs.

Si saint Luc insiste tant sur la prière du Christ, c'est parce que cette prière est la fonction par excellence du Serviteur. Il n'est que de rapprocher l'épiphanie du Serviteur et la scène de la Croix :

« Or, quand tout le peuple eut été baptisé et au moment où Jésus, baptisé lui aussi, *se trouvait en prière,* le ciel s'ouvrit et l'Esprit-Saint descendit sur lui sous une forme corporelle, tel une colombe. Et du ciel vint une voix : « Tu es mon Fils bienaimé ; tu as toute ma faveur » (Lc 3, 21-22).

« Père pardonne leur, ils ne savent ce qu'ils font » : la parole du Christ sur la Croix fait, de toute évidence, allusion au dernier verset du chapitre 53 d'Isaïe : « il intercédera pour les pécheurs ».

D'ailleurs les grands moments de la prière du Christ sont des moments essentiels de sa vie de Serviteur.

Il prie pour rester fidèle à sa vocation de Serviteur. Nous avons déjà fait allusion aux « sorties » du Christ, chez Marc, après les manifestations messianiques. Il se retrouve avec son Père.

Sa réputation se répandait de plus en plus et des foules nombreuses accouraient pour l'entendre et se faire guérir de leurs maladies. Mais lui se retirait dans les solitudes et priait (Lc 5, 15-16).

Il prie lors du choix des Apôtres qu'il va entraîner dans son mystère :

Or, en ces jours-là, il s'en alla dans la montagne pour prier et il passa toute la nuit à prier Dieu (Lc 6, 12).

Il prie lors du dévoilement de son mystère de Serviteur à la confession de Pierre (Lc 9, 18) et lors de la Transfiguration (Lc 9, 28-29).

Sa prière est si constante que ses disciples lui demandent comment prier (Lc 11, 1).

N'a-t-il pas voulu, tout au long de sa vie, protéger le peuple de Dieu face au danger foudroyant du jugement (Dt 32, 11 ; Ps 17, 8 ; 9, 1-4), tout comme la poule abrite ses petits à l'approche de l'épervier ou du loup ? Il s'est fait le rempart de ses frères contre la colère de Dieu (Mt 23, 37-39).

Et pendant sa grande prière sacerdotale ne déclare-t-il pas qu'il se « sanctifie » lui-même *pour* ses disciples ? Comme le Serviteur qui s'offre *pour* les hommes (cf. Jn 6, 51 ; 10, 11.15 ; 11, 50-52 ; 15, 13), Jésus se consacre pour eux, c'est-à-dire s'offre en sacrifice. On ne peut dire plus fortement que la prière de Jésus débouche sur l'offrande de sa vie sur la Croix. De même que, dans le Serviteur eschatologique, sacrifice expiatoire (Is 53, 10) et prière pour les pécheurs (Is 53, 12) se rejoignaient en profondeur, de même chez Jésus offrande de sa vie et prière ne font finalement qu'un.

Jésus agonise parce qu'il porte le péché du monde ! Il doit connaître pour ses frères le jugement et l'anéantissement.

Sommet de la communion fraternelle dans la personne de Jésus !

Pour nous délivrer de la mort spirituelle et nous rassembler dans l'unité (cf. Jn 11, 52), Jésus accepte, par amour, de recevoir, de notre finitude et de notre péché, nos limites, nos souffrances et jusqu'à notre mort.

Communier à autrui, n'est-ce pas, en effet, sans changer d'identité ni de conscience de soi, vivre jusqu'au bout les épreuves et les agonies de ceux qu'on aime ?

Les vivre si profondément que, dans l'amour et l'espérance, on fait sien le malheur qui frappe ceux qui s'excluent eux-mêmes de cet amour et de cette espérance.

Celui qui aime *jusqu'au bout* (Jn 13, 1) porte en soi jusqu'à en mourir, le drame du rejet de l'amour plus douloureusement que ceux qui le refusent.

L'incompréhension de Jésus et de sa tendresse divine, l'hostilité irrationnelle et haineuse qui n'a cessé de le harceler, les voilà désormais reprises et retournées dans l'agonie de l'amour.

Parce qu'il nous aime avec une innocence et une générosité absolues et que, n'attendant rien pour lui-même, il n'estime jamais trop tardive la reconnaissance de son amour, Jésus vit l'agonie à laquelle nous condamne l'esclavage du mal ; alors qu'il ne la mérite en rien, il porte en lui notre mort ; lui qui est totalement indemne du péché, il s'en rend coupable en nous.

Pour nous racheter de la malédiction, le voilà « devenu lui-même *malédiction pour nous* » (Ga 3, 13).

Suprême mystère de l'Innocent que Paul résume dans une petite phrase scandaleuse :

> Celui qui n'avait pas connu le péché, Il (Dieu), l'a fait *péché pour nous*, afin qu'en lui nous devenions justice de Dieu (2 Co 5, 21).

Dans le cœur de l'Innocent, alors que nous étions murés dans le déterminisme de nos fatalités intérieures, impuissants à nous aimer nous-mêmes, nous avons été reconquis sur nous-mêmes dans les affres de l'agonie.

Ainsi, avant même qu'il nous soit donné, notre être a été connu et voulu *pour nous*, en un certain sens, *malgré nous*, dans un cœur qui l'aimait d'amour et qui consentait à recevoir de lui l'inconcevable et injustifiable mort ! Il a été porté, enveloppé, protégé, suscité par l'espérance de l'Innocent qui acceptait l'anéantissement pour le recréer totalement dans l'amour.

Par amour pour nous Jésus agonise ; il agonise *comme un enfant livré* à la volonté de son Père.

> « Voici que le Fils de l'homme va être livré aux mains des pécheurs » (Mc 14, 41).

C'est l'accomplissement de cet « il faut » eschatologique que nous avons analysé dans les chapitres précédents et que nous retrouvons dans la bouche même de Jésus :

> « *Il faut* que le monde sache que j'aime le Père,
> et que j'agis comme le Père me l'a ordonné » (Jn 14, 31).

Mystère de la communion absolue avec les hommes, qui est aussi mystère de la communion parfaite du Père et du Fils : le Père livre son Fils à la Croix (la formule passive : le Fils de l'homme *est livré*, signifie en effet, est livré *par Dieu*) ou, si l'on préfère : Dieu livre son Fils à la mort en le livrant à la malice de ses frères dépravés et dans un don total et libre destiné à sauver ceux qui le renient, le Fils se livre lui-même à cette mort que lui préparent les hommes.

Cette offrande du Fils à l'agonie et à la mort est ainsi

le reflet de la communion d'amour qui unit le Père et le Fils. Et rien sans doute ne chante davantage cette incessante circulation d'amour que la prière sacerdotale de Jésus, en Jean 17 :

« Père, l'heure est venue, glorifie ton Fils pour que ton Fils te glorifie et que, par le pouvoir sur toute chair que tu lui as conféré, il donne la vie éternelle à tous ceux que tu lui as donnés... » (Jn 17, 1-2 ss).

8. L'arrestation

« Levez-vous. Allons. *Voici tout proche celui qui me livre* » (Mt 26, 46).

L'évangile de Jean, qui n'a cessé d'insister sur la conscience que le Christ avait de son heure, manifeste avec éclat la grandeur parfaitement calme et déterminée de Jésus :

Alors Jésus, sachant tout ce qui allait lui arriver, s'avança et leur dit : « Qui cherchez-vous ? » Ils lui répondirent : « Jésus le Nazaréen. » — « C'est moi », leur dit-il. Judas, qui le livrait, se tenait là avec eux. Quand Jésus leur eut dit : « C'est moi », ils reculèrent et tombèrent à terre (Jn 18, 4-6).

L'expression : « c'est moi », que nous avons déjà eu l'occasion d'étudier, évoque l'insondable mystère de la personne de Jésus.

Celui qui va être livré, c'est celui qui marche sur les eaux, le Tout-Puissant, capable, par sa seule parole, de réduire à néant ses ennemis. Jésus est parfaitement libre : nul ne pourrait mettre la main sur lui, s'il ne le voulait.

Jésus se livre, dans la liberté de son obéissance, à la volonté de son Père. Il n'a que faire des armes de violence avec lesquelles ses disciples voudraient le défendre.

Ceux-ci n'ont même pas relevé l'ironie avec laquelle leur Maître avait répondu à leur remarque : « Seigneur, il y a ici, justement, deux glaives », en leur disant : « c'est assez ».

Jésus dit à Pierre : « Remets ton glaive dans le fourreau. La coupe que m'a donnée le Père, ne la boirai-je pas ? » (Jn 18, 11).

De façon analogue, Matthieu souligne à dessein la volonté du Christ d'exécuter les prophéties et de refuser la violence.

> Jésus lui dit : « Rengaine ton glaive ; car tous ceux qui prennent le glaive périront par le glaive. Penses-tu donc que je ne puisse faire appel à mon Père, qui me fournirait sur-le-champ plus de douze légions d'anges ? *Comment s'accompliraient les Ecritures d'après lesquelles il doit en être ainsi ?* » A ce moment-là, Jésus dit aux foules : « Suis-je un brigand que vous vous soyez mis en campagne avec des glaives et des bâtons pour me saisir ? Chaque jour j'étais assis dans le Temple, à enseigner, et vous ne m'avez pas arrêté. » *Or tout ceci advint pour que s'accomplissent les Ecritures des prophètes.* Alors les disciples l'abandonnèrent tous et s'enfuirent (Mt 26, 52-56).

Avec une infinie tristesse le Christ remarque qu'il est arrêté comme un malfaiteur. C'est l'écho de la prophétie du Psaume que le Christ reprend à son compte : « il a été mis au rang des malfaiteurs » (Lc 22, 37).

La logique du mystère du salut se déploie : la violence est incompatible avec le mystère de Dieu, tel que le révèle l'Ecriture ! Jésus n'est que miséricorde, amour infini. L'incompréhension entre Jésus et ses Apôtres atteint ici son sommet. C'est l'abandon de Jésus par tous les disciples. Il entre dans sa Passion, *seul.*

Oui, il est humainement seul, mais ce qui transparaît plus que jamais à travers toute l'agonie de l'Innocent, c'est la présence du Père qui a tout pensé avec amour pour son Fils. Ne dit-il pas à ses disciples :

> « Voici l'heure — elle est venue — où vous serez dispersés chacun de son côté, et me laisserez seul.
> Mais non je ne suis pas seul : le Père est avec moi » (Jn 16, 32).

Et les discours pendant la Cène, en saint Jean, attestent avec éclat que ce qui occupe le cœur de Jésus avant sa Passion, *c'est le Père :* il retourne au Père d'où il est venu, mais il a beau l'expliquer à ses Apôtres, ceux-ci ne comprennent pas et multiplient quiproquos sur quiproquos : « Seigneur, montre-nous le Père et cela nous suffit » (Jn 13, 8).

Le Père, oui — et c'est tout un — *le Père et son amour*

pour le monde ! Au moment où la faiblesse va se manifester jusqu'à l'abîme de l'anéantissement, Jésus ne pense qu'à l'amour infiniment miséricordieux du Père qui l'a envoyé dans le monde et qui le rappelle près de lui pour préparer leur place à tous ses enfants rachetés.

15

La gloire du Règne

Dans l'abandon humain le plus total, le Christ entre *seul* dans le mystère de sa Passion. Seul, en effet, il peut prendre la route qui mène au Père — n'a-t-il pas dit à Pierre qu'il ne pouvait le suivre où il allait (Jn 13, 36) ? Seul il connaît ce chemin de faiblesse et de miséricorde que lui a tracé le Père dans les prophéties.

1. Le mystère du pauvre

Pour bien montrer la réalisation de ce dessein que Dieu avait déterminé par avance, les évangiles renvoient aux psaumes des pauvres, qui se réfèrent eux-mêmes aux poèmes du Serviteur, en particulier aux psaumes 69 et 22. (Laissons de côté, bien qu'ils soient cités, les psaumes 34 ; 41-43, 118, etc.). Jn 15, 25 (la haine sans raison) ; Matthieu 27, 34 (le vin mêlé de fiel) ; Jn 19, 28 (la soif) renvoient au psaume 69, tandis que Mc 15, 34 ; Mt 27, 46 ; Mc 9, 12 (il sera méprisé) ; Lc 23, 35 (le peuple qui regarde et les moqueries) ; Mt 27, 39 (hochant la tête) ; Mt 27, 43 (il s'est confié à Dieu) ; Jn 19, 24 (partage des vêtements) ; He 2, 12 (annonce du nom à l'assemblée) ; Mc 15, 37 et He 5, 7 (un grand cri) recomposent le psaume 22.

La souffrance de la Croix récapitule la souffrance des pauvres. Jésus est un pauvre, une victime innocente qui, par amour, s'identifie à l'Israël pécheur et à l'humanité entière. Il est le Serviteur.

2. La vision du Fils de l'homme

La question solennelle du grand prêtre : « Es-tu le Christ, le Fils du Béni », atteint Jésus au cœur de son mystère. Sa réponse ne laisse pas place à l'équivoque : « Je le suis, et vous verrez le Fils de l'homme siéger à la droite de la Puissance et venir avec les nuées du ciel » (Mc 14, 61-62).

Ainsi, il annonce publiquement et officiellement aux membres du Grand Sanhédrin qu'ils *verront* « le Fils de l'homme s'asseoir à la droite de la Puissance et venir sur les nuées du ciel ».

N'avait-il pas déjà donné à entendre que cette génération ne passerait pas qu'elle n'ait vu la manifestation de sa gloire :

> « Le Fils de l'homme, à son tour, rougira de lui, quand il viendra dans la gloire de son Père avec les saints anges. » Et il leur disait : « En vérité, je vous le dis, il en est d'ici présents qui ne goûteront pas la mort avant d'avoir vu le Royaume de Dieu venu avec puissance » (Mc 8, 38 ; 9, 1).

et :

> « Et alors on verra le Fils de l'homme venir dans les nuées avec grande puissance et gloire. Et alors il enverra les anges pour rassembler ses élus, des quatre vents, de l'extrémité de la terre à l'extrémité du ciel.
>
> Du figuier apprenez cette parabole. Dès que sa ramure devient flexible et que ses feuilles poussent, vous vous rendez compte que l'été est proche. De même, vous aussi, lorsque vous verrez cela arriver, rendez-vous compte qu'il est proche, aux portes. En vérité, je vous le dis, cette génération ne passera pas que tout cela ne soit arrivé » (Mc 13, 26-30).

Cette « vision » du Fils de l'homme que Jésus a prédite se réalise paradoxalement à travers la manifestation du Serviteur ; les détails et les précisions que contenait en saint Marc la troisième prédiction de la Passion se retrouvent dans le récit de la Passion.

Marc 10, 33-34	*Marc 14 et 15*
être livré	14, 10.11.18.21.41.42.44
grands prêtres et scribes	11, 18.27 ; 14, 1.10.43.53.55 ; 15, 1.31.

condamneront à mort	14, 64
le livreront aux païens	15, 1.10
ils le bafoueront	15, 20.31
ils cracheront sur lui	14, 65 ; 15, 19
ils le flagelleront	15, 15
ils le mettront à mort	15, 20-39, 44

Jésus, par avance, avait donné la signification théologique du récit de la Passion : elle est la révélation du « Il faut » de son Père.

Evoquons, un à un, quelques-uns des détails les plus significatifs : le silence du Christ dans sa Passion montre nettement qu'il s'agit du Serviteur souffrant.

Alors le Grand Prêtre, se levant devant l'assemblée, interrogea Jésus : « *Tu ne réponds rien ?* Qu'est-ce que ces gens attestent contre toi ? » *Mais lui se taisait et ne répondait rien.* De nouveau, le Grand Prêtre l'interrogea et lui dit : « Es-tu le Christ, le Fils du Béni ? » (Mc 14, 60-61).

Pilate l'interrogea de nouveau : « *Tu ne réponds rien ?* Vois tout ce dont ils t'accusent ! » *Mais Jésus ne répondit plus rien,* si bien que Pilate était étonné (Mc 15, 4-5).

Manifestement, en Serviteur souffrant, Jésus refuse de répondre aux accusations portées contre lui. Il ne veut rien répondre parce que, par obéissance au mystérieux dessein de son Père, il a décidé de se livrer à la mort.

Le silence — silence de la faiblesse tout entière entre les mains de Dieu — atteste la décision *souveraine* prise par Jésus d'embrasser sa Passion. Il est l'acte de confiance suprême à la toute-puissance divine.

Affreusement traité, il s'humiliait,
il n'ouvrait pas la bouche.
Comme un agneau conduit à la boucherie,
comme devant les tondeurs, *une brebis muette*
et n'ouvrant pas la bouche (Is 53, 7).

Amis et compagnons s'écartent de ma plaie,
mes plus proches se tiennent à distance ;
ils machinent, ceux qui traquent mon âme,
ceux qui cherchent mon malheur déblatèrent,
tout le jour ils ruminent des trahisons.
Mais je suis comme un sourd, je n'entends pas,
comme un muet qui n'ouvre pas la bouche ;
comme un homme qui, n'ayant rien entendu,

n'a pas de répliques dans la bouche.
Car c'est toi, Yahvé, que j'espère,
c'est toi qui répondras, Seigneur mon Dieu » (Ps 38, 12-16).

Comme un pauvre, il se remet entre les mains du Père qui, lui, saura le délivrer de ses ennemis et répondre à ceux qui le persécutent.

Mais voilà qu'à travers cette humiliation librement consentie et assumée se dévoile à tous la gloire du Fils de l'homme. Le Christ reçoit, en effet, à six reprises, le titre de Roi, avant d'être salué du titre, plus solennel encore, de Fils de Dieu.

Jésus vient à peine de dévoiler son identité que déjà Pilate l'interroge :

« Tu es le *Roi des Juifs ?* » et qu'il répond : « Tu le dis » (Mc 15, 2).

Pilate demande publiquement :

« Voulez-vous que je vous relâche le *Roi des Juifs ?* » (Mc 15, 9).

Une fois de plus, Pilate insiste :

« Que ferai-je donc de Celui que vous appelez le *Roi des Juifs ?* » (Mc 15, 12).

Et immédiatement la condamnation à mort se soude à cette proclamation du titre messianique. N'est-ce pas ce qu'annonçaient les prophéties de Jésus (Mc 8, 31) ?

Après les Juifs, voilà les Romains qui saluent le « Roi des Juifs » en parodiant intronisation et allégeance :

Et ils se mirent à le saluer : « Salut, *roi des Juifs* » (Mc 15, 18).

Ainsi, d'une manière paradoxale, en objet de dérision, le Roi, envoyé par Dieu pour sauver Israël et tous les païens eux-mêmes, est manifesté aux yeux de tous.

Cloué à la Croix, le titre royal du Christ est dévoilé à Israël sous la forme et les apparences précises où il avait été prophétisé et annoncé par Dieu. Le dessein du Père est accompli.

Même ses ennemis les plus acharnés lui décernent ironiquement le titre de *Roi d'Israël* (Mc 15, 32). Mais un voile reste sur leurs yeux, puisqu'ils demandent encore à « voir » la gloire du Christ.

Finalement, au moment où le Christ expire en serviteur souffrant, le soldat païen, « *voyant* qu'il avait ainsi expiré » (Mc 15, 39), reconnaît qu'il est Fils de Dieu.

Ainsi quelques-uns de ceux qui étaient présents, la foule, les Juifs, les païens, ont « vu » le Fils de l'homme dans la gloire de son Père, dont il accomplit jusqu'au bout la volonté de salut universel (He 5, 8-9).

C'est donc au cœur même de sa mission de souffrance qu'est dévoilé son mystère. Et pour souligner que nous sommes devant une grande révélation apocalyptique, Marc décrit l'obscurcissement du ciel, le cri de Jésus, le voile du temple déchiré, voile qui interdisait aux hommes l'accès de la réalité céleste représentée par le Saint des Saints (Mc 14, 37 ; Mt 27, 51-54).

Ainsi c'est dans le mouvement même par lequel le Christ se soumet à la volonté de son Père que se dévoile le mystère de sa filiation.

C'est au cœur de son mystère de Serviteur souffrant, acceptant librement sa mort, que se découvre la présence du Père.

Voilà le Souverain bafoué mais vainqueur, dont la révélation aux saintes femmes va bientôt affirmer qu'il est ressuscité.

3. L'INNOCENT ET LE JUSTE MOURANT CONFORMÉMENT AU PLAN DE DIEU (Mt 27, 4.19.24)

C'est la même fondamentale lecture de l'Ecriture, plus accentuée encore que chez Marc, que fait Matthieu.

Jésus dans sa Passion apparaît comme l'Innocent.

Judas déclare : « J'ai péché en livrant le sang innocent » (Mt 27, 4).

Il est l'Innocent abandonné de tous.

Pilate souligne cette vérité encore plus nettement : « Je ne suis pas responsable de ce sang ; à vous de voir » (Mt 27, 24).

La femme de Pilate le déclare juste (Mt 27, 19).

Il est donc l'Innocent et le Juste qui meurt parce que le plan de Dieu doit s'accomplir.

Il *faut* que Jésus meure, car autrement « comment s'accompliraient les Ecritures d'après lesquelles il doit en être ainsi ? » (Mt 26, 54).

Il apparaît dans toute sa splendeur royale, porteur d'un sceptre :

Alors les soldats du gouverneur prirent avec eux Jésus dans le Prétoire et ameutèrent sur lui toute la cohorte. L'ayant dévêtu, ils lui mirent une chlamyde écarlate, puis, ayant tressé une couronne avec des épines, ils la placèrent sur sa tête, avec un roseau dans sa main droite. Et, ployant le genou devant lui, ils se moquèrent de lui en disant : « Salut, roi des Juifs ! » et, crachant sur lui, ils prenaient le roseau et en frappaient sa tête. Puis, quand ils se furent moqués de lui, ils lui otèrent la chlamyde, lui remirent ses vêtements et l'emmenèrent pour le crucifier (Mt 27, 27-31).

Ainsi la Passion apparaît comme le chemin de la gloire. Il a été mis au rang des malfaiteurs, et il récite sur la Croix le psaume des pauvres par excellence, le psaume 22.

4. L'Innocent reconnu par le pécheur

Souverainement, au cœur de sa Passion, Jésus dévoile l'iniquité du tribunal qui veut le condamner :

« Si je vous le dis, vous ne croirez pas et si je vous interroge, vous ne répondrez pas » (Lc 22, 67-68).

Il est impossible de ne pas penser à son refus de répondre à ceux qui sont venus lui demander : « Dis-nous par quelle autorité tu fais cela, ou quel est celui qui t'a donné cette autorité ! » (Lc 20, 2), et à sa remarque ironique : « Moi non plus, je ne vous dis pas par quelle autorité je fais cela » (Lc 20, 7, 8).

« Nous avons trouvé cet homme excitant notre nation à la révolte, empêchant de payer les tributs à César et se prétendant Christ Roi » (Lc 23, 2 ; cf. 23, 5).

Et dès lors Pilate, appelant même, à la rescousse, le témoignage d'Hérode, se trouve contraint de proclamer solennellement par trois fois l'innocence du Christ.

Pilate dit alors aux grands prêtres et à la foule :

« *Je ne trouve rien de coupable en cet homme* » (Lc 23, 4).

« Je n'ai trouvé cet homme coupable d'aucun des crimes dont vous l'accusez. Hérode non plus, puisqu'il l'a renvoyé devant nous. Vous le voyez, *cet homme n'a rien fait qui mérite la mort* » (Lc 23, 15).

Pour la troisième fois, il leur dit :

« Quel mal a donc fait cet homme ? *Je n'ai rien trouvé en lui qui mérite la mort ;* je le relâcherai donc après l'avoir châtié » (Lc 23, 22).

C'est cette innocence que Jésus livré au jugement proclame souverainement dans son apostrophe aux filles de Jérusalem :

« Si l'on traite ainsi le bois vert, qu'adviendra-t-il du bois sec ? » (Lc 23, 31).

Ayant ainsi explicitement proclamé qu'il porte sur lui le châtiment au lieu et place des coupables (Is 53), il se manifeste souverainement comme le Serviteur qui intercède pour les pécheurs (Is 53, 12).

« Mon Père, pardonne leur ; ils ne savent ce qu'ils font » (Lc 23, 34).

Et c'est alors, au moment même où se déchaîne l'ironie des chefs des prêtres, qui réclament un signe décisif, que se dévoile le mystère de Jésus.

Alors qu'une moquerie générale l'enveloppe et que l'un des brigands l'insulte, le bon larron reconnaît solennellement une fois encore son innocence :

« Tu n'as même pas crainte de Dieu, toi qui subis la même peine ! Pour nous, c'est justice, nous payons nos actes ; *mais lui n'a rien fait de mal.* »

Et il disait : « Jésus, souviens-toi de moi quand tu viendras dans ton royaume. » Il lui répondit : « En vérité, je te le dis, dès aujourd'hui tu seras avec moi dans le Paradis » (Lc 24, 42-43).

Dans l'atrocité de son supplice, Jésus est pleinement conscient d'ouvrir l'accès au royaume du pardon et de la réconciliation, au royaume de la miséricorde divine : « Aujourd'hui, tu seras... » Oui, l'aujourd'hui du Royaume est vraiment présent à la conscience de Jésus, au moment même où il porte le péché du monde.

Ainsi, signe de la miséricorde divine, au cœur même de la Passion, c'est le bon larron repentant qui, le premier, a lu la gloire du Ressuscité !

C'est alors que se dévoile le fait que Jésus est le Fils :

« Père, entre tes mains, je remets mon esprit » (Lc 24, 46).

Devant cette scène, le centurion lui-même reconnaît le mystère : « Sûrement cet homme était un juste. »

En vérité, le mystère du Serviteur est la clé de tout, comme va bientôt le prouver sa résurrection.

Le Christ est vraiment Jésus, *le Sauveur*.

5. Le Roi de vérité

Pour Jean, la royauté du Christ s'affirme elle aussi au cœur de la faiblesse du Serviteur.

Il refuse toute intervention guerrière de Pierre, bien décidé à entrer *librement* dans le mystère de sa Passion :

« Remets ton glaive dans le fourreau. La *coupe* que m'a donnée le Père, ne la boirai-je pas ? » (Jn 18, 11).

C'est désormais dans la faiblesse acceptée jusqu'au bout que va se manifester la royauté du Christ.

Il suffit de suivre la progression du récit :

— Le Christ se proclame le Roi, mais le Roi promis au rôle du Serviteur, puisqu'il reprend la formule du Bon Pasteur : « Quiconque est de la vérité écoute ma voix » (Jn 18, 37).

— le Roi se fait tourner en dérision : on lui donne une couronne d'épines et le manteau de couleur pourpre :

Puis les soldats, tressant une couronne avec des épines, la lui mirent sur la tête et ils le revêtirent d'un manteau de couleur pourpre ; s'avançant vers lui, ils disaient : « Salut roi des Juifs », et ils le giflaient (Jn 19, 2-3).

Il est vraiment « l'homme de douleurs et connu de la souffrance » (Is 53, 3).

Jésus sortit alors, portant la couronne d'épines et le manteau de couleur pourpre. Pilate leur dit : « Voici l'homme ! » (Jn 19, 5).

— Pilate le fait s'asseoir à son tribunal, l'estrade où il est installé, symbole du pouvoir judiciaire.

Pilate dit aux Juifs : « Voici votre Roi » (Jn 19, 14).

Et c'est sous ce titre que se fait la condamnation à mort.

— l'écriteau de la Croix porte, en effet : « Jésus le Nazaréen, le Roi des Juifs » (Jn 19, 19).

« Voici l'homme » (Jn 19, 5), « Voici votre Roi » (Jn 19, 14), le rapprochement de ces deux formules, ironiques dans la bouche de Pilate, est la leçon fondamentale de la Passion : c'est à travers la faiblesse de celui qui a pris sur lui le péché du monde que se révèle le véritable caractère de la royauté du Christ :

« Je ne suis né,
je ne suis venu dans le monde,
que pour rendre témoignage à la vérité » (Jn 18, 37).

Il n'est venu que pour dévoiler au monde le mystère de son Père et de son amour miséricordieux.

C'est cette faiblesse de Jésus qu'il nous faut recevoir dans la foi si nous voulons nous ouvrir à la vie divine.

« Ils regarderont celui qu'ils ont transpercé » (Jn 19, 37) fait écho à la prophétie de Zacharie (Za 12, 10), qui, selon toute vraisemblance, est un écho d'Isaïe 53.

La vie chrétienne est une contemplation permanente, pleine de foi et d'amour, du Christ volontairement transpercé pour les péchés des hommes, source inépuisable d'où coulent constamment les fleuves d'eau vive de la nouvelle alliance (Jn 19, 31-37).

Ainsi, c'est toute l'Ecriture qui se dévoile. Le Christ est l'Agneau de Dieu, c'est-à-dire l'Innocent, le Serviteur d'Isaïe, qui prend sur lui le péché du monde, qui accorde le pardon des péchés (Jn 20, 22-23).

Dès lors, lorsque l'Innocent, l'Agneau, meurt sur la Croix, il peut dire en vérité : « Tout est accompli. »

6. Totalement livré

Quel paradoxe ! Dans le moment où il est livré aux hommes jusqu'à en mourir, Jésus est totalement dans les mains de son Père.

Livré aux hommes, plus exactement livré au bon plaisir des pécheurs !

L'amour dans les mains de ceux qui le nient !

L'amour ne peut manifester la plénitude de sa pureté qu'en supportant tous les coups, toutes les trahisons, toutes les railleries — rien n'est raillé, trahi, bafoué comme l'amour —, tous les outrages, toutes les infamies, tous les crachats du monde.

Il lui faut être totalement nié pour s'affirmer dans son originalité souveraine.

L'amour est humilité sous les offenses, force infiniment douce sous les crachats.

L'amour, c'est le visage qui s'offre plus transparent que jamais dans la défiguration ; c'est le visage devenu non-visage et par là visage incomparable ; c'est la parole qui accepte de sombrer apparemment dans le monde qu'elle sauve, la parole qui s'éteint et se fait non-parole.

Scandale bienheureux de la négation absolue de l'amour, qui se retourne en affirmation souveraine de l'absolu de Dieu et de son amour !

Dieu est Dieu, Dieu est toujours penché sur nous pour nous aimer et nous délivrer.

En prenant réellement sur lui le péché du monde (Jn 1, 29), en se faisant *péché* (Ga 3, 13 ; 2 Co 5, 14, 21 ; Ep. 2, 14-16) voilà que dans la nuit de l'éloignement de Dieu Jésus assume notre mort. Lui qui ne vit que de son Père, il boit jusqu'à la lie notre abandon de Dieu, englobant dans sa passion toute passion humaine.

Serviteur, Jésus ne *peut* vivre qu'en s'offrant à la mort : il dépose sa vie entre les mains de son Père pour qu'il en dispose au profit des pécheurs (cf. Jn 10, 17-18).

En donnant sa vie pour ceux qu'il aime, le Fils donne le témoignage suprême de l'amour ! Et cet amour exprime l'amour dont le Père l'aime lui-même (Jn 15, 9 ; 17, 23). Dans le dernier soupir de Jésus, transparaît l'Amour qui est Dieu.

Ainsi sur la Croix Jésus réalise les prophéties !

Merveilleux accomplissement de l'Ecriture dans lequel se révèle la volonté du Père et son amour.

Ses disciples ont beau achopper à la Croix et le renier, Jésus, lui, *sait ce qu'il fait :* l'accès du Royaume, il l'ouvre pour toujours aux pécheurs !

16

L'au-delà de l'impossible reconnaissance

Scandale, la mort de Jésus l'a été pour ses disciples. Dispersés comme fétus de paille par l'ouragan de la Passion (Mc 14, 27 ; Mt 26, 31 ; Jn 16, 32), ils n'ont rien compris au déroulement des événements.

Mais la résurrection de Jésus n'a pas été davantage pour eux la lumière que nous imaginons volontiers. Elle n'est pas venue lever, comme par un coup de baguette magique, le scandale de la Passion et de la mort.

A dire vrai, tout autant que la mort, la résurrection a dérouté les Apôtres. De tous les actes de Jésus, elle a été le plus déconcertant, celui qui a provoqué les quiproquos les plus saugrenus et les plus radicaux.

Le raccourci des événements, que nous tenons de la bouche de Cléophas, l'un des disciples d'Emmaüs, en dit long sur le désarroi de ceux qui avaient suivi Jésus.

« Quels sont donc ces propos que vous échangez en marchant ? » Et ils s'arrêtèrent, le visage morne. L'un d'eux nommé Cléophas, lui répondit : « Tu es bien le seul habitant de Jérusalem à ignorer ce qui s'y est passé ces jours-ci ! » « Quoi donc, » leur dit-il. Ils lui répondirent : « Ce qui est advenu à Jésus le Nazarénien, qui s'était montré un prophète puissant en œuvres et en paroles devant Dieu et devant tout le peuple, comment nos grands prêtres et nos chefs l'ont livré pour être condamné à mort et l'ont crucifié. Nous espérions, nous, que c'était lui qui délivrerait Israël ; mais avec tout cela, voilà deux jours que ces choses se sont passées ! Quelques femmes qui sont des nôtres nous ont, il est vrai, bouleversés. S'étant rendues de grand matin au tombeau, et n'y ayant pas trouvé son corps, elles sont revenues nous dire que des anges mêmes leur étaient apparus, qui le déclarent vivant. Quelques-uns des nôtres sont allés au tombeau et ont trouvé les choses comme les femmes avaient dit ; mais lui, ils ne l'ont pas vu » (Lc 24, 17-24).

Brutalement envolées, les espérances messianiques ! Et les disciples se sentent joués par ces racontars de bonnes femmes, qui ajoutent encore au ridicule de la situation.

1. Une massive inintelligence

La finale de l'évangile de Marc est accablante pour les disciples !

Comme un refrain, le constat de leur incrédulité s'impose en crescendo jusqu'au réquisitoire douloureusement implacable du Christ.

Ressuscité le matin, le premier jour de la semaine, Jésus apparut d'abord à Marie de Magdala dont il avait chassé sept démons. Celle-ci alla le rapporter à ceux qui avaient été ses compagnons et qui étaient dans le deuil et les larmes. *Eux,* l'entendant dire qu'il vivait et qu'elle l'avait vu, *ne la crurent pas.*

Après cela, il se manifesta sous d'autres traits à deux d'entre eux qui étaient en chemin, et s'en allaient à la campagne. Et ceux-là revinrent l'annoncer aux autres, mais *on ne les crut pas, non plus.*

Enfin, il se manifesta aux Onze eux-mêmes, pendant qu'ils étaient à table, et il leur reprocha *leur incrédulité* et leur *obstination* à ne pas ajouter foi à ceux qui l'avaient vu ressuscité (Mc 16, 9-14).

Incrédulité, obstination à ne pas croire ou, plus exactement, dureté de cœur ! Ne fallait-il pas que le témoignage d'inintelligence des Apôtres fût bien massif pour que Marc ait pu résumer aussi durement la réalité ?

Incrédulité, désarroi, tel est aussi le diagnostic de Luc :

Ces propos (ceux des saintes femmes) leur semblèrent pur radotage, et *ils ne les crurent pas* (Lc 24, 11).

Pierre cependant partit et courut au tombeau. Mais, se penchant, il ne vit que des bandelettes. Et il s'en retourna chez lui, *tout surpris de ce qui était arrivé* (Lc 24, 12).

Et les disciples d'Emmaüs concluent leur discours par la remarque désappointée :

« Quelques-uns des nôtres sont allés au tombeau et ont trouvé les choses comme les femmes avaient dit ; *mais lui, ils ne l'ont pas vu* » (Lc 24, 24).

C'est bien l'aveuglement ! Les Apôtres ne croient ni au témoignage de Marie-Madeleine, ni à celui des saintes femmes, ni même, selon Marc, au témoignage des disciples d'Emmaüs.

Les reproches de Jésus aux disciples se retrouvent aussi vigoureux chez Luc que chez Marc :

« *Esprits sans intelligence, lents à croire* tout ce qu'ont annoncé les Prophètes ! » (Lc 24, 25).

Lors qu'il apparaît aux Apôtres, Jésus leur reproche leur incrédulité :

« *Pourquoi tout ce trouble, et pourquoi des doutes s'élèvent-ils en vos cœurs ?* Voyez mes mains et mes pieds, c'est bien moi ! — Touchez-moi et rendez-vous compte qu'un esprit n'a ni chair ni os, comme vous voyez que j'en ai. » Ce disant, il leur montra ses mains et ses pieds. Et comme, dans leur joie, *ils se refusaient à croire et demeuraient ébahis,* il leur dit : « Avez-vous ici quelque chose à manger ? » Ils lui présentèrent un morceau de poisson grillé. Il le prit et le mangea sous leurs yeux (Lc 24, 38-42).

D'un simple mot, mais qui suffit bien, Matthieu fait lui aussi allusion à cette incrédulité :

Quand ils le virent, ils se prosternèrent ; *d'aucuns cependant doutèrent* (Mt 28, 17).

En Jean la cécité apostolique se condense en quelque sorte dans la personne de Thomas. Qui n'a entendu le martèlement de ses dénégations ?

Si je ne vois à ses mains la marque des clous, si je ne mets le doigt dans la marque des clous et si je ne mets la main dans son côté, *je ne croirai pas* (Jn 20, 25).

Ils ne crurent pas...
Ils ne l'ont pas vu...
Je ne croirai pas...
Que faut-il de plus ?

Aveugles, totalement incapables de reconnaître leur Maître, butant sur la résurrection, tels sont les Apôtres au matin de Pâques.

2. Les saintes femmes

Mais, dira-t-on, il y a les saintes femmes.

Elles, ne l'ont-elles pas reconnu ?

Le texte de Matthieu, il est vrai, résume si rapidement la situation qu'on pourrait croire à une reconnaissance immédiate :

> Quittant vite le tombeau, tout émues et pleines de joie, elles coururent porter la nouvelle à ses disciples (Mt 28, 8).

Cependant, Jésus ne doit-il pas leur apparaître personnellement pour leur enjoindre d'annoncer sa résurrection aux frères ? (Mt 28, 9-10).

De toutes façons, chez Marc les saintes femmes ne sont pas traitées avec plus d'indulgence que les Apôtres :

> Elles sortirent et s'enfuirent du tombeau, parce qu'elles étaient toutes tremblantes et hors d'elles-mêmes. Et elles ne dirent rien à personne, car *elles avaient peur !* (Mc 16, 8).

3. Marie-Madeleine

Le récit de la venue de Marie-Madeleine au tombeau, qui récapitule dans l'évangile de Jean toute l'aventure des saintes femmes, rend un son analogue.

Que le choc produit sur l'esprit des disciples par le tombeau vide ait été extrême, il n'est que de lire le récit évangélique de Jean pour le mesurer.

> « On a enlevé mon Seigneur... *et je ne sais pas où on l'a mis* » (Jn 20, 13).

Aveugle, Marie-Madeleine l'est aussi, toute fixée qu'elle est sur le souvenir du corps de son Seigneur déposé dans le tombeau.

En vain Jésus, en l'interrogeant discrètement sur l'identité de celui qu'elle cherche : « Qui cherches-tu ? », essaie-t-il de la situer sur un autre plan.

Il s'attire une réponse qui révèle un malentendu d'une insondable profondeur :

> « Si c'est *toi* qui l'as emporté, dis-moi où tu l'as mis et j'irai le prendre » (Jn 20, 15).

Invraisemblable parole !

Jésus, celui qui a emporté le corps de Jésus !

La rupture serait totale si Jésus, par son initiative, ne renversait la situation. Il appelle Marie-Madeleine par son nom et la sort d'elle-même.

« Marie... Rabbouni ! » (Jn 20, 16).

En un simple mot, tout le mystère de leur rencontre ! Toute l'expérience de l'amour libérateur qui a bouleversé la vie de Marie-Madeleine !

Et cependant, cette reconnaissance bouleversante risquerait de tourner court et de se bloquer sur le passé si Jésus ne l'appelait à changer de registre :

« Ne me retiens pas ainsi, car je ne suis pas encore monté vers le Père. Mais va trouver les frères et dis-leur : je monte vers mon Père et votre Père, vers mon Dieu et votre Dieu » (Jn 20, 17).

Au cœur même de la reconnaissance, la distance se creuse.

Jésus ne se comprend pas dans un souvenir qui ne serait tourné que vers le passé ; il ne peut être vraiment reconnu que dans un souvenir qui plonge dans l'actualité vivante de son rapport au Père. Le rappel des événements de sa vie doit toujours renvoyer à la lumière dont il jaillit lui-même, le Père.

Le souvenir de Jésus, qui permet de reconnaître sa présence, dévoile ainsi sa structure eschatologique ; il est tout tourné vers l'avenir de l'Eglise — les frères — et *tendu vers le Père.*

La relation de Marie-Madeleine à son Seigneur, qui jusqu'à ce moment était demeurée dans l'ordre de l'historicité vécue — que ce soit le « vivre avec » ou le « être privé de lui par la mort » —, a besoin de l'appel de Jésus ressuscité pour changer de registre et subir une mutation décisive ou, si l'on préfère, une véritable transfiguration dans le feu de l'Esprit.

Jésus refuse en effet à Marie-Madeleine, tentée comme toutes les saintes femmes de se cramponner à ses pieds (Mt 28, 9), le droit d'en rester à une mémoire tout humaine, prisonnière de la nostalgie de souvenirs merveilleux : elle laisserait alors échapper la pleine réalité du mystère qui fait sa vie.

Il lui demande, au contraire, de resituer tout ce qu'elle a vécu avec lui *dans le mouvement par lequel, venu du Père, il retourne à lui.* Il l'oblige à décrocher du niveau proprement sensible qui était le sien — celui des événements qu'elle a vécus avec lui —, et il l'appelle — c'est le vœu suprême qui habite le cœur de Marie-Madeleine, même si elle ne le sait pas — à le rejoindre là où il va, *auprès du Père,* et cela dans l'Eglise, avec les « frères ».

4. Les disciples d'Emmaüs

La rencontre de Jésus et des disciples d'Emmaüs comporte un enseignement analogue : une si totale dénivellation de plan sépare les interlocuteurs, que toute reconnaissance est radicalement impossible.

Jésus se fait le compagnon des disciples d'Emmaüs mais, paradoxe de la plus radicale énormité, le voilà considéré comme l'étranger totalement ignorant des événements qui l'ont affecté !

« Tu es bien le seul habitant à ignorer ce qui s'est passé ces jours-ci » (Lc 24, 18).

Sommet du quiproquo évangélique !

Pour ceux qui restent enfermés dans leurs vues humaines, celui-là seul qui possède la plénitude du sens des événements de la Passion n'en sait absolument rien.

L'ironie évangélique surpasse toute ironie : Jésus, l'homme qui ne connaît rien de son propre destin !

Pauvres disciples qui projettent sur Jésus le néant de leurs phantasmes apeurés, car, s'il est pour eux un étranger, c'est bien précisément parce que le mystère qu'il avait mission de leur révéler leur échappe complètement.

A ce point de totale incompréhension, c'est Jésus lui-même — comme pour Marie-Madeleine — qui prend l'initiative de sortir les disciples de leur incrédulité : il les introduit, par le rappel des prophéties, au cœur du dessein de son Père. Il leur dévoile ainsi la réalité du mystère qui est intérieure aux événements qu'il a vécus, aux paroles qu'il a prononcées, aux gestes qu'il a faits (la fraction du pain).

« Ne fallait-il pas que le Christ endurât ces souffrances pour entrer dans sa gloire ? » Et, commençant par Moïse et parcourant tous les Prophètes, il leur interpréta dans toutes les Ecritures ce qui le concernait (Lc 24, 26-27).

A partir du Père et de son dessein de salut tout gratuit, c'est le dépassement de tous les contresens et de tous les quiproquos possibles par l'accueil de l'interprétation donnée d'en-haut par l'Esprit.

« Notre cœur n'était-il pas tout brûlant au dedans de nous quand il nous parlait en chemin et qu'il nous expliquait les Ecritures ? » (Lc 24, 32).

Condescendance infinie de Jésus qui aide ainsi les disciples à prendre leur distance par rapport aux souvenirs sensibles de leur vie commune avec lui, pour qu'ils parviennent à découvrir sur un autre plan l'initiative du Père, annoncée par les prophéties de l'Esprit, traversant et donnant sens aux événements de sa vie !

Il ne s'agit nullement de rompre avec le passé ou de l'abolir, mais de le recevoir du Père, transfiguré par le mystère présent à sa pensée ; bref, de le saisir dans sa vérité.

Et ce souvenir transfiguré est donné dans la fraction du pain ; celle-ci renvoie au mémorial établi par Jésus à la veille de sa mort. C'est dans la communauté chrétienne, célébrant la fraction du pain dans un souvenir tourné vers l'eschatologie, grâce à la présence de l'Esprit, que la présence du Ressuscité est donnée et reconnue.

La pédagogie de Jésus à l'égard des Apôtres reprend chez lui le mouvement de celle qu'il a eue à l'égard des disciples d'Emmaüs : il veut que les événements de sa vie soient reçus dans le sens qu'ils ont dans la pensée du Père, à laquelle renvoie le « Ne fallait-il pas ? » eschatologique. Aussi bien cette pédagogie est-elle toute tournée vers le don de l'Esprit qui seul permettra d'accueillir en vérité tous les événements et toutes les paroles de Jésus et de les saisir dans l'actualité éternelle qu'ils ont pour tous les hommes.

« Pour moi, voici que je vais vous envoyer ce que mon Père a promis » (Lc 24, 49).

Les manifestations pascales du Ressuscité ont, en effet, laissé les Apôtres à une certaine perplexité. Elles n'avaient pas encore pleinement éclairé leur foi sur le mystère du salut puisque, au dire des *Actes*, ils demandaient encore avant l'Ascension au Ressuscité si le temps n'était pas venu où il allait restaurer le Royaume d'Israël (Ac 1, 6). Il a fallu la descente de l'Esprit dans la Pentecôte, reliant les disciples au mystère du Père, pour que la destinée si déroutante de Jésus reçoive son interprétation décisive.

D'ailleurs, dans la mesure même où l'Apôtre — comme c'est le cas de Jean — est comme spontanément accordé au mystère de la pensée divine, il suffit de quelques indices pour le mettre sur la voie de la compréhension du mystère du Seigneur.

Lorsqu'il arriva au tombeau et qu'il vit les bandelettes et le suaire disposés avec ordre, « *il vit et il crut* » (Jn 20, 8).

De même, au bord du lac de Tibériade, la pêche miraculeuse rappelle à Jean les gestes de son Maître, et il le reconnaît. Il dit à Pierre : « C'est le Seigneur » (Jn 21, 7).

Cette parfaite correspondance entre la communion à la pensée divine et la reconnaissance du Ressuscité indique bien que la Résurrection est une lumière qui filtre imperceptiblement dans notre monde.

Aucun des disciples n'osait lui demander : « Qui es-tu ? », car ils savaient bien que c'était le Seigneur (Jn 21, 12).

5. Communion dans l'Esprit et mission

Les apparitions du Ressuscité amènent ainsi les Apôtres à comprendre que s'instaure entre eux et leur Maître un nouveau mode d'exister, qui jaillit d'au-delà de la mort et qui ne pourra jamais être brisé par elle. Elles sont le prélude de leur communion avec lui dans la puissance de l'Esprit communiqué à la Pentecôte.

Ainsi, peu à peu, ils passent de l'ordre de « l'être avec » des rapports sensibles à l'ordre de l'intériorité du mystère, qui se réalise dans la communication et la communion de l'Esprit. Toute leur vie commune avec Jésus se transfigure par la présence du mystère communiqué dans l'Esprit. Celui-ci les conduit dans la vérité tout entière. Ils saisissent enfin *qui* est réellement Jésus.

C'est lorsqu'ils sont établis dans cette parfaite coïncidence des événements qu'ils ont vécus et de la pensée divine attesté par l'Esprit Saint que Jésus les envoie en mission : « Comme le Père m'a envoyé, moi, je vous envoie. »

Grâce à eux le monde nouveau, le monde de la réconciliation, du pardon, de l'Alliance éternelle, pourra gagner le monde entier.

En Jn 20, 19-23, Jésus ressuscité se manifeste vraiment comme le principe créateur de l'humanité nouvelle. De même que Dieu, en Gn 2, 7, insuffle dans les narines du premier homme un souffle de vie, de même il insuffle aux apôtres l'Esprit, grâce auquel ils pourront appliquer aux hommes la vertu purificatrice de son sang rédempteur, et par là les vivifier (Jn 20, 22).

C'est bien aussi, semble-t-il, l'enseignement de Matthieu (Mt 19, 28) et de Luc (Lc 22, 30) lorsqu'ils nous montrent Jésus promettant aux Douze qu'après sa glorification il les associera à la création nouvelle (palingénésie).

> Le soir de ce même jour, le premier de la semaine, toutes portes étant closes par crainte des Juifs, là où se trouvaient les disciples, Jésus vint et se tint au milieu d'eux ; il leur dit : « Paix soit à vous ! » Ce disant, il leur montra ses mains et son côté. Les disciples furent remplis de joie à la vue du Seigneur. Il leur dit encore une fois : « Paix soit à vous ! Comme le Père m'a envoyé, moi aussi je vous envoie. »
>
> Cela dit, il souffla sur eux et leur dit : « Recevez l'Esprit Saint. Ceux à qui vous remettrez les péchés, ils leur seront remis ; ceux à qui vous les retiendrez, ils leur seront retenus » (Jn 20, 19-23).

C'est parce que la foi des Apôtres est ainsi passée, grâce au don de l'Esprit, de l'historique à l'éternel, de ce monde à Dieu, que tous les hommes peuvent recevoir leur témoignage et croire *identiquement* ce qu'ils croient.

C'est ce qui explique que tous les textes évangéliques qui nous relatent les rapports du Christ et des disciples soient spontanément tournés vers la mission. Marie-Madeleine est invitée par le Seigneur à annoncer aux « frères » sa montée près du Père.

L'initiative par laquelle Jésus triomphe de l'incrédulité de Thomas : « Ne sois pas incrédule mais croyant » (Jn 20, 27) débouche sur un message consolant pour tous ceux qui n'auront pas vu le Christ ressuscité :

> « Parce que tu me vois, tu crois
> *Heureux ceux qui croiront sans avoir vu* » (Jn 20, 29).

Le récit de la pêche miraculeuse (Jn 21, 1-15), le dialogue avec Pierre (en Jean 21, 15-23) attestent souverainement que le souvenir du Seigneur dans l'actualité de la résurrection et le don de l'Esprit définit la mission de l'Eglise et est l'objet de sa prédication. C'est le principe même de la mission prophétique, de son espérance et de son annonce du salut.

Marc, Luc et Matthieu affirment bien que le souvenir des événements et des paroles rapportés par les évangiles, reconnu dans sa signification transhistorique, éternelle, devient le salut offert à tous les hommes et la révélation du mystère caché en Dieu avant les siècles.

Alors il leur ouvrit l'esprit à l'intelligence des Ecritures, et il leur dit : « Ainsi était-il écrit que le Christ souffrirait et ressusciterait d'entre les morts le troisième jour, et qu'*en son Nom le repentir en vue de la rémission des péchés serait proclamé à toutes les nations,* à commencer par Jérusalem. De cela vous êtes témoins » (Lc 24, 45-49).

La finale de Matthieu est dans toutes les mémoires :

« Allez donc, de toutes les nations faites des disciples, les baptisant au nom du Père et du Fils et du Saint-Esprit, et leur apprenant à observer tout ce que je vous ai prescrit. Et moi, je suis avec vous pour toujours, jusqu'à la fin du monde » (Mt 28, 19-20).

6. La globalité du mystère

Dans la Résurrection, c'est le Père des miséricordes (1 Co 1, 3) qui se révèle, en révélant la plénitude de son dessein d'amour sur le monde.

La résurrection du Christ est donc saisie dans sa présence à l'Eglise déterminée par l'Esprit, à travers la signification éternelle qu'elle a dans la pensée du Père. Pour être saisie dans sa vérité, elle présuppose tous les événements de la vie de Jésus, et à travers eux toutes les réalités de l'histoire du salut et de la création entière. Elle implique une vision prophétique de l'avenir du monde tout tourné vers l'annonce du salut :

« Voici que je suis avec vous jusqu'à la fin du monde » (Mt 28, 20).

17

Le lieu de l'unique Parole

D'un bout à l'autre de l'Evangile, à travers incompréhensions et scandales, la question du *lieu* du Serviteur n'a cessé de se poser.

Et voilà que, sous la lumière de l'Esprit, la Croix et la Résurrection répondent à la question, jusqu'à ce moment insoluble :

depuis l'origine, Jésus est *auprès du Père* (Jn 6, 46 ; 8, 38) et c'est d'*auprès du Père* qu'il parle aux hommes (Jn 8, 38).

1. Dans l'Esprit qui vient d'auprès du Père (Jn 15, 26)

Au matin de Pâques, le message divin souligne l'inconvenance qu'il y a à chercher Jésus *là où il n'est pas !*

« Il est ressuscité. *Il n'est pas ici.* Voilà *le lieu* où on l'avait placé » (Mc 16, 6).

« *Il n'est pas ici*, car il est ressuscité comme il l'avait dit. Venez voir *le lieu* où il gisait » (Mt 28, 6).

« Pourquoi cherchez-vous parmi les morts celui qui est vivant ? *Il n'est pas ici :* il est ressuscité » (Lc 24, 5-6).

Et à Marie-Madeleine, qui s'interroge, elle aussi, sur le lieu « où on l'a mis » (Jn 20, 2 ; cf. Jn 20, 13), Jésus donne la réponse décisive :

« Je monte vers mon Père et votre Père, vers mon Dieu et votre Dieu » (Jn 20, 17).

Mais c'est vraiment dans l'Esprit *qui vient d'auprès du Père* (Jn 15, 26) et qui est envoyé par lui *d'auprès du Père* (Jn 15, 26) que Jésus se dévoile en vérité comme celui qui est *auprès du Père* (Jn 8, 38).

Cet Esprit donne, en effet, aux disciples de coïncider avec l'intention du Père, qui a suscité tous les événements du salut, de participer à ses pensées et de comprendre que le Père demeurait en Jésus pour accomplir en lui tout le mystère du salut (cf. Jn 14, 10) ; il fait découvrir que l'œuvre de Jésus se consomme dans sa montée auprès du Père (Jn 6, 46 ; 8, 38 ; 20, 17) pour communiquer l'Esprit : il monte « *là où il était auparavant* » (Jn 6, 62).

Dans le souvenir éclairé par l'Esprit, Jésus est enfin reconnu par l'Esprit habitant les disciples pour ce qu'il est en vérité : *celui qui depuis toujours est auprès du Père.*

Le lieu de Jésus, c'est le Père.

2. Le Fils unique dans le dessein du Père

La destinée si déroutante de Jésus de Nazareth reçoit alors dans la clarté de l'Esprit et l'acceptation émerveillée de la paradoxale logique de l'amour rédempteur la seule interprétation qui lui soit accordée, celle de l'Esprit.

Tout le mouvement des Ecritures, aux directions jusqu'alors imprévues et diffuses, vient alors se composer autour de la Croix de Jésus mort et ressuscité, pour dévoiler ce qui en était l'origine et le centre : *le Père* qui nous enveloppe de toute éternité de l'amour dont il aime son Fils.

Il devient alors aisé de comprendre pourquoi, malgré l'infinie discrétion que l'humilité et l'amour avaient imposée à la gloire toujours latente du Fils de Dieu, Jésus pouvait dire : « Le Père et moi, nous sommes un » (Jn 10, 30). Il était « Je suis » auprès de son Père. Et les formules énigmatiques et mystérieuses qu'il avait utilisées durant sa vie, et dont la logique intérieure demeurait voilée, prennent tout leur sens :

« En vérité, en vérité, je vous le dis, avant qu'Abraham parût, je suis » (Jn 8, 58).

Expressions d'une si inconcevable simplicité qu'elles dévoilent la profondeur ultime de la parole :

« Mon Père et *moi* » (Jn 5, 17) ou « *Moi* et le Père » (Jn 10, 30).

Paroles d'une si totale extravagance qu'elles ne peuvent sortir que de la bouche d'un enfant !

Paroles d'un paradoxe si éclatant et si provocant qu'elles ne peuvent être que de Jésus lui-même !

C'est la révélation de la conscience de Jésus dans ce qu'elle a d'absolument unique, le secret de ce « moi », si puissamment affirmé et si totalement humble et discret, *la signature de l'Evangile*, de l'Evangile johannique en particulier.

Comme l'ont bien vu ses adversaires, par ses paroles et par ses actes, Jésus se fait « *l'égal de Dieu* » (Jn 5, 18).

Ne serait-ce pas à cette prétention absolument inouïe que fait allusion la phrase de l'hymne de l'épître aux Philippiens ?

> Lui, en forme de Dieu, pensa qu'il n'usurpait en rien l'*égalité avec Dieu* (Ph. 2, 6).

Avec toute la tradition, aussi bien orientale qu'occidentale jusqu'à la Renaissance, nous pensons, en effet, que la négation *ouk* concerne le mot *arpagmon* et non le verbe *hégèsato*.

Saint Jean Chrysostome ne déclare-t-il pas avec la dernière vigueur que cette phrase de Paul ferme la bouche aux Ariens en proclamant la divinité de Jésus. Malheureusement, en faisant porter la négation sur le verbe, Erasme a lancé sur une fausse piste la lecture habituelle de ce texte.

Cette prétention divine de Jésus, l'épître aux Philippiens l'unit à la manifestation de la faiblesse, qui le livre à la Croix, *tout aussi structuralement* que l'évangile de Jean.

Convergences décisives, en des contextes différents, de l'enseignement de Paul — même s'il reprend à son compte une hymne prépaulinienne — et de celui de Jean, comme aussi de celui des Synoptiques.

Car Jésus est vraiment « Dieu avec nous » (Mt 1, 23 — à rapprocher de Mt 28, 20), celui qui vient sauver son peuple.

Il est bien celui qui, dès le début de l'évangile de Marc, s'attribue, de toute la hauteur de sa transcendance divine, les titres réservés à Yahvé, ceux de médecin, d'époux, etc.

Jésus avait bien raison de dire à ses auditeurs :

« Quand vous aurez élevé le Fils de l'homme, alors vous saurez que *Je Suis* » (Jn 8, 28).

Ainsi, à travers l'obéissance du Serviteur qui, livré à la volonté du Dieu vivant, a accepté de passer par la mort, se révèle le mystère du Fils qui demeure dans la maison de son Père (Jn 8, 35), et qui ne fait rien de lui-même (Jn 8, 28).

Le Serviteur est *le Fils,* comme dès l'origine le baptême le laissait présager ! Il n'appelle pas simplement, comme le juste persécuté, Dieu son Père (Sg 2, 16 ; Jn 8, 38 ; 8, 42 ; 8, 53-55) mais il se présente comme le « propre fils du Père » (Jn 10, 36). Il est totalement remis entre les mains de son Père, et, grâce à la Croix, confirmée par la Résurrection, est manifesté au monde le fait que Dieu est en lui et qu'il est en Dieu.

Il est vraiment l'enfant qui vit de l'intimité et de la confiance de son Père, comme le montre bien la prière liturgique de la communauté chrétienne primitive (Ac 4, 24-30) qui s'adresse à Dieu le Père en lui parlant de « son saint enfant Jésus » (Ac 27, 30).

L'existence de Jésus, qui comportait en elle-même une intensité infinie jusque-là voilée, prend alors sa signification intégrale : le lieu *d'où* il parle et *d'où* il est apparaît en clair.

Ce que Jésus savait depuis toujours — *d'où* il venait et *où* il allait (Jn 8, 14) — parce qu'il était depuis toujours, dès avant la création du monde, auprès du Père, est désormais dévoilé à ceux qui croient en lui.

« Nul ne *monte* au ciel.
hormis celui *qui est descendu* du ciel,
qui *est* au ciel » (Jn 3, 13).

Formule paradoxale, merveilleusement expressive pour dire le mystère du Fils de l'homme. Il est au ciel (Jn 3, 13) auprès de son Père (Jn 8, 38).

Le Père, voilà *le lieu* d'où le Fils parle !

« Ma doctrine n'est pas de moi, mais de celui qui m'a envoyé » (Jn 7, 16).

« Je dis ce que j'ai vu chez mon Père » (Jn 8, 38).

Il témoigne de « ce qu'il a vu et entendu » (Jn 3, 34) au ciel. Il ne fait rien de lui-même, « rien qu'il ne voie faire au Père » (Jn 5, 19). Il est présent au Père par une immanence réciproque du Père en lui et de lui dans le Père (Jn 10, 38 ; 14, 10).

Le Prologue de Jean n'est rien d'autre que l'hymne de la manifestation *du lieu :*

dès l'origine, il est auprès du Père d'où il vient.

« Nul n'a jamais vu Dieu ; le Fils unique *qui est dans le sein du Père,* lui l'a fait connaître » (Jn 1, 18).

Comme le dit Jésus lui-même — et c'est sans doute la plus belle formule :

« Non que personne ait vu le Père,
sinon celui qui *est d'auprès de Dieu*
celui-là a vu le Père » (Jn 6, 46).

3. L'interprétation divine des Ecritures

A partir du mystère du Père, enfin dévoilé en Jésus, le Saint-Esprit nous livre l'herméneutique divine — c'est-à-dire l'interprétation — des Ecritures.

L'Esprit fait, en effet, saisir ce qu'est *l'heure de Jésus.*

Non pas une heure quelconque de la durée terrestre,

mais l'heure où s'accomplit la volonté éternelle du Père, celle qu'il a voulue de toute éternité pour le salut du monde,

l'heure où le Fils s'abandonne au bon plaisir du Père et lui rend l'Esprit,

l'heure où Jésus s'est ouvert sur la Croix pour communiquer l'Esprit à son Eglise,

l'heure qui ne peut avoir de sens que dans la pensée du Père dévoilée par l'Esprit, communiquée aux disciples,

l'heure qui modifie à jamais les rapports du temps et de l'éternité, parce qu'elle institue un ordre nouveau, l'ordre de la réconciliation, du pardon et de la grâce, l'ordre de la résurrection transformant germinativement notre monde.

Grâce au don de l'Esprit, les disciples se savent introduits dans le mystère d'amour dans lequel Jésus lui-même est enveloppé ; ils sont déjà avec lui, et ils se savent appelés à être un jour « *là où il est* » (Jn 14, 2 ; cf. 12, 26 ;

17, 24). Ils connaissent le cœur même de sa prière ! Son seul désir, à lui qui est depuis toujours dans « le sein du Père », enveloppé par l'infinie tendresse de son Père, n'est-il pas que ses disciples soient *avec lui, là où il est*, enveloppés du même amour dont il est aimé ?

« Père, ceux que tu m'as donnés, je veux que là où je suis ils soient aussi avec moi, pour qu'ils contemplent la gloire que tu m'as donnée parce que tu m'as aimé avant la création du monde.

« Père juste, le monde ne t'a pas connu mais moi je t'ai connu, et ceux-ci ont reconnu que tu m'as envoyé. Je leur ai révélé ton nom et le leur révélerai, pour que l'amour dont tu m'as aimé soit en eux et moi en eux » (Jn 17, 24-26).

Et dès lors, pour les disciples qui sont déjà, dans une certaine mesure, grâce à l'Esprit, *auprès du Père*, toutes choses deviennent nouvelles. Elles s'illuminent à la clarté du mystère trinitaire révélé dans le Fils de l'homme mourant sur la Croix. A la lumière de la Parole de Dieu qui, dès avant la création du monde, de toute éternité, se trouvait *auprès* de Dieu, tout prend sens, du mystère des origines au terme de toutes choses. Passé, présent, avenir se récapitulent dans l'unité de la conscience du Serviteur nous ouvrant, dans l'Esprit, à la présence de son Père.

— Tout le passé de l'histoire sainte, de la Loi et des prophètes, des événements de la vie du Christ découvre le foyer qui le rassemble dans l'unité ; le monde depuis son origine et le fait de la création elle-même trouvent en lui leur plénitude de signification.

— Le présent se trouve incessamment relié à la présence divine du Ressuscité dans son Eglise, à la faveur de l'Esprit ; l'existence concrète de chacun des hommes est pleinement justifiée dans l'amour du Père.

— L'avenir s'ouvre libre devant les disciples. Ils sont appelés à être un jour là où est le Christ et à voir Dieu dans le face à face de la vision. En attendant cette heure bienheureuse, ils ont pour mission d'annoncer au monde le salut qui vient. Et déjà la clarté de la consommation de toutes choses en Dieu illumine le monde !

4. De l'incompréhension a l'intelligence de l'Esprit

Oui, dans l'histoire du salut, tout prend sens, même l'incompréhension et le scandale qui n'ont cessé d'accompagner la vie de Jésus.

Jésus ne pouvait être compris tant que l'Esprit n'avait pas été donné.

Certes, Jésus n'avait cessé toute sa vie de laisser pressentir *son lieu* par des annonces prophétiques. Mais il n'était pas en son pouvoir de le dévoiler avant sa mort sur la Croix, l'heure de la révélation souveraine.

Aussi bien, durant toute sa vie, le Christ n'a pu parler qu'*en figure* (Jn 16, 25 ; cf. Jn 10, 6), et c'est ce qui explique les quiproquos incessants entre lui et ses interlocuteurs. N'entendons pas simplement par là le fait que Jésus ait souvent parlé en images (Jn 16, 28-31). N'ironise-t-il pas sur lui-même, sur le fait qu'il a fallu attendre la veille de sa mort pour que les Apôtres pensent enfin comprendre, alors que l'événement prouvera le contraire (Jn 16, 32) ? Comprenons, plus profondément encore, que toute la vie du Christ avant sa glorification, toutes ses actions et toutes ses paroles, n'ont été qu'*une parabole.*

Bien que tous les miracles accomplis depuis Cana jusqu'à la résurrection de Lazare aient été auréolés de gloire (Jn 2, 11 ; 11, 4-40), ils ne furent que des présages de la gloire définitive, éblouissante et éclatante de la fin de sa vie. Ses paroles n'ont fait qu'insinuer la grande révélation en acte que sont la mort, la Résurrection, l'Ascension et l'effusion de l'Esprit.

C'est en définitive quand son enveloppe humaine se brise que le Fils apparaît dans toute sa vérité : *il est auprès du Père.*

Sur la Croix, la parabole devient parole !

Pour que les disciples comprennent ces paroles, ces gestes — qui n'étaient encore que figures —, il fallait que, *d'auprès du Père,* il leur envoie l'Esprit, qui commence à les situer *là où il est* (Jn 14, 3 ; 17, 24).

Jusqu'à la mort sur la Croix, le scandale avait jailli du seul fait que Jésus avait un secret — celui de son lieu — qu'il s'employait de toutes manières à faire pressentir, mais qu'*il ne pouvait livrer en clair.*

Il parlait d'un lieu qui était le sien et qui mettait en question la façon d'exister des autres hommes.

« Vous, vous êtes d'en-bas,
moi, je suis d'en-haut,
vous, vous êtes de ce monde,
moi, je ne suis pas de ce monde » (Jn 8, 23).

Et cette dénivellation entre lui et les autres, *il n'était pas en son pouvoir de la réduire :* elle faisait partie du plan de Dieu. L'incompréhension n'était pas accidentelle, elle était structurale. Elle ne pouvait être levée que par la Croix et la Résurrection. Car alors, replacés, grâce au don de l'Esprit, sur le même niveau que le Christ, les disciples comprennent tout, jusqu'à leur propre inconscience.

5. Le Père et la miséricorde de la Croix

La structure des dialogues évangéliques, si profondément marqués au coin d'un paradoxe générateur d'incompréhension, atteste aussi bien le caractère absolument singulier de la réalité évangélique que la logique intérieure de l'expérience apostolique.

Car cette structure reflète le mystère de la personnalité profonde de Jésus :

C'est d'auprès de Dieu — d'auprès de son Père, — que cet homme nous parle !

Enormité paradoxale de cette affirmation !

Et pourtant, cet énoncé recoupe très exactement la définition que Jésus s'est donnée de lui-même : « *un homme qui dit la vérité qu'il a entendue d'auprès de Dieu* » (Jn 8, 40).

C'est ce mystère de parfaite transparence à son Père *auprès duquel il est* qu'il n'a cessé de suggérer par toutes ses œuvres, par toutes ses paroles, par la réalité de toute sa personne.

Aussi, au soir de sa vie, dans la prière sacerdotale (Jn 17) chante-t-il avec une ferveur incomparable cet *auprès du Père,* qui est son secret dès avant la création du monde.

« Père, glorifie-moi *auprès de toi* de la gloire que j'avais *auprès de toi* avant que fût le monde (Jn 17, 5).
Maintenant, ils savent que tout ce que tu m'as donné est d'*auprès de toi,*
car les paroles que tu m'as données,
je les leur ai données,

et ils ont vraiment admis et reconnu que je suis sorti d'*auprès de toi* » (Jn 17, 7-8).

Aussi est-ce dans cet *auprès du Père* qu'il entraîne ses disciples :

« Père...
je veux que *là où je suis,*
ils soient aussi avec moi » (Jn 17, 24).

Oui, en vérité, c'est d'*auprès du Père* et en son nom que cet homme affronté comme nous aux limites de la condition humaine dont il assume toute la faiblesse, s'adresse à nous avec une simplicité sans pareille.

C'est d'*auprès du Père* qu'il nous dit des paroles mystérieuses, toutes tournées vers la Croix, seule pensée de son Père.

Parce qu'il nous parle d'*auprès du Père,* et qu'il dit ce qu'il voit *auprès de lui* (Jn 8, 38), Jésus nous entretient de ce qu'il sait être le dessein du Père sur lui : il nous parle toujours d'*auprès de la Croix* à laquelle il se sait voué.

C'est pourquoi ses paroles et ses actes ont leur enracinement *dans sa mort et dans sa résurrection* ; elles jaillissent littéralement de la Croix, présente en lui, acceptée et voulue par lui pour réaliser la volonté eschatologique du Père, la rédemption de tous les hommes. C'est pourquoi elles ne peuvent être comprises *que dans sa mort et dans sa résurrection.* C'est leur statut spécifique de ne pouvoir être comprises qu'ainsi, dans la communion à sa mort et à sa résurrection, que donnent l'Eucharistie et l'Esprit jailli de son côté transpercé.

Toutes les paroles de Jésus s'ouvrent d'elles-mêmes sur la mort et sur la résurrection : elles sont tendues vers elles, elles les présupposent toujours. C'est d'elles qu'elles tirent leur lumière.

La *parole de Jésus* n'est donc rien d'autre que la *parole du Père, parole de la Croix.*

Irréductible originalité de la parole évangélique !

Charme singulier de cette parole, si intransigeante et si baignée de tendresse, d'une invraisemblance à vous couper le souffle et d'une douceur à vous faire perdre pied, tellement rebutante et tellement attirante !

Incomparable humanité de cette parole apparemment si inhumaine !

Jaillissant pour l'homme d'un *lieu* qui lui échappe de partout, capable de combler en lui ses vœux les plus secrets, ceux-là même qu'il n'aurait jamais pu imaginer si l'accomplissement ne lui en avait été donné, cette parole suscite toujours chez ses interlocuteurs une contestation si radicale qu'elle provoque adhésion amoureuse ou aversion haineuse, foi ou scandale !

Le scandale ! Il s'agit là d'une structure fondamentale de l'économie du salut voulu par Dieu.

Cette expérience bouleversante d'une incompréhension si radicale de Jésus qu'elle conduit au meurtre ou au reniement était nécessaire pour que, au feu éclatant mais impitoyable de la pureté divine, les hommes découvrent les ténèbres tapies au fond de leur pauvre cœur inconscient.

Quel violent réflexe de refus la présence de la personne du Fils sous un vêtement de faiblesse n'a-t-elle pas provoqué chez les hommes devenus ses frères !

Il a suffi que, pour révéler au monde le véritable visage de Dieu, Jésus ait paru en ce monde dépouillé de tout ce qui aurait pu le soustraire à leur perversité, pour que les hommes manifestent des dispositions d'hostilité dont ils n'auraient jamais pu soupçonner, sans cela, l'invraisemblable abîme.

Ne fallait-il pas cette existence toute livrée dans la faiblesse à la transparence de l'amour pour dévoiler aux hommes de quelles aberrations est capable le cœur humain ?

Seul l'abandon que Jésus a fait de lui-même, dans l'amour de son Père, à l'arbitraire d'êtres incapables de reconnaître en lui le visage de l'amour, dévoile, plus encore que l'énormité du crime de l'humanité, l'excès de la miséricorde de Dieu.

Sur la Croix, le Père n'a laissé aux coupables, enfin arrachés à tous leurs alibis et à toutes leurs justifications mensongères, d'autre issue que celle de la miséricorde absolue. Il a tout organisé dans l'histoire du salut et de la vie de son Fils pour que, bien malgré eux, les hommes ne puissent jouer de leur inconscience contre les avances de l'amour rédempteur ! Dans leur irresponsabilité, ils se sont laissés prendre au *piège de l'innocence miséricordieuse de l'Amour infini.*

Tout est désormais enfermé dans la miséricorde de Dieu, ou, si l'on préfère, rien n'est plus donné au monde que dans la miséricorde du Père.

Ce que révèle finalement la structure des évangiles c'est cette inconcevable folie de la miséricorde divine : jaillissant éternellement d'auprès du Père, Jésus est pour le monde parole de scandale et, à cause de cela même, *parole d'infinie miséricorde !*

6. La structure de l'expérience apostolique originaire

L'originalité et la complexité de l'expérience apostolique originaire apparaissent dès lors en pleine clarté.

Il est impossible de réduire cette expérience au constat d'un simple événement, celui-ci fût-il la Résurrection, car cette dernière n'est perçue comme événement qu'à la condition expresse d'être saisie comme révélation du mystère caché en Dieu de toute éternité.

Comme l'a montré le chapitre précédent, soustrait à notre monde phénoménal par la mort, *Jésus ne peut plus être reconnu que dans le mystère de son rapport au Père.*

Jésus fait participer ses disciples au mouvement par lequel il est passé de ce monde à son Père et, à cette fin, il leur communique l'Esprit. Il les introduit dans le monde eschatologique qui lui est propre — celui de la fin des temps, celui de la vie avec Dieu — et il fait d'eux des contemporains de son présent à lui, par-delà la temporalité de ce monde.

C'est dire que l'expérience apostolique récapitule dans une participation à l'unité du présent de Dieu le passé et l'avenir du monde.

Provoquant le surgissement de leur vie en lui à partir de sa source éternelle, l'Esprit, Jésus fait naître ses disciples au Royaume, de sorte qu'il y ait entre eux et lui communion au même présent de Dieu. Il les insère ainsi dans le monde de la Résurrection, par-delà ce monde où règne encore la mort.

En leur donnant de comprendre le sens de sa mort, Jésus établit ses disciples *dans le présent du Père* qui librement, de toute éternité, a décidé de sauver les hommes.

Dès lors tout dans la vie humaine est saisi à partir du mystère du Dieu vivant — « Il est, il était, il vient » (Ap 1, 8) — pour lequel il y a échange admirable, convertibilité parfaite entre ce qui est, ce qui était et ce qui vient.

C'est en fonction de ce présent éternel que l'expérience apostolique reprend en elle tout le passé du monde : la Résurrection de Jésus a besoin, pour être comprise dans sa vérité, de tous les événements de sa vie, ceux-ci faisant nécessairement référence à tous les événements de l'histoire du salut, y compris la création elle-même. En apposant son sceau aux préfigurations des alliances anciennes, aux pressentiments des patriarches et des prophètes, la Résurrection atteste que tous ces événements de l'histoire du salut témoignent de l'espérance du monde nouveau et sont une prophétie de la vie éternelle.

Mais c'est dire là que la Résurrection s'ouvre sur l'avenir : l'expérience apostolique est toute tournée vers la mission, vers l'annonce au monde du salut eschatologique instauré par la Seigneurie du Christ ; tous les hommes sont désormais appelés à participer au même don de l'Esprit. Elle est encore plus tournée vers le retour du Christ pour qu'il fasse entrer ses disciples dans la plénitude eschatologique.

Cette complexité de l'expérience apostolique se trouve admirablement condensée dans la formule de la prédication apostolique *la plus anciennement attestée*, celle que nous rapporte Paul dans sa première épître aux Corinthiens :

> Je vous ai moi-même transmis tout d'abord ce que j'avais moi-même reçu, à savoir que le Christ est mort pour nos péchés selon les Ecritures, qu'il a été mis au tombeau, qu'il est ressuscité le troisième jour selon les Ecritures, qu'il est apparu à Cephas, puis aux Douze. Ensuite, il est apparu à plus de cinq cents frères à la fois... ensuite il est apparu à Jacques, puis à tous les apôtres et, en tout dernier, il m'est apparu a moi aussi, comme à l'avorton (1 Co 15, 3-8).

La solennité de ce témoignage, son contexte ecclésial, attestent que nous sommes en présence du fondement non seulement de la vie apostolique de Paul mais encore de la foi et de la vie de tous les chrétiens.

— *Il est mort pour nos péchés selon les Ecritures.*

Affirmation cruciale de la valeur rédemptrice de la mort de Jésus, éclairée par les prophéties de l'Ecriture comprises à travers deux typologies qui se conditionnent l'une l'autre, celle du Serviteur et celle d'Adam.

La portée universelle de la mort du Christ est en effet saisie à travers la figure du Serviteur à laquelle, en référence explicite à l'Ecriture (Rm 4, 25) renvoie le texte très ancien de l'épître aux Romains :

Nous croyons en Celui qui ressuscita d'entre les morts, Jésus notre Seigneur, *livré* pour nos fautes et ressuscité pour notre *justification* (Rm 4, 25).

Le Serviteur renverse en sa personne la logique du destin d'Adam qui enveloppe de sa mort l'humanité entière. En témoignent manifestement les allusions du même chapitre 15 de la première épître aux Corinthiens (1 Co 15, 22 ; 15, 45).

La mort du Christ prend ainsi sens et portée universels : c'est la vie de *tous* les hommes qu'elle transforme (cf. 2 Co 5, 14).

— *Il a été mis au tombeau.*

Allusion transparente au Serviteur qui connaît l'humiliation suprême, celle de la sépulture (cf. Is 53, 9).

— *Il est ressuscité le troisième jour selon les Ecritures.*

Ici encore transparaît le mystère du Serviteur promis à la Résurrection, selon les Ecritures (Is 53, 10-12), comme l'atteste le texte de Romains 4, 25 cité plus haut.

La formule passive : « il est ressuscité », plus exactement : « il a été ressuscité », signifie, en effet, à la manière sémitique : « Dieu l'a ressuscité ».

Dieu a sauvé et glorifié le juste, l'élu, le Serviteur qu'il avait livré à la mort. Il l'a ressuscité, comme il l'avait promis par la bouche des prophètes, puis par la bouche du Juste lui-même.

Comme le dit Pierre :

Ce Jésus, (annoncé par David), Dieu l'a ressuscité (Ac 2, 32).

L'emploi du parfait : « il a été ressuscité » semble indiquer un fait passé dont l'action dure encore. Cela signifie sans doute que la résurrection est pour Paul l'entrée dans une nouvelle manière d'exister, dont le plein achèvement n'est pas encore venu.

— *Il est apparu... à Céphas, puis aux Douze... Il m'est apparu à moi aussi comme à l'avorton.*

Ce Jésus annoncé par toutes les Ecritures, pour que tous les hommes croient en lui, voilà qu'il s'est montré à Pierre, aux Douze et enfin à Paul.

C'est de cette expérience apostolique originaire que surgit la conversion de Paul. C'est en elle que se fonde sa mission définie comme le ministère de la réconciliation avec Dieu dans le Christ par la puissance de l'Esprit (cf. 2 Co 5, 16-21).

Parce qu'il a ainsi participé à cette expérience fondatrice de l'apostolat chrétien et de l'existence chrétienne, Paul peut aussi bien se présenter comme un apôtre capable de parler d'égal à égal avec Pierre et ses compagnons (cf. Ga), qu'inviter les chrétiens à l'imiter : « Montrez-vous mes imitateurs, comme je le suis moi-même du Christ » (1 Co 11, 1).

La structure de l'expérience paulinienne coïncide parfaitement avec la structure de l'expérience apostolique telle qu'elle se dégage de l'Evangile. C'est tout le *passé* de la création et de l'histoire du salut (Adam et le Serviteur), toute la vie de Jésus jusqu'au paroxysme de l'humiliation dans la sépulture, qui prennent sens dans l'*actualité* de la vie de l'Esprit communiquée à ceux qui croient par le nouvel Adam ; c'est tout *l'avenir* de l'annonce missionnaire qui se laisse entrevoir jusqu'à ce qu'arrive le jour où, le Christ étant revenu comme Juge des vivants et des morts, nous ressusciterons avec lui dans la gloire.

La structure de l'expérience apostolique fonde ainsi la structure de la vie de l'Eglise tout entière. N'exprime-t-elle pas, au dire de Paul, la structure de la vie chrétienne, fondée sur le Christ, mort et ressuscité, livré à nous à la faveur du témoignage apostolique dans le don de l'Esprit ?

N'est-ce pas très exactement l'enseignement de l'apôtre Jean dans le début de la première épître (1 Jn 1, 1-4) ?

Ainsi, les apôtres, Pierre et les apôtres, mais aussi Paul — et avec eux les chrétiens — ont été transférés dans le Royaume du Fils bien-aimé (Col 1, 13), mais cette naissance des apôtres au Royaume de la fin des temps n'implique cependant pas qu'il y ait chez eux disparition de la condition de la temporalité. Leur acclimatation à l'au-delà du temps de ce monde n'empêche pas qu'ils demeurent dans ce monde jusqu'à ce que, par la mort, celui-ci prenne fin pour eux. Délivrés simplement d'un état de servitude à l'égard du « monde », comme forme d'existence hostile aux réalités divines du Royaume, « ils ne sont pas du monde comme Jésus n'est pas de ce monde » (Jn 17, 14).

Et c'est bien à l'intérieur du temps, en stricte fidélité à l'économie de la mission de Jésus parmi les hommes que les Apôtres, puis à leur suite les chrétiens, doivent accomplir leur expérience de communion à l'éternité.

Elle est donc d'une radicale originalité l'expérience que l'Eglise, en la personne des apôtres et des premiers chrétiens, a faite du mystère de Dieu révélé par l'Esprit en Jésus-Christ.

Quelle erreur de penser que l'Eglise n'a pleinement affirmé la divinité de Jésus qu'après les grandes controverses christologiques des IVe-Ve siècles !

Certes, l'explicitation doctrinale des Pères a été capitale pour la vie de l'Eglise, mais dès la génération apostolique, et d'une façon plus profonde encore que les grands docteurs, l'Eglise a tenu *dans sa plénitude* le mystère de son Seigneur.

Nous sommes trop souvent victimes de schémas d'explications génétiques et évolutifs qui ne respectent pas la complexité originelle de l'expérience ecclésiale. L'Evangile est beaucoup plus explicite sur le mystère de la personnalité divine de Jésus qu'on ne le dit généralement.

Aussi tenons-nous à souligner qu'au cœur même de l'expérience apostolique, transparaît sa *complexité unifiée*, sa *structure englobante*, susceptible de développements infinis.

Et, si nos remarques sont exactes, les grandes synthèses de Paul, de Jean, de Pierre lui-même sont déjà données en germe, mais non explicitées, dans l'expérience apostolique.

L'évangile de Jean est tout entier fondé, nous l'avons vu, sur la révélation du *lieu*. Et il serait facile de montrer comment la réflexion de Paul sur le Christ, comme l'image du Dieu invisible et premier-né de toute créature (Col 1, 15), n'est que le commentaire de cette expérience apostolique originaire, qui culmine dans la bénédiction pour le « mystère » du Père (Ep 1-3), si proche d'ailleurs des formules de Pierre lui-même, théologien du Serviteur et de la Pierre (1 P 2, 4-10 ; 2, 18-25, etc.) et chantre de l'initiative miséricordieuse de Dieu (1 P 1, 3-9).

Dès lors il apparaît à l'évidence que la recherche archéologique des formules simples du message apostolique qui seraient qualifiées de primitives, et d'autres plus complexes qui seraient postérieures, ne peut se justifier que si elle ne se laisse pas prendre au piège des présupposés philosophiques non analysés qui en compromettent le sens originaire.

L'important n'est-il pas de respecter la *structure vivante et unifiée* de l'expérience apostolique dans son extrême complexité ?

Cette complexité unifiée s'explique d'ailleurs fort bien : elle est tout entière communion à la compréhension que Jésus a de son propre mystère, au témoignage qu'il rend à son Père.

N'est-ce pas le Seigneur lui-même qui s'est chargé après sa Résurrection d'introduire ses disciples dans l'intelligence des *Ecritures* (Lc 24) pour les faire participer à son mystère de Serviteur (l'*Eucharistie*), avant d'envoyer l'Esprit achever son œuvre !

Tout se trouve ainsi suspendu à la conscience de Jésus, vivant de son Père qui, de toute éternité, a pensé dans son Fils l'histoire du salut pour envelopper le monde de l'infini de sa miséricorde.

Jésus est vraiment *l'interprète de sa propre vie dans l'Eglise.*

> « Nul n'a jamais vu Dieu.
> Le Fils unique, qui est dans le sein du Père,
> lui est l'exégèse » (Jn 1, 18).

Et, grâce au don de l'Esprit, qui la fait participer à la conscience de Jésus, l'Eglise participe au témoignage que le Christ rend de son Père devant le monde.

C'est pourquoi l'Eglise peut lire dans le destin du Serviteur son propre destin et, en vivant le mystère de l'Innocent, elle peut attendre le retour de son Seigneur. Inconditionnellement disponible a la présence et aux initiatives imprévisibles du Père des miséricordes, elle garde en elle la « mémoire » de son Seigneur. Elle sait que désormais les événements du passé ne sont plus pour elle que des témoignages de cette prévenance de l'amour dont Dieu nous a aimés le premier. Elle se sait prévenue par l'amour éternel qu'il y a entre le Pere et le Fils, et elle attend du Seigneur qui vient la plénitude de sa manifestation.

Oui, garder la mémoire de son Seigneur, c'est pour

l'Eglise être fidèle à la mort d'amour de son Seigneur et Epoux, qui est au fondement de son existence. C'est dire qu'elle est toute présente au mystère du Père qui a tout enfermé dans la miséricorde, et qu'elle attend avec confiance ce qui s'avance vers elle à partir des profondeurs de son avenir racheté :

« Marana tha », *Seigneur viens !* (Ap 22, 17 ; cf. 1 Co 16, 22).

Elle croit à la merveilleuse promesse de Jésus.

« Je m'en vais et *je viens vers vous* » (Jn 14, 28).

Oui, dans la Croix s'est produit le dévoilement de :

Il est, Il était, Il vient (Ap. 1, 8).

Pour l'Eglise, le nom de son Seigneur — le nom merveilleux à nul autre pareil, celui du Bien Aimé, — c'est désormais CELUI QUI VIENT.

En lui *tout* est dit !

JÉSUS, L'UNIQUE PAROLE DU PÈRE.

QUATRIÈME PARTIE

LA GRACE DE L'INNOCENTE

18
Le mystère des pressentiments

Dès lors que dans l'Esprit nous sont apparues les mystérieuses correspondances prophétiques qui traversent l'existence de Jésus, il nous devient possible de comprendre que certains événements de sa vie cachée aient pu préfigurer son destin.

Aussi laisserons-nous les évangiles de l'enfance nous faire pressentir l'avenir de Jésus.

1. L'ACCUEIL DES PAUVRES

C'est un peuple de pauvres, d'humbles merveilleusement accordés à son destin qui accueille l'Innocent.

Visages de pauvres transfigurés par l'attente, visages sur lesquels se reflète déjà, comme en un indicible sourire, le mystère des Béatitudes : Zacharie et Elisabeth, Marie, les Bergers, Syméon et Anne !

Le cœur rempli des promesses divines dont ils attendent la réalisation (Lc 1, 67-69), généreusement offerts à l'imprévisible de l'action divine, ils vivent dans l'émerveillement de ce que Dieu fait ! La tendresse de la miséricorde divine (Lc 1, 50 ; 1, 51 ; 1, 58 ; 1, 72 ; 1, 78), c'est avec amour qu'ils la contemplent, pénétrés par elle jusqu'au plus profond de leur être, devenus eucharistie, comme Marie chantant son *Magnificat*, ou Syméon son *Nunc Dimittis*.

Déjà se profile à l'horizon l'accueil de tous les petits, sensibles au message évangélique et à sa miséricorde.

2. Un règne éternel

C'est en Marie, fille de Sion, représentant le peuple de Dieu tout entier, que l'attente des pauvres d'Israël trouve son accomplissement !

Telle la véritable Jérusalem, appelée par Dieu à la joie messianique : « Réjouis-toi, comblée de grâce, le Seigneur est avec toi » (Lc 1, 28), elle accueille d'un oui décidé : « qu'il m'advienne selon ta parole » (Lc 1, 38) la proclamation solennelle du Règne.

> « Rassure-toi, Marie, car tu as trouvé grâce auprès de Dieu. Voici que tu concevras et enfanteras un fils, et tu lui donneras le nom de Jésus. Il sera grand, et on l'appellera Fils du Très Haut. Le Seigneur Dieu lui donnera le trône de David, son Père ; il règnera sur la maison de Jacob à jamais, son règne n'aura point de fin » (Lc 1, 30-33).

C'est l'annonce de la venue de l'Esprit qui descend sur la terre devenue stérile et redonne la vie au peuple de Dieu décimé et désolé (cf. Ez 36, 25-35 ; 37) ; c'est l'annonce de l'instauration du Règne messianique et de la venue du Messie, celui qui délivrera Israël de toutes ses fautes.

Le titre de Fils de Dieu fait penser à ce « fils d'homme » mystérieux de Daniel, investi d'une royauté éternelle, *qui n'aura point de fin* (Dn 7, 13-14 ; cf. Lc 1, 33).

3. Les annonces du Serviteur

Un règne éternel, mais qui s'annonce de manière étrangement paradoxale. Le monde des riches le rejette :

> Il n'y avait pas de place pour eux à l'hôtellerie (Lc 2, 7).

Mystérieux symbole de la vie du Christ tout entière ! Dès l'origine il n'y a pas ici-bas de lieu pour lui : « il n'a pas où reposer la tête » (Mt 8, 20).

Son seul signe royal, c'est la pauvreté.

> « Ceci vous servira de signe : vous trouverez un nouveau-né enveloppé de langes et couché dans une crèche » (Lc 2, 12).

Et ce sont encore des pauvres qui, dans la sensibilité de leur cœur, pressentent le destin de l'Innocent. Au moment même où, dans le Temple, il est offert à Dieu, Siméon le reconnaît pour le Serviteur promis par Isaïe (Is 49, 6).

« Mes yeux ont vu ton salut que tu as préparé à la face de tous les peuples, lumière pour éclairer les nations et gloire de ton peuple, Israël » (Lc 2, 30-32).

Serviteur promis à la contradiction, qui entraîne sa mère dans la même passion que lui.

« Vois, cet enfant doit amener la chute et le relèvement d'un grand nombre en Israël, il doit être un signe en butte à la contradiction — et toi-même, un glaive te transpercera l'âme — afin que se révèlent les pensées intimes d'un grand nombre » (Lc 2, 34-35).

Ainsi, comme Yahvé en Israël (Is 8, 14), Jésus devient la pierre contre laquelle on achoppe, le rocher qui fait tomber.

Marie commence à porter en elle le mystère du Roi-Serviteur.

4. Le jeu symbolique de la Passion

C'est dans ce contexte des prophéties du Serviteur que la scène du recouvrement au Temple prend toute son ampleur : Jésus est absent trois jours, dans le Temple, au moment de la Pâque.

Préfiguration symbolique de la Passion d'autant plus évidente que Jésus nous livre le mystère de sa conscience, en ajoutant :

« Ne saviez-vous pas qu'*il faut* que je sois aux affaires de mon Père ? » (Lc 2, 49).

« Il faut. »

Déjà, si jeune, Jésus se sait promis à un destin caché dans le mystère de son Père.

Déjà résonne en lui tout le mystère de ce « il faut » eschatologique qui scandera sa marche à la Croix !

Mystère de cette volonté du Père qui, dès la tendre enfance, domine et illumine la conscience de Jésus !

Déjà aussi il cherche à partager avec sa mère son secret, comme il cherchera plus tard à le faire avec les disciples d'Emmaüs et avec les Apôtres. Il lui fait jouer symboliquement le mystère de sa Passion, dont il laisse mystérieusement pressentir le sens. Il la met en face du mystère de son Père, du mystère de celui à qui elle s'est livrée en disant : « Qu'il me soit fait selon ta Parole » (Lc 1, 38).

Dépassée par le mystère qui est celui même du Dieu transcendant, affrontée à l'incompréhensible, Marie ne se cabre pas. Certes, elle ne comprend pas la parole de son fils, mais elle la garde tout entière dans son cœur.

Elle se livre ainsi à Dieu dans la foi, elle s'enfonce dans l'inconnu de la volonté du Père, dont la conduite ne peut être que tendresse miséricordieuse ; elle se livre secrètement à la Croix qu'elle pressent mais qu'elle ne peut comprendre.

Le *lieu de Jésus*, être aux affaires de son Père, n'est pas encore dévoilé. Il échappe même à sa mère, mais la dénivellation ne provoque pas en elle de scandale, parce qu'elle accueille la Parole.

L'attitude de Marie qui garde la Parole de Dieu, bien qu'elle ne la saisisse pas, contraste parfaitement avec celle des Apôtres : elle n'achoppe pas à la parole de son Fils ; elle s'en laisse au contraire imprégner pour qu'elle produise en elle son effet et qu'un jour elle se tienne debout au pied de la Croix.

Ainsi, avant même d'annoncer à ses Apôtres le mystère de sa Passion, Jésus a préparé sa mère à entrer dans son mystère de Serviteur. Et il n'est pas indifférent pour nous que le témoignage apostolique s'accorde en profondeur au témoignage plus mystérieux et plus intérieur de Marie.

C'est une perspective analogue que nous retrouvons chez Matthieu. Salué comme le vrai David et le Roi de son peuple, comme l'Emmanuel, celui qui sera la source d'un nouveau peuple de Dieu (Mt 1, 22), Jésus doit fuir en Egypte : déjà transparaît le mystère du Serviteur qui récapitule en lui toute l'histoire d'Israël et qui prend sur lui ses péchés.

Les évangiles de l'enfance préfigurent ainsi tout l'Evangile : ils dessinent en filigrane le mystère du Serviteur qui vient sauver son peuple. C'est la réalité que Marie n'a cessé de porter dans son cœur.

19

L'accomplissement

La mère de Jésus est donc appelée par Dieu à vivre le mystère de l'Innocent.

La prophétie de Syméon ne lui a-t-elle pas annoncé que la mort violente du Messie, décrite sous le symbole du glaive, atteindrait son âme de mère et que leurs deux martyres ne feraient qu'un ? Le jeu symbolique et prophétique du recouvrement au Temple, éclairé par la parole mystérieuse de Jésus, ne lui a-t-il pas révélé qu'un mystère insondable enveloppait la mission de son Fils ?

Avec quel amour Dieu ne prépare-t-il pas de la sorte la mère de son Fils à sa mission de présence à la Croix : elle y est introduite comme de l'intérieur, de manière à ce qu'elle y soit adaptée et que le sens profond de la mission de son Fils ne lui échappe pas. Tout d'ailleurs indique — et la prophétie de Syméon en particulier — que le texte d'Isaïe 53 concernant le Serviteur devait être l'objet des méditations des pauvres, qui attendaient la rédemption d'Israël. Ne comprenaient-ils pas le mouvement de l'Ecriture par le plus profond d'eux-mêmes ?

Par sa vie dans ce milieu de « pauvres », plus encore par les événements rapportés par les évangiles de l'Enfance, Marie devait ainsi être tout orientée vers le mystère du Serviteur ; certes ce dernier la dépassait de partout, comme l'indique le fait qu'elle ne comprit pas la parole de Jésus, mais elle demeurait dans une disposition d'attente et d'ouverture : elle gardait tout dans son cœur.

De toutes façons, l'évangile de Luc montre bien que toute sa vie ne prend sens que par la Croix : grâce aux événements de l'enfance, elle se sait appelée à déchiffrer à la lumière du Serviteur la vie de son Fils et, en participant par l'amour aux contradictions qui l'atteignent, elle est tournée vers l'heure de son Fils, qui est aussi son heure.

Mais, dira-t-on, les ripostes de Jésus à ceux qui se méprennent sur ses rapports avec sa parenté n'ont-elles pas l'air de ne tenir aucun compte de sa maternité ?

Il parlait encore aux foules lorsque survinrent sa mère et ses frères qui, se tenant dehors, cherchaient à lui parler. A celui qui l'en informait, Jésus répondit : « « Qui est ma mère et qui sont mes frères ? » Et, montrant ses disciples d'un geste de la main, il ajouta : « Voici ma mère et mes frères. Car quiconque fait la volonté de mon Père qui est aux cieux, celui-là m'est un frère et une sœur et une mère » (Mt 12, 46-50 ; Mc 3, 31-35 ; Lc 8, 19-21).

Or, comme il parlait ainsi, une femme éleva la voix du milieu de la foule et lui dit : « Heureuses les entrailles qui t'ont porté et les seins que tu as sucés ! » Mais lui répondit : « Heureux plutôt ceux qui écoutent la parole de Dieu et la gardent ! » (Lc 11, 27-28).

A dire vrai, ces ripostes ne présentent aucune dureté pour sa mère, tout abandonnée à la volonté du Père ; elles sont destinées à provoquer chez ses auditeurs une rupture de plan qui doit les amener à concevoir qu'*il est d'ailleurs* et qu'il va au Père ; elles obligent à réfléchir sur son *lieu*. Mais elles sont en même temps un appel du Fils à sa mère pour qu'elle vive plus totalement encore son adhésion à la volonté du Père.

L'évangile de Jean confirme d'ailleurs parfaitement la visée fondamentale de l'évangile de Luc.

Le rapprochement délibérément voulu entre Cana et la Croix montre bien que Marie est toute destinée à la Croix.

Dans les deux cas ne s'agit-il pas du mystère *de la mère de Jésus ?*

Les textes répètent à l'envi : « et la mère de Jésus était là » (Jn 2, 1), « La mère de Jésus lui dit » (Jn 2, 3), « Sa mère dit aux servants » (Jn 2, 5), « Près de la croix de Jésus se tenait sa mère » (Jn 19, 25), « Voyant sa mère » (Jn 19, 26).

Ne s'agit-il pas aussi du *mystère de la femme ?*

« Que me veux-tu, femme ? Mon heure n'est pas encore venue » (Jn 2, 4), « Femme, voici ton Fils » (Jn 19, 26).

Ne s'agit-il pas, enfin, du mystère de l'heure, l'heure du Christ qui est aussi l'heure de la femme (Jn 16, 21).

L'enseignement de Cana a, en effet, le même contenu fondamental que celui de la scène du recouvrement au Temple.

Le « Que me veux-tu femme ? Mon heure n'est pas encore venue » (Jn 2, 4) correspond assez bien, dans un contexte différent, au « Ne faut-il pas que je sois aux affaires de mon Père » (Lc 2, 49).

Seul Jésus connaît parfaitement la volonté du Père, ce qui instaure même entre sa mère et lui une dénivellation radicale.

A Cana, Jésus souligne qu'il ne se comprend qu'à partir de son heure, de son mystérieux destin. Il oblige sa mère à regarder vers le Père, dont la seule pensée est la croix, et à adhérer à sa seule volonté.

Il la livre ainsi délibérément à la volonté de Dieu, sachant qu'elle est tout désir du Père et tout désir pour le Père, et il la rend disponible au mystère de la Croix.

Pas davantage chez Jean que chez Luc, Marie ne se scandalise de la parole de son Fils. Après la parole de Jésus : « Que me veux-tu femme ?... », elle dit en toute simplicité : « Faites tout ce qu'il vous dira », renvoyant ainsi à la parole prophétique (Gn 41, 55) ; elle garde dans son cœur la parole qui lui annonce mystérieusement la Croix.

Mais, comme l'annonce Cana, l'heure de Marie c'est l'heure de son Fils, l'heure de la Croix. C'est pour elle l'heure de la totale communion au mystère du Serviteur. Le « Qu'il me soit fait selon ta Parole » de l'Annonciation trouve sa plénitude de sens dans la Croix.

Près de la croix de Jésus se tenaient sa mère, la sœur de sa mère, Marie, femme de Cléopas et Marie de Magdala. Voyant sa mère et près d'elle le disciple qu'il aimait, Jésus dit à sa mère : « Femme, voici ton Fils. » Puis, il dit au disciple : « Voici ta mère. » A partir de cette heure, le disciple la prit chez lui (Jn 19, 25-27).

C'est l'heure où Marie épouse le plan de Dieu suprêmement crucifiant pour elle, dans une soumission absolue à la volonté du Père, qui concerne à la fois le Messie et le peuple messianique.

L'expression : « Femme, voici ton Fils », « Voici ta mère », est, en effet, une formule d'adoption à deux termes, en usage dans tout l'Ancien Orient, en Israël et en dehors d'Israël ; elle exprime donc à la fois la filiation et la maternité — qui ne peuvent être que messianiques —, et tout autant celle-ci que celle-là.

Extraordinaire solennité du geste de Jésus, déclarant que sa mère est notre mère, celle qui est associée au mystère du Serviteur suscitant son peuple !

Parfaitement conscient de l'importance du mystère qu'il vient d'énoncer, saint Jean ajoute :

Puis, sachant que tout avait été achevé, en vue de porter l'Ecriture à son plein accomplissement, Jésus dit : « J'ai soif » (Jn 19, 28).

C'est dire que Jésus livre l'Esprit aux siens, conformément aux oracles prophétiques : Za 14, 8 uni à Ez 47, cités par Jn 7, 37-39.

Marie n'a vécu de rien d'autre que du mystère du Serviteur. Et dans la lumière de la Pentecôte, toute l'Ecriture s'est certainement recomposée pour elle autour du mystère de son Fils, le Serviteur qui a dévoilé à tous le secret éternel du Père.

20

L'Innocente

« Réjouis-toi, Marie, *comblée de grâce,* le Seigneur est avec toi » (Lc 1, 28).

Marie est l'infiniment petite, sur qui repose, plein d'indicible tendresse, le regard du Père. Celui-ci reconnaît enfin dans cette toute petite fille le visage dont depuis toujours il rêve : en cette pauvre enfant, il contemple celle qui doit porter celui qu'il a engendré de toute éternité.

Oui, c'est le regard du Père qui, au cœur de notre monde si misérable, si souvent atroce, a fait lever le visage d'une petite fille capable de le re-connaître.

C'est ce regard miséricordieux du Père qui fait de la vie de Marie la réalisation du Cantique des cantiques, si obscurément et si douloureusement pressenti par Israël :

« Que tu es belle, ma bien-aimée...
Que tu es belle ! » (Ct 1, 15)

« Réjouis-toi, comblée de grâce... » (Lc 1, 28).

Cette parole, en vérité, c'est le regard du Père des miséricordes qui s'émerveille devant celle qu'il crée en la comblant de son amour.

A dire vrai, cette petite fille innocente récapitule en elle le désir de Dieu, comme l'aspiration de l'humanité : « L'ancien monde, le monde douloureux, le monde d'avant la grâce l'a bercée longtemps sur son cœur désolé — des siècles et des siècles — dans l'attente obscure, incompréhensible d'une *virgo genitrix*... Des siècles et des siècles, il a protégé de ses vieilles mains chargées de crimes, ses lourdes mains, la petite fille merveilleuse, dont il ne savait même pas le nom » (G. Bernanos).

Au cœur de notre monde, il y a la petite fille qui, par son « oui », justifie le monde, la petite fille dont le « oui » jaillit de cette éternelle miséricorde qui l'a prévenue d'amour depuis toujours, de cette éternelle miséricorde qui a pour nom la Croix.

Marie est la splendeur de l'aurore se levant sur notre monde de péché ; elle est au cœur de sa vieillesse son éternelle jeunesse, son éternelle nouveauté. Elle est l'eucharistie radieuse de notre monde parce que, toute prévenue par Dieu, elle s'accepte gracieusement de Dieu dans l'acte même où elle retourne vers Dieu ; elle se reçoit dans l'acte même où elle se donne ; c'est là tout le sens de son Magnificat. C'est pourquoi elle nous signifie, comme aucune autre créature ne peut le faire, le mystère de cette grâce miséricordieuse qui nous prévient de partout, nous enveloppe tous et nous constitue en Eglise.

Car la grâce de Marie, si elle est une grâce singulière, n'est pas une grâce d'isolée ! Nous ne pouvons pas dire qu'en raison de l'amour unique qui l'enveloppe, Marie est dans une étonnante solitude ! Parce qu'elle n'a pas de connivence avec le péché, elle se trouve compromise dans une merveilleuse solidarité avec tous les hommes.

En vérité, Marie est un mystère d'innocence solidaire du péché du monde et agonisant pour lui.

Répétons-le, Marie est une enfant, une toute petite fille. Les Apôtres, eux, ont eu besoin de voir se briser toutes leurs illusions avant de s'entendre appeler « mes petits enfants » par le Seigneur. Marie, elle, est depuis toujours — et c'est là le miracle — la toute petite, celle à qui, dès le début, le Seigneur s'est totalement confié, totalement livré.

Marie est l'innocence même : elle lève sur elle-même et sur nous tous le seul regard au monde qui ait jamais gardé son enfantine transparence ; elle nous contemple de ce regard que le péché n'a jamais effleuré de sa grande aile noire. Elle est si pleinement transparente qu'elle ne s'en aperçoit pas elle-même, et renvoie, par tout son être, au seul mystère qui l'habite : son Fils.

Oui, Marie est innocente, infiniment innocente — laissons à ce mot toute son ambiguïté, car l'innocent — nous l'avons vu — c'est celui qui fait craquer notre monde trop sérieux en rappelant existentiellement l'au-delà ! Marie est infiniment prête, parce qu'elle est l'innocente, à être offerte avec et dans son Fils, et comme lui, dans l'effroyable carnage du monde.

A raison de cette innocence qui la voue à être dans ce monde l'inséparable compagne de l'Innocent, la mère de Jésus est promise à l'agonie.

Elle est touchée par l'horreur du mal, comme seul un enfant peut l'être.

Oh ! ces visages d'enfants bouleversés jusqu'au tréfonds d'eux-mêmes par le mal injuste qui les accable !

Marie est blessée à mort par ce mal dont elle ne peut se défendre parce qu'elle en est radicalement indemne. Elle n'est en rien complice du péché, et c'est pourquoi elle ne peut s'y dérober ; elle ne peut que s'offrir tout entière au coup qui l'atteint en plein cœur ; elle n'a d'autre chemin que celui de l'agonie dans l'amour.

Le vrai nom de Marie, l'infiniment graciée, c'est *Notre-Dame de l'Agonie,* celle qui partage avec nous cela même qui nous manque.

Marie, l'innocente préservée du péché par l'amour du Père, mais qui sait ce qu'est le péché, a partagé avec nous très précisément cela même qui nous manque, cela même qu'aucun d'entre nous ne pourra jamais dire parce que cela lui colle à la peau.

Sa plénitude de grâce, c'est un mystère d'agonie débouchant sur la Croix.

Croix merveilleuse, en laquelle Marie — et en elle toute l'humanité, toute l'Eglise — reconnaît de tout son cœur d'enfant immaculée le visage de son Dieu.

Visage d'enfant absolument innocente, et à cause de cela même totalement broyée, reconnaissant le Visage du Père dans son infinie tendresse.

Le « oui » qui justifie le monde a été dit par Marie à l'Annonciation, il s'est déployé à la Croix, il s'est épanoui dans la gloire.

A travers l'agonie de la Croix, à travers la faiblesse de Marie, c'est déjà le monde de la gloire qui transparaît et qui chante.

CINQUIÈME PARTIE

LE PARADOXE ÉVANGÉLIQUE

Jésus ne s'est pas contenté de prophétiser à ses disciples son destin de Serviteur. Il leur a annoncé qu'ils seraient associés à son humiliation et à son exaltation.

« Si quelqu'un me sert, qu'il me suive,
et où je suis, là aussi sera mon serviteur » (Jn 12, 26).

C'est le même paradoxe qui traverse la vie du Maître et celle du disciple.

21

La faiblesse bénie de l'enfant

Faut-il être innocent pour avoir l'audace d'appeler les hommes à devenir des enfants dans ce monde !

« En vérité, je vous le dis, si vous ne redevenez des enfants, vous ne pourrez entrer dans le Royaume des Cieux » (Mt 18, 3).

A tout homme sensé, douloureusement conscient de la dureté de la vie, pareille exigence peut-elle apparaître autrement que comme une dérision de l'atrocité de la condition humaine ?

Et pourtant, le plus étrange n'est-il pas que la solennité de cet appel n'ait rien d'ironique et qu'il soit traversé par la plus tranquille et la plus inquiétante assurance ?

Elle a le tranchant de l'épée, la parole du Serviteur !

« Si quelqu'un doit scandaliser l'un de ces petits qui croient en moi, il serait préférable pour lui de se voir suspendre autour du cou une de ces meules que tournent les ânes et d'être englouti en pleine mer » (Mt 18, 6-7).

Faut-il vraiment être innocent pour proclamer heureux les malheureux ?

Car enfin, il s'agit bien de cela dans le Sermon sur la montagne :

« Heureux, vous les pauvres, car le Royaume de Dieu est à vous.

« Heureux, vous qui pleurez maintenant, car vous rirez.

« Heureux, vous qui avez faim maintenant, car vous serez rassasiés.

« Heureux êtes-vous, si les hommes vous haïssent, s'ils vous frappent d'exclusion et s'ils insultent et proscrivent votre nom comme infâme à cause du Fils de l'homme. Réjouissez-vous ce jour-là et exultez, car alors votre récompense sera grande dans le ciel. » (Lc 6, 20-23).

Y eut-il jamais mépris plus affiché et plus scandaleux du drame humain ? A-t-on jamais plus totalement démobilisé l'homme dans sa lutte pour une vie plus humaine ?

Et pourtant, cette fois encore y eut-il jamais dans l'humanité parole dite avec plus de force ?

Mais alors, pourquoi faut-il — paradoxe au sein même du paradoxe — que ces folles paroles, si scandaleusement innocentes, soient dans notre monde les seules paroles de poids, mystérieusement accordées à notre condition humaine ? Pourquoi, dans leur invraisemblable dureté, ont-elles seules l'infinie douceur de la vérité et pourquoi nous rejoignent-elles au point de notre cœur le plus secret et le plus vulnérable ?

Pourquoi ?

Oui, pourquoi ? Sinon...

Sinon parce qu'à les entendre nous pressentons qu'elles nous proposent une réalité infiniment plus belle que celle de nos rêves les plus fous, une réalité qui surpasse tout ce que nous pouvons désirer et même concevoir, la réalité la plus solide qui soit, celle qui a été vécue dans la vie de Celui qui nous invite à le suivre, suprême dévoilement de la vie qui est auprès de Dieu !

Ce mystérieux Innocent, qui nous parle de nous en nous parlant de Lui, qui dit calmement et humblement les choses les plus divines, celles qui nous arrachent les entrailles pour nous donner à Dieu, seul il sait parler au cœur de tout homme, par-delà toutes les situations humaines.

Puissions-nous être atteints par sa blessure de lumière : elle est toute de miséricorde !

1. Celui qui se fait le dernier de tous

Ils vinrent à Capharnaüm, et, une fois à la maison, il leur demanda : « De quoi discutiez-vous en chemin ? » Eux se taisaient, car ils avaient discuté en chemin qui était le plus grand (Mc 9, 33-34).

Ils sont tout penauds, les Apôtres, d'avoir ainsi discuté entre eux de questions de préséance ! Déconfits, ils le sont, car il n'est rien comme leur mesquinerie pour manifester combien leurs préoccupations sont aux antipodes de celles de leur Maître, au regard tout tourné vers le service des petits dans la Passion (cf. Mc 9, 30-32).

L'enseignement de Jésus tombe avec une étrange solennité :

« Si quelqu'un veut être le premier, il se fera le dernier de tous et le serviteur de tous. » Puis, prenant un petit enfant, il le plaça au milieu d'eux, et l'ayant embrassé il leur dit : « Quiconque accueille un de ces petits à cause de mon Nom, c'est moi qu'il accueille ; et quiconque m'accueille, ce n'est pas moi qu'il accueille, mais Celui qui m'a envoyé » (Mc 9, 35-37).

Dans le Royaume, la loi de la grandeur, c'est celle de la petitesse ! Le plus grand, c'est celui qui, à la dernière place, sert ses frères, celui qui est aux pieds des plus petits.

Seul, en effet, le petit accueille le petit et le comprend. Et quiconque aspire à être le premier est toujours amené à mépriser le petit, à le blesser, à le scandaliser.

L'enfant est pour Jésus le symbole de cette faiblesse humaine qu'il est venu prendre sur lui, sauver et transfigurer par la puissance d'amour de son Père.

Splendeur du mystère ! Le tout-petit, mais c'est le signe même de la présence de Jésus et, à travers lui, de la présence de son Père !

Quel prodigieux renversement des valeurs !

Le plus grand, c'est le plus petit ; le premier, le dernier de tous et le serviteur de tous (Mc 9, 33-37) ou, comme Jésus le dit en une formule lapidaire :

« Qui se fera petit comme ce petit enfant-là, voilà le plus grand dans le Royaume des Cieux » (Mt 18, 4).

Il ne s'agit pas là, comme le prétendent certains exégètes, de transpositions moralisantes. Le mystère de l'enfant, du tout-petit, c'est le mystère même du Christ, le mystère du Christ dans sa relation au Père, de celui qui a pris la dernière place pour venir nous sauver !

C'est parce qu'il y va du mystère même de Dieu au cœur de l'humanité que les attaques de Jésus contre ceux qui scandalisent les petits sont si violentes.

« Mais si quelqu'un doit scandaliser l'un de ces petits qui croient en moi, il serait préférable pour lui de se voir suspendre autour du cou une de ces meules que tournent les ânes et d'être englouti en pleine mer » (Mt 18, 6).

Tendresse infinie de Jésus pour les petits, inconcevable sans cette implacable condamnation de ceux qui méprisent les petits et les broient !

Il n'y a rien d'étonnant à ce que Matthieu évoque dans ce contexte la parabole de la brebis égarée (Mt 18, 10-14, à comparer avec Lc 15, 1-32), c'est dire tout le mystère de la miséricorde divine manifestée en Jésus-Christ.

Comme tout à l'heure, dans l'évocation de la présence du Père dans l'enfant, c'est la profondeur de la mission du Fils qui se trouve ainsi évoquée, en même temps que le mystère de la volonté éternelle du Dieu vivant. Le scandale d'un petit, c'est la négation de l'amour du Père, ou, comme le dit Matthieu, rien ne va contre l'intention du Père comme la perte d'un de ces petits (Mt 18, 14). Et ce n'est pas un hasard si, dans cet évangile et dans celui de Luc, la confidence intime de Jésus sur la connaissance que le Père et le Fils ont l'un de l'autre jaillit du cœur même de ses rapports aux tout-petits (Mt 11, 25-27 ; Lc 10, 21-22).

L'enfant rappelle aux hommes la loi fondamentale du Royaume, celle de la faiblesse sur laquelle repose le regard infiniment miséricordieux du Père et à travers laquelle passe la puissance divine.

« En vérité, je vous le dis, si vous ne redevenez des enfants, vous ne pourrez entrer dans le Royaume des Cieux » (Mt 18, 2).

2. Une incarnation de faiblesse

Cette même doctrine, d'autres passages évangéliques nous la révèlent encore :

On lui présentait des petits enfants pour qu'il les touchât, mais les disciples les rabrouèrent. Ce que voyant, Jésus se fâcha et leur dit : « Laissez venir à moi les petits enfants ; ne les empêchez pas car c'est à leurs pareils qu'appartient le Royaume de Dieu. En vérité, je vous le dis, quiconque n'accueille pas le Royaume de Dieu en petit enfant, n'y entrera pas. » Puis il les embrassa et les bénit en leur imposant les mains (Mc 10, 13-16).

Quelle scène suggestive ! Des hommes qui se croient virils et lucides, les Apôtres, rabrouent des mamans désireuses de voir Jésus toucher leurs enfants et les bénir ! Ah, ils sont agacés par tous ces petits qui s'empressent autour de leur Maître, scandalisés du peu de cas qu'on fait de sa dignité !

Et voilà que Jésus se fâche, attestant délibérément la profondeur de son désaccord et que, posant avec prédilection son regard sur tous ces enfants, il tance vertement ses disciples !

Semblable au Sermon sur la Montagne, l'enseignement est d'une souveraine majesté :

« Laissez venir à moi les petits enfants...

« C'est à leurs pareils qu'appartient le Royaume des Cieux...

« En vérité, je vous le dis, quiconque... »

La tournure : « Laissez venir à moi les petits enfants, ne les empêchez pas... » est hautement significative. Elle fait penser à la réponse de Jésus à Jean, lors de la scène du baptême (Mt 3, 15) ou à la riposte aux disciples, lors de l'onction de Béthanie (Mt 26, 10 ; Jn 12, 7) ; elle indique qu'il s'agit d'une disposition du Royaume de Dieu, à la fois fondamentale et déconcertante ! Elle proclame que la conduite apostolique a pour règle unique l'infini respect de la faiblesse, la prise en considération de ce qui n'est rien.

De toute évidence, l'enfant évoque pour Jésus tous ces petits qu'il est venu sauver dans sa miséricorde. Il symbolise pour lui la manière très particulière sous laquelle nous atteint l'histoire du salut dans sa propre personne ! Jésus refuse de mépriser ces petits, comme le font spontanément ses disciples, qui ne pensent qu'à être des grands dans le Royaume. Il les chérit, au contraire, d'une tendresse toute particulière et les enveloppe de sa bénédiction !

L'enfant signifie donc pour Jésus son propre mystère de pauvreté et d'indigence, et il lui rappelle cette tendresse infinie du Père qui a voulu pour lui cette incarnation de faiblesse et de souffrance, dans laquelle se manifeste la puissance de Dieu !

Le cortège triomphal de Jésus, ce sont ces petits qui l'accueillent dans son entrée à Jérusalem ! Nous avons vu à quelle profondeur il leur est lié, et comment il le rappelle tout au long de sa marche à la Croix.

Dès lors, il est facile de comprendre que l'enfant devienne le type même de celui qui entre dans le Royaume, celui qui accepte tout naturellement — sans en être interloqué — la façon paradoxale par laquelle le Père a décidé de sauver le monde par la faiblesse.

« C'est à leurs pareils qu'appartient le Royaume des Cieux » (Mc 10, 14).

L'enfant, c'est, à l'image du Christ, celui qui se confie au Père qui l'attire : « Nul ne vient à moi si mon Père ne l'attire » (Jn 6, 44) ; c'est celui qui se nourrit de la volonté du Père, celui qui fait tout dans le secret du Père, comme le demande le Sermon sur la Montagne, celui qui est au-delà de toutes les pensées humaines, celui qui, appuyé sur la parole de son Père, ne se laisse pas dérouter par le plan de Dieu.

3. Enfance et Passion

Pour Jésus, l'enfance évoque tout le mystère de l'Eglise qu'il vient fonder. N'est-elle pas cette communauté des petits, des pauvres, des humbles qui sera toujours méprisée, humiliée comme lui ? C'est pourquoi, en Matthieu, la plupart des grandes affirmations concernant l'enfance forment un tout qu'on appelle parfois « le discours ecclésiastique ». L'enfant c'est celui qui, grâce à la Passion de Jésus, va renaître de son Esprit et vivre de lui.

« En vérité, en vérité, je te le dis, à moins de naître d'eau et d'Esprit, nul ne peut entrer au Royaume de Dieu. Ce qui est né de la chair est chair, ce qui est né de l'Esprit est esprit » (Jn 3, 5-6).

C'est pourquoi tout l'enseignement de Jésus sur l'enfant est partie intégrante de la marche au Calvaire ! Les mentions les plus explicites se trouvent, en effet, après la seconde prédication de la passion. Cette doctrine du Maître ne cesse de retentir jusqu'à l'entrée à Jérusalem (Mt 21, 16) et même jusqu'au cœur du mystère eucharistique. Au cours du repas pascal les disciples n'en sont-ils pas encore à se demander qui est le plus grand d'entre eux

(Lc 22, 24-27), tandis que le Seigneur se présente comme celui qui sert (Lc 22, 27 ; cf. Jn 13, 1-5 ; Jn 13, 16-20, reprenant les formules que nous avons rencontrées plus haut : « ... qui reçoit celui que j'envoie me reçoit et qui me reçoit reçoit celui qui m'a envoyé »).

En définitive, l'enfant c'est le « saint enfant Jésus », celui qui entre librement dans sa Passion et qui engage ses disciples dans son propre mystère ; celui qui, dépossédé de tout, exproprié de lui-même, ne fait que la volonté de son Père.

C'est pourquoi l'enfant est, en résumé, tout le mystère du Royaume et de son paradoxe. Ne faut-il pas être un enfant pour accueillir l'invraisemblable programme de l'Innocent ?

« Si quelqu'un vient à moi et ne hait pas son père et sa mère, et sa femme et ses enfants, et ses frères et ses sœurs, et même son âme, il ne peut être mon disciple » (Lc 14, 26).

Parole d'une invraisemblable douceur, celle de l'amour le plus fou qui soit, débarrassé de tout compromis avec l'esprit du monde, avec tous les liens de la chair et du sang !

Comment, à moins d'être un enfant, accepter de ne pas juger, de ne pas condamner, de tendre la joue gauche quand on est frappé sur la droite, de ne pas disputer la tunique quand on vous prend le manteau, de ne pas réclamer son bien à qui le prend, de prier pour ceux qui calomnient, de bénir ceux qui maudissent, de faire du bien à ceux qui vous haïssent, d'exulter de joie dans la persécution ?

Seuls les enfants sont capables de recevoir en plein cœur le brûlant paradoxe de l'Evangile, d'être des êtres décuirassés, libres, prêts à se laisser entraîner vers l'inconnu de la volonté divine, à perdre pied, à être enfin livrés, comme l'a bien compris Thérèse de l'Enfant Jésus, au rythme de la grande houle de la Miséricorde divine en son infinité.

Seul l'enfant humilié connaîtra la gloire : « Les premiers seront les derniers »...

Seul il sera exalté...

L'enfant, c'est l'homme des Béatitudes !

22

Un bonheur de pauvre

« Heureux les pauvres en esprit, car le Royaume des Cieux est à eux.

« Heureux les affligés, car ils seront consolés.

« Heureux les doux, car ils recevront la terre en héritage.

« Heureux les affamés et assoiffés de justice, car ils seront rassasiés.

« Heureux les miséricordieux, car ils obtiendront miséricorde.

« Heureux les cœurs purs, car ils verront Dieu.

« Heureux les artisans de paix, car ils seront appelés fils de Dieu.

« Heureux les persécutés pour la justice, car le Royaume des Cieux est à eux.

« Heureux êtes-vous si l'on vous insulte, si l'on vous persécute et si l'on vous calomnie de toutes manières à cause de moi. Soyez dans la joie et l'allégresse, car votre récompense sera grande dans les cieux ; c'est bien ainsi qu'on a persécuté les prophètes, vos devanciers. » (Mt 5, 1-12).

A-t-on jamais proféré au cœur de notre monde de misère plus invraisemblable appel à la joie ?

Cet Innocent qui, tout au long de l'Evangile, déroute ses auditeurs par un enseignement qu'il ne se soucie pas de rendre acceptable, c'est, au cœur d'une situation existentielle de malheur, au cœur même de la pauvreté, de l'affliction, de la persécution qu'il situe la joie !

Oh ! il ne triche pas, il ne pipe pas les dés, il joue franc-jeu. Il prend notre monde tel qu'il est, lui qui sait ce qu'il y a dans l'homme (Jn 2, 25), et il fait éclater en lui, profonde et stable, la joie de Dieu.

La joie de Dieu !

La formule passive : « Bienheureux les affligés car ils seront consolés » signifie, en effet, le passif étant utilisé simplement pour éviter de prononcer le nom de Dieu : « Bienheureux les affligés, car Dieu les consolera. »

Non, ce n'est pas un bonheur de pacotille que Jésus promet, c'est un bonheur éprouvé, un bonheur d'hommes devenus des enfants, capables de juger de tout à la lumière de l'amour du Père.

Seuls les petits enfants peuvent être heureux dans ce monde ! Solidaires de toute la détresse des hommes, acceptant dans leur vie l'invasion du Dieu-Vivant, ils se rient, comme l'Innocent, du monde de la puissance.

1. Le Dieu du pauvre et de l'angoissé

Les Béatitudes, c'est le mystère du Dieu vivant venant sauver les pauvres et les angoissés qui se confient en lui.

« Il n'a point méprisé, ni dédaigné la prière du pauvre » (Ps 22, 25). Oui, Dieu, le Dieu du pardon et de la bonté (Ps 86, 5), se penche avec tendresse sur le pauvre qui crie vers lui dans l'angoisse, dans la solitude, plongé dans le gouffre horrible de la souffrance, de la maladie ou de la mort (cf. Ps 22 et 69).

Angoisse du pauvre, regard de Dieu d'une infinie miséricorde, c'est le cœur de toute l'histoire d'Israël, comme le montre la traduction des Psaumes dans les Septante, qui insiste avec une particulière netteté sur l'angoisse :

Tourne-toi vers moi, pitié pour moi,
car je suis solitaire et *pauvre*.
Les *angoisses* de mon cœur s'amplifient,
de mes anxiétés délivre-moi ! (Ps 25, 16-17).

Tends l'oreille, Seigneur écoute-moi,
car je suis *pauvre et indigent*
Au jour de l'*angoisse* j'ai crié vers toi,
car tu m'as écouté (Ps 86, 1, 7).

Quel étonnant refrain que celui du Ps 34 :

Un *pauvre* a crié, le Seigneur l'a écouté,
et de toutes ses angoisses, il l'a sauvé.
Les justes ont crié, le Seigneur les a écoutés,
et de toutes leurs *angoisses* il les a délivrés.

> Nombreuses sont les *angoisses* des justes
> et de toutes il les délivrera ! (Ps 34, 7. 18. 20).

ou celui du Ps 107 :

> Ils criaient vers le Seigneur dans *l'angoisse*,
> et de toutes leurs nécessités il les a délivrés (Ps 107, 6. 13. 19. 28.).

Et le psaume 43, grande lamentation nationale, culmine en ce cri suprême :

> A cause de toi, l'on nous met à mort tout le long du jour,
> nous avons passé pour des brebis d'abattoir.
> Réveille-toi, pourquoi dors-tu, Seigneur ?
> Lève-toi, ne rejette pas jusqu'à la fin !
> Pourquoi détournes-tu ta face,
> oublies-tu *notre pauvreté et notre angoisse* (Ps 43, 23-25).

Comme le chante le Ps 22, le pauvre qui passe par la souffrance est délivré par son Seigneur !

C'est à ces pauvres, qui ont si souvent médité le destin du Serviteur, que Dieu, Sauveur des humbles (Ps 18, 28), promet son salut :

> L'Esprit du Seigneur Yahvé est sur moi,
> car Yahvé m'a oint.
> Il m'a envoyé porter la bonne nouvelle aux pauvres,
> panser les cœurs meurtris ;
> annoncer aux captifs l'amnistie
> et aux prisonniers la liberté ;
> annoncer une année de grâce de la part de Yahvé,
> un jour de vengeance pour notre Dieu,
> pour consoler les affligés et leur donner
> un diadème au lieu de cendre,
> l'huile de joie à la place d'un vêtement de deuil,
> la louange au lieu du désespoir... (Is 61, 1-4).

2. La fête de la tendresse miséricordieuse

Au cœur de notre monde de souffrance et d'angoisse, Dieu console les pauvres et les affligés ; il les sauve en les enveloppant dans le mystère de son Fils, le Serviteur.

Dans ce chant de l'Innocent que sont les Béatitudes, éclate la fête divine, celle de la Nouvelle Alliance, celle même que le mal ne pourra entamer ni ravir, la fête de ceux qui partagent la joie du Serviteur infiniment faible et misérable, mais gardé par l'amour de son Père, la joie de celui qui voit dans la Croix son heure.

Les Béatitudes, mais c'est le bonheur de ceux qui partagent la joie du Fils marchant vers son destin, la joie de ceux qui à travers toutes les épreuves se nourrissent de la volonté du Père.

La joie de Jésus, c'est l'exultation devant le moindre rayon de lumière, le moindre lys des champs vêtu par le Père, le moindre des oiseaux du ciel, devant le monde reçu de Dieu dans sa transparence.

C'est la joie de la rencontre avec tous les petits et tous ceux qui cherchent la paix de Dieu, l'émerveillement devant la foi qui jaillit au cœur des pauvres.

C'est la joie du Fils devant le plan de salut de son Père :

> « Je te bénis, Père, Seigneur du ciel et de la terre, d'avoir caché cela aux sages et aux habiles et de l'avoir révélé aux tout-petits. Oui, Père, car tel a été ton bon plaisir. Tout m'a été remis par mon Père et nul ne connaît le Fils si ce n'est le Père, comme nul ne connaît le Père si ce n'est le Fils, et celui à qui le Fils veut bien le révéler » (Mt 11, 25-27).

C'est la joie de la connaissance que le Père et le Fils ont l'un de l'autre dans l'amour.

C'est la joie de celui qui est humble dans son comportement de Messie, humble aussi devant les hommes, plein de compréhension, de modestie, de douceur (Mt 11, 28-30 ; 12, 19-20).

C'est la joie du Fils qui exulte devant la puissance de son Père manifesté dans ses miracles.

C'est en définitive la joie de la marche à la Croix.

Joie de pauvre !

Car la joie de Jésus, c'est la joie de l'affligé, du pauvre traqué de partout qui, si souvent, a dû s'enfuir pour échapper à la mort, de celui qui est brisé par le péché du monde ! En lui quel gémissement devant l'injustice, le mal, la souffrance, le péché (Mc 8, 12 ; Mt 23, 13-32), quel frémissement devant l'incroyance (Jn 11, 33-38), quelle souffrance devant le refus de Jérusalem (Mt 23, 37-39) !

Jésus, comme le pauvre du Ps 22, se livre à son Père pour être délivré. « Que ceux qui souffrent selon le vouloir divin remettent leurs âmes au Créateur fidèle » (1 P 4, 19 ; cf. Lc 23, 46).

La Croix, suprême béatitude, celle de la protection du Père.

3. Souffrants et pauvres, joyeux et riches (2 Co 6, 10).

Les disciples de Jésus ne sont pas arrachés de ce monde : comme des pauvres, ils continuent de connaître l'angoisse, la souffrance, la mort, mais au cœur de toutes ces épreuves, ils connaissent la joie et l'amour de Jésus.

Paul le sait bien, qui rappelle explicitement, par la citation du Ps 43, l'angoisse eschatologique des pauvres !

Qui nous séparera de l'amour du Christ ? La tribulation, l'angoisse, la persécution, la faim, la nudité, les périls, le glaive, selon le mot de l'Ecriture : *A cause de toi l'on nous met à mort tout le long du jour, nous avons passé pour des brebis d'abattoir.* Mais en tout cela nous n'avons aucune peine à triompher par celui qui nous a aimés.

Oui, j'en ai l'assurance, ni mort ni vie, ni anges, ni principautés, ni présent ni avenir, ni puissance, ni hauteur ni profondeur, ni aucune autre créature ne pourra nous séparer de l'amour de Dieu manifesté dans le Christ Jésus notre Seigneur (Rm 8, 35-39).

Quel hymne à la joie des chrétiens qui exultent de joie dans leur pauvreté !

Dans l'épreuve de multiples angoisses
il y a surabondance de leur joie,
et la profondeur de leur pauvreté
a surabondé en richesse de générosité (2 Co 8, 2).

3. Miséricordieux comme le Père (Lc 6, 36)

Ainsi, c'est dans la faiblesse de la chair — la faiblesse de la condition humaine empêtrée dans la misère et le péché de ce monde — que se dévoile le mystère de l'action salvatrice de Dieu.

Dieu est assez puissant pour faire rayonner son amour et sa joie au plus profond d'êtres humiliés, contredits, persécutés ; enveloppant ceux qui croient en son Fils de sa douce miséricorde, il en fait des êtres pleins de compassion pour leurs frères.

Consolés par Dieu, les chrétiens peuvent, en effet, consoler leurs frères en quelque affliction que ce soit (cf. 2 Co

1, 3-4). Ils doivent devenir, à l'image du Père, des êtres de miséricorde, qui aiment leurs ennemis, qui triomphent du mal par la constance à faire le bien gratuitement, sans rien attendre en retour (Lc 6, 35), qui bénissent leurs adversaires et qui, comme Jésus sur la Croix, prient pour ceux qui leur font violence (cf. Lc 6, 28).

« Soyez miséricordieux comme votre Père est miséricordieux (Lc 6, 36).

Tel est le commandement du Seigneur à ses disciples et, au soir de sa vie, en lavant les pieds de ses Apôtres, comme l'esclave, et en leur dévoilant par là le sens de sa Passion, il leur a fait connaître la *mesure divine* de cette miséricorde. Mesure infinie, qui évoque l'incroyable réponse du Seigneur à Pierre qui, au terme d'un effort sans doute méritoire, proposait de pardonner jusqu'à sept fois :

« Je ne te dis pas jusqu'à sept fois mais soixante dix-sept fois sept fois » (cf. Mt 18, 21-22 ; Lc 17, 4).

A l'image de son Sauveur, le disciple pousse le jeu de l'amour, et par là du pardon, jusqu'à ses plus extrêmes limites.

Comme son Maître, il est tenu d'aimer *jusqu'au bout* (Jn 13, 1) ; il se distingue des autres hommes (cf. Lc 6, 32-34 ; Mt 5, 46-47) par l'amour des ennemis, le pardon des offenses, la bénédiction pour ceux qui le maudissent, c'est-à-dire par la gratuité et la générosité de son amour.

Luc a si bien perçu l'originalité et la nouveauté de cette conduite qu'il a placé tout le discours de Jésus sur ce sujet (Lc 6, 27-38) après l'énoncé des Béatitudes (Lc 6, 20-23) : elle reflète la miséricorde du Père, elle est le signe de la filiation divine et elle jaillit tout naturellement de l'expérience personnelle que le disciple a faite de la miséricorde absolument gratuite de Dieu.

Le pardon des offenses est d'ailleurs une démarche si fondamentale aux yeux de Jésus qu'il l'a commenté solennellement par une parabole (Mt 18, 23-35) et qu'il en a fait une demande essentielle de la prière (cf. le Pater, Mt 6, 12).

Rien ne décrit plus exactement ce que Jésus demande à celui qui le suit que les paroles tellement provocantes du Sermon sur la Montagne :

« Eh bien ! moi je vous dis de ne pas tenir tête au méchant, au contraire : quelqu'un te donne-t-il un soufflet sur la joue droite, tends-lui encore l'autre ; veut-il te faire un procès et prendre ta tunique, laisse-lui même ton manteau ; te requiert-il pour une course d'un mille, fais-en deux avec lui. A qui te demande, donne ; à qui veut t'emprunter ne tourne pas le dos » (Mt 5, 39-43).

Appel à une attitude dont la portée devient claire dès qu'on a saisi que Jésus demande qu'on l'imite *dans son mystère de Serviteur.*

Cinq des mots de Matthieu 5, 39-40 (en grec *anthistèmi* ; *rapizô, siagôn, strephô, krinô*), renvoient, en effet, explicitement à Isaïe 50, 6-8 (en grec) :

J'ai tendu le dos à ceux qui me frappaient,
les joues à ceux qui m'arrachaient la barbe,
je n'ai pas soustrait ma face
aux outrages et aux crachats (Is. 50, 6).

Et même si les coïncidences verbales n'étaient pas par elles-mêmes significatives, il serait clair que l'héroïsme dans la souffrance et le support des injures évoque la patience généreuse du Serviteur (Is. 50, 6-8 ; 53, 7).

La loi qui régit son destin de Serviteur abaissé et exalté (Is 52, 13-14), Jésus l'étend d'ailleurs à tous ses disciples lorsqu'il s'écrit :

« Quiconque s'élèvera sera abaissé, et quiconque s'abaissera sera élevé » (Mt 23, 12 ; Lc 14, 11 ; 18, 14).

En les engageant à le suivre comme Serviteur, Jésus définit nettement le programme de sa vie et de la leur : être l'*esclave* agenouillé aux pieds de ses frères (Jn 13, 1-5).

Jésus les invite donc à vivre d'un amour qui exclut délibérément et radicalement toute violence : ce n'est qu'à ce prix qu'ils pourront être pour les hommes la manifestation de l'infinie miséricorde, le sel de la terre et la lumière du monde (Mt 5, 13-14 ; — noter qu'après l'hymne aux Philippiens et son invitation à imiter Jésus dans sa miséricorde et son humilité, Paul parle, lui aussi, des chrétiens comme foyers de lumière (Ph. 2, 15).

Et tous les apôtres, et Paul a leur suite, ne cessent à leur tour de demander à chaque chrétien d'estimer « par humilité les autres supérieurs à soi », de « chercher non ses intérêts propres » mais plutôt « ceux des autres » (Ph 2, 3-4), bref d'avoir en soi « les sentiments qui furent dans le Christ Jésus » (Ph 2, 5) et de se faire « l'esclave de tous » (1 Co 9, 19).

Mépriser le petit, le faible, c'est pécher contre le cœur même du mystère de Jésus, comme l'enseignent Matthieu (Mt 18, 1-35) et Paul.

Et ta science alors va faire périr le faible, ce faible pour qui le Christ est mort ! En péchant ainsi contre vos frères, en blessant leur conscience qui est faible, c'est contre le Christ que vous péchez. C'est pourquoi, si un aliment doit causer la chute de mon frère, je me passerai de viande à tout jamais, afin de ne pas causer la chute de mon frère (1 Co 8, 11-13).

Les chrétiens n'ont ainsi qu'une dette à l'égard de leurs frères, celle de les aimer : « N'ayez de dettes envers personne, sinon celle de l'amour mutuel » (Rm 13, 8). Mais cette dette est impossible à payer, car elle est infinie, ou plutôt, seul peut y répondre le don de la vie à l'imitation de Jésus.

Oui, cherchez à imiter Dieu, comme des enfants bien-aimés et suivez la voie de l'amour, à l'exemple du Christ qui vous a aimés et s'est livré pour vous, s'offrant à Dieu en sacrifice d'agréable odeur (Ep 5, 1).

Les Béatitudes, c'est donc la lumière de l'*Esprit*, éclairant de l'intelligence du *Serviteur*, de la lumière bienheureuse de l'amour du Père, toute notre vie et la baignant de sa tendresse.

Les Béatitudes, c'est la *bonté* du Dieu trinitaire imprégnant notre vie et la transfigurant. C'est l'intelligence de l'homme, *c'est l'intelligence de notre vie dans la suavité de Dieu.*

Les Béatitudes, c'est la présence de la *joie de Dieu* dans une situation existentielle de malheur. C'est la *gloire de Dieu* pénétrant notre vie de ses énergies vivifiantes.

Les Béatitudes, c'est la joie que nous voyons transparaître dans les Apôtres Pierre, Paul et Jean devenus des enfants entre les mains de leur Père. A travers leurs visages d'hommes affrontés à la persécution et à la mort, mais surabondant de joie, nous comprendrons mieux encore ce que peut signifier pour un homme d'être pris par l'action de Dieu et par sa joie, cette joie « que nul ne peut lui ravir » (Jn 16, 22).

23

Pierre,
la rencontre de l'Innocent

Pierre occupe dans l'Evangile une place privilégiée. Son nom, à lui seul, y revient à cent cinquante-trois reprises, alors que la mention des autres Apôtres ne dépasse pas la vingtaine de fois. Et, de toute évidence, c'est de son rapport spécial à l'Innocent qu'il tient sa position originale.

A) *LE MYSTERE DE PIERRE*

Les textes évangéliques concernant Pierre sont parmi les plus paradoxaux de tout l'Evangile !

1. Le texte de Matthieu

Que le récit de Matthieu 16, 13-23 soit l'un des quiproquos les plus étonnants de toute l'histoire évangélique, c'est là sans doute une des garanties les plus sûres de son authenticité.

Considérons *comme un tout* le passage de Matthieu 16, 13-23. Il serait, en effet, illégitime de séparer Mt 16, 13-20 de Mt 16, 21-23, car le soin avec lequel l'évangéliste s'applique à faire sentir, grâce à des termes antithétiques et complémentaires, le mystère de la personne et de la fonction de Pierre dans l'Eglise est, à coup sûr, l'indice d'un enseignement évangélique de toute première importance.

Arrivé dans la région de Césarée de Philippe, Jésus posa à ses disciples cette question : « Au dire des gens, qu'est le Fils de l'homme ? Ils dirent : « Pour les uns, il est Jean-Baptiste ; pour d'autres, Elie ; pour d'autres encore, Jérémie ou quelqu'un des prophètes. » « Mais pour vous, leur dit-il, qui suis-je ? » Prenant alors la parole, Simon-Pierre répondit : « Tu es le Christ, le Fils du Dieu vivant. » En réponse, Jésus lui déclara : « Tu es heureux, Simon, fils de Jonas, car cette révélation t'est venue, non de la chair et du sang, mais de mon Père qui est dans les cieux. Eh bien ! moi, je te dis : Tu es Pierre, et sur cette pierre je bâtirai mon Eglise, et les Portes de l'Hadès ne tiendront pas contre elle. Je te donnerai les clefs du Royaume des Cieux, et quoi que tu délies sur la terre, ce sera tenu dans les cieux pour délié. » Alors il recommanda aux disciples de ne dire à personne qu'il était le Christ.

A dater de ce jour, Jésus commença de montrer à ses disciples qu'il lui fallait s'en aller à Jérusalem, y souffrir beaucoup de la part des anciens, des grands prêtres et des scribes, être mis à mort et, le troisième jour, ressusciter. Pierre, le tirant à lui, se mit à le morigéner en disant : « Dieu t'en préserve, Seigneur ! Non, cela ne t'arrivera point ! » Mais lui, se retournant, dit à Pierre : « Passe derrière moi, Satan ! tu m'es une pierre de scandale car tes pensées ne sont pas celles de Dieu, mais celles des hommes » (Mt 16, 13-23).

On ne peut que s'émerveiller devant le parallèle délibérément établi entre le « Tu es le Christ » de Pierre et le « Tu es Pierre » de Jésus ! Mais quel étonnement devant la violence paradoxale de retournement de situation :

A celui à qui Jésus disait : « Tu es bienheureux Simon... » (Mt 16, 17) voici qu'il dit : « Arrière de moi, Satan » (Mt 16, 23).

Celui qui avait reçu un incomparable éloge : « Ce n'est pas la chair et le sang... qui t'ont révélé cela, mais mon Père qui est dans les cieux » (Mt 16, 17), s'entend dire : « Tes vues ne sont pas celles de Dieu, mais celles des hommes » (Mt 16, 23).

Celui qui se trouvait placé par Jésus au fondement de son Eglise : « Tu es Pierre » (Mt 16, 18) devient motif de scandale : « Tu m'es une pierre de scandale » (Mt 16, 23).

Un petit tableau peut récapituler ces paradoxes :

— « Tu es bienheureux, Simon » (Mt 16, 17).	— « Arrière de moi Satan ! » (Mt 16, 23).
— « Ce n'est pas la chair et	— « Tes vues ne sont pas

le sang qui t'ont révélé cela mais mon Père qui est dans les cieux » (Mt 16, 17).	celles de Dieu, mais celles des hommes ! » (Mt 16, 23).
— « Tu es Pierre » (Mt 16, 18).	— « Tu m'es une pierre de scandale » (Mt 16, 23).

Quel est l'enseignement capital que nous transmettent ces antithèses inattendues, structuralement construites pour frapper et retenir l'attention ? Essayons de le discerner.

a) *Celui qui est destiné à être la pierre de l'Eglise est celui-là même qui se met en travers du destin du Serviteur.*

Pierre est paradoxalement celui qui confesse le Christ, mais aussi — et nous l'avons vu tout au long du chapitre 11 —, celui qui s'oppose au destin de mort et de résurrection prophétisé par Jésus, et qui renouvelle pour lui la tentation du désert. Il récuse la voie d'obéissance et d'humiliation du Serviteur.

C'est ce qui explique qu'il achoppera au mystère du Serviteur qu'il reniera.

D'ailleurs, au moment même où il annonce à Pierre sa trahison, Jésus, en instituant l'eucharistie, dévoile le sens de sa mort de Serviteur souffrant. Et la citation qu'il fait de Zacharie : « Je frapperai le pasteur et les brebis seront dispersées » (Mt 26, 31) accuse encore davantage la portée de son geste.

Pierre est donc le disciple qui, par sa conduite, nie le Christ dans son mystère le plus intime et le plus spécifique : celui de Serviteur.

Et voilà que, de son autorité proprement divine, Jésus décide de lui donner *un nom nouveau.*

Un nom nouveau qui, comme celui d'Abraham, atteste dans quelle nouveauté va être recréé le peuple de Dieu.

Un nom extraordinaire, un nom appartenant en propre au Christ, celui de Pierre, qui signifie au cœur même de l'Eglise le mystère du Serviteur, ce mystère de mort et de résurrection sur lequel elle sera bâtie.

C'est, en effet, très précisément comme Serviteur, rejeté et élevé, c'est-à-dire comme pierre rejetée par les bâtisseurs et établie par Dieu dans la résurrection comme pierre angulaire (cf. Ac 4, 11), que le Christ lui-même est pierre.

b) *Le fait que le Christ ait choisi comme pierre de l'Eglise celui-là même qui a nié ce qu'il y a de plus spécifique dans son propre mystère a une profonde signification dans le dessein de Dieu.*

Dans le contexte que nous venons d'analyser, la liberté de choix du Christ apparaît souveraine. Il sait que son disciple le reniera, au cœur même de sa Passion, et cependant il le choisit dans une gratuité absolue.

Pierre qui, à l'encontre de l'obéissance du Serviteur, s'affirme dans l'autonomie de sa liberté, n'est constitué chef et pierre de l'Eglise que par le regard de miséricorde du Serviteur, désormais posé sur lui.

De lui-même, il n'a aucune consistance ; il est le témoin par excellence de la faiblesse de la chair, c'est-à-dire du monde humain qui n'est pas animé par l'Esprit.

Il avait besoin de se briser contre le Serviteur pour pouvoir être *reconstruit* dans sa Résurrection.

C'est donc très précisément parce qu'il a nié ce qu'il y a de plus profond dans son mystère que Jésus le fait pierre de l'Eglise.

Le mystère de Pierre apparaît ainsi au cœur même de l'Evangile et de l'Eglise. Il manifeste la logique paradoxale de l'Evangile, résumée dans le mot de Paul :

> Ce qui n'était pas, Dieu l'a choisi pour réduire à néant ce qui est, afin que nulle chair ne se glorifie (1 Co 1, 28).

Il est dès lors évident que Pierre n'est pas dans l'Eglise un chef au sens ordinaire de ce mot. La nature du rôle qu'il joue dans l'Eglise dépend tout entière du mystère propre du Serviteur : elle a une spécificité toute particulière, fondée qu'elle est dans la spécificité même du mystère du Christ.

c) *Il fallait que dans le chef visible de l'Eglise fût vaincue la tentation qui demeure celle de toute l'Eglise.*

Pour être érigé comme chef de l'Eglise — c'est-à-dire comme celui qui porte et manifeste *visiblement* dans sa personne tout le mystère de l'Eglise —, Pierre avait besoin de triompher de son messianisme temporel et de s'ouvrir dans les larmes (Mt 26, 75) au mystère du Serviteur.

Pécheur niant le mystère du Christ dans ce qu'il a de plus essentiel mais aussi de plus caché, mais pécheur pardonné grâce au choix libre du Seigneur, Pierre symbolise visiblement en lui la vie de toute l'Eglise.

L'enseignement de Matthieu est d'une logique évangélique absolument merveilleuse : le chef de l'Eglise ne peut être qu'un pécheur pardonné, tout dépendant de la grâce divine.

Fondée dans la mort et dans la Résurrection du Christ, l'Eglise ne peut, en effet, subsister que si elle s'engage comme l'épouse sur la voie de son Epoux, c'est-à-dire sur le chemin du Serviteur.

Il fallait donc que fût principiellement vaincue en elle, c'est-à-dire dans son chef, malgré toutes les tentations qu'elle connaîtra, la tendance qu'elle pourrait avoir à marcher par une autre voie que celle du Serviteur. Il faut qu'il y ait visiblement en elle quelqu'un qui l'empêche de dévier et qui la maintienne sur le cap véritable : la mort et la résurrection du Serviteur. Comme la pierre qui rappelle que le Christ est à la fois pierre rejetée et pierre angulaire, Pierre a la charge de maintenir dans l'Eglise la foi en la plénitude du mystère du Serviteur et la participation à sa vie.

Dans sa personne même, l'Apôtre Pierre est le signe de l'apostolicité et de la catholicité de l'Eglise donnée dans la Croix et la Résurrection.

L'Eglise repose ainsi sur une pierre visible qui ne fait pas écran au Christ, au contraire : elle n'est rien par elle-même, elle renvoie sans cesse à celui qui est la pierre par excellence.

d) *La pierre contre laquelle se brisent les forces infernales.*

Au cœur de la tentation eschatologique qui, à partir de la Croix, secouera l'Eglise jusqu'à la fin des temps, Pierre est la pierre contre laquelle, par pure grâce de Dieu, Satan ne peut prévaloir : il est la pierre toute dépendante de la pierre sur laquelle s'est brisé Satan ; établi comme *pierre* par le Christ, il est le point de rassemblement de l'Eglise entière, parce qu'il la réfère incessamment, comme chef, dans le mystère de sa personne, à la mort et à la résurrection du Serviteur.

Ainsi, dans sa personne, Pierre dit *visiblement* tout le mystère de l'Eglise ; il signifie visiblement que l'Eglise est tout entière suspendue à la pure grâce de Dieu donnée dans la mort et la résurrection du Serviteur.

Fondement de l'Eglise, signifiant la gratuité souveraine de la grâce de Dieu, il est comme le sceau du Serviteur sur le front de l'Eglise : dans la dépendance du Christ, il est à la fois son signe d'humilité et son signe de contradiction.

2. Le texte de Marc

Mais, dira-t-on, Marc ne rend-il pas un son totalement différent, puisque Jésus n'y prononce pas le moindre éloge de la *confession* de Pierre !

Ne serait-il pas préférable de dire que le récit de cet évangéliste rapporte essentiellement le récit de la « tentation de Jésus par Pierre, instrument de Satan » ? Au dire de certains, Pierre devait avoir dans l'esprit la conception proprement diabolique du rôle politique du Messie, partagée par la majorité des juifs et récusant pour lui la souffrance. En le reprenant : « Arrière, Satan ! », Jésus ne ferait que rejeter une confession proprement politique. Loin de parler de confession, il faudrait parler exclusivement de tentation.

Pareille exégèse nous paraît insoutenable.

Lorsqu'il confesse le Christ : « Tu es le Christ », Pierre n'est pas l'instrument de Satan. Il est l'instrument de Dieu, mais sa confession comporte *nécessairement* — en raison de la dénivellation de plans entre le Christ et ses disciples, que nous avons étudiée tout au long de ce livre — un élément d'équivoque, que seule la compréhension du Serviteur ressuscité fera disparaître. Au moment même où il confesse le Christ, Pierre ne pouvait se dégager de toute ambiguïté.

D'ailleurs, Pierre occupe une place de premier plan dans l'évangile de Marc :

> « Allez dire à ses disciples, *et notamment à Pierre,* qu'il vous *précède en Galilée* » (Mc 16, 7).

Et, plus qu'aucun autre, Marc souligne la faiblesse de Pierre et de son reniement :

> Pierre se ressouvint de la parole que Jésus lui avait dite : « Avant que le coq chante deux fois, tu m'auras renié trois fois. » Et il éclata en sanglots (Mc 14, 72).

3. LE TEXTE DE LUC

C'est de la même façon paradoxale qu'est attesté chez Luc et Jean ce mystère de la personne et de la fonction de Pierre dans l'Eglise.

Dans Luc, c'est au moment où le Serviteur dévoile dans l'eucharistie le sens de sa vie de Serviteur souffrant, au moment où, devant ses Apôtres, il s'affirme comme celui qui sert, que le mystère de la personne de Pierre se trouve mis en lumière.

Simon est celui qui renie le mystère du Serviteur mais qui est sauvé par la prière du Serviteur qui intercède pour les pécheurs (Is 53, 12) en disant : « Père, pardonne-leur, car ils ne savent ce qu'ils font » (Lc 23, 34).

Le contraste du texte de Luc est lui aussi vraiment saisissant :

> « Simon, Simon, voici que Satan vous a réclamés pour vous cribler comme le froment ; mais j'ai prié pour toi, afin que ta foi ne défaille pas. Toi donc, quand tu seras converti, affermis tes frères » (Lc 22, 31-32).

Le rôle que Pierre doit jouer dans l'Eglise est plus solennellement affirmé que jamais, mais en même temps quelle insistance sur la faiblesse de l'Apôtre au cœur même de la Passion ! C'est vraiment intentionnellement que le Christ appelle Pierre de son nom de faiblesse : *Simon.*

Pierre est le chef qui ne repose que sur la prière toute spéciale du Christ s'offrant à la mort de la Croix, et qui peut ainsi déjouer pour l'Eglise les pièges de Satan.

Le paradoxe de la faiblesse de Pierre et de la grandeur de son rôle fondé sur la gratuité de la prière divine est d'autant plus affirmé que ce dialogue entre le Christ et Pierre se déroule immédiatement après la dispute entre les Apôtres, qui se demandent, au cœur même de la dernière Cène, quel sera le premier dans le Royaume.

Comme tous les Apôtres, mais plus encore qu'eux tous, parce qu'il doit être le premier, Pierre a besoin d'avoir expérimenté sa radicale impuissance : il ne subsiste comme chef de l'Eglise, capable de confirmer ses frères, que dans la prière du Sauveur, qui a fixé sur lui son regard (Lc 22, 61).

4. Les textes de Jean

En Jean, Pierre confesse le Christ, comme en Matthieu. Après la multiplication des pains, nous avons de lui une confession remarquable :

Jean dit alors aux Douze : « Voulez-vous partir, vous aussi ? » Simon-Pierre lui répondit : « Seigneur, à qui irons-nous ? Tu as les paroles de la vie éternelle. Nous croyons, nous, et nous savons que tu es le Saint de Dieu » (Jn 6, 67-69).

Mais, comme chez Matthieu, il achoppe au mystère du Serviteur souffrant. Et la scène qui nous le raconte est au cœur même de la Passion :

Il vient donc à Simon-Pierre, qui lui dit : « Toi, Seigneur, me laver les pieds ! » Jésus lui répondit : « Ce que je fais, tu ne le sais pas maintenant ; tu comprendras plus tard. » — « Tu ne me laveras pas les pieds, lui dit Pierre, Non, jamais ! » Jésus lui répondit : « Si je ne te lave pas, tu n'as pas de part avec moi. » — « Alors, Seigneur, lui dit Simon-Pierre, pas les pieds seulement, mais aussi les mains et la tête ! » (Jn 13, 6-9).

Jésus se définit comme le Serviteur, et Pierre butte devant cette révélation. Et, au moment de l'arrestation, Pierre apparaît comme celui qui, par la violence, voudrait empêcher l'arrestation de son Maître :

Alors Simon-Pierre, qui portait un glaive, le tira ; il en frappa le serviteur du grand prêtre et lui trancha l'oreille droite. Ce serviteur s'appelait Malchus. Jésus dit à Pierre : « Remets ton glaive dans le fourreau. La coupe que m'a donnée le Père, ne la boirai-je pas ? » (Jn 18, 10-11).

C'est la même logique spirituelle que celle de Matthieu : Pierre rêve d'un Messie triomphateur, d'un Messie libérateur politique, et Jésus lui présente le visage du Serviteur, qui vient prendre la place des coupables en acceptant sur lui le châtiment. Dès lors tout suit son cours : Pierre ne peut que renier son Seigneur, qui a le visage du Serviteur.

La logique de l'Evangile est d'ailleurs admirable : c'est un parent de Malchus, dont l'oreille avait été tranchée par Pierre, qui le reconnaît : « Ne t'ai-je pas vu dans le jardin avec lui ? » (Jn 18, 26) et l'amène ainsi à trahir son Maître.

Lors de l'apparition du Ressuscité à Pierre, l'opposition paradoxale entre la triple exigence d'amour et le triple reniement (Jn 21, 15-17) est si accusée que Pierre en est tout contristé ! Elle souligne chez Jean, comme chez Matthieu, l'opposition entre la faiblesse de Pierre et la miséricorde infinie de son Maître.

L'intronisation de Pierre comme Pasteur des brebis (Jn 21, 17) renvoie d'une part au mystère de Jésus renié sous son aspect de Serviteur, d'autre part au mystère du Christ Pasteur, c'est-à-dire Serviteur donnant sa vie pour ses brebis.

Et Jésus annonce à Pierre qu'il connaîtra un destin analogue au sien :

« Un autre te nouera ta ceinture et te mèneras où tu ne voudrais pas. » Il indiquait par là le genre de mort par lequel Pierre devait glorifier Dieu (Jn 21, 19).

Affirmation qui renvoie de toute évidence aux paroles du Christ témoignant de son mystère de Serviteur : « Il signifiait par là de quelle mort il allait mourir » (Jn 12, 33), mort qui est glorification du Père (Jn 13, 31).

Pierre, qui en s'affirmant dans son autonomie s'était opposé à l'obéissance du Serviteur, a désormais appris à son tour, grâce à la Croix et à la Résurrection, l'obéissance. Image du Serviteur, il peut dès lors être le Pasteur des brebis et offrir sa vie pour elles.

B) *LA CONSCIENCE DE PIERRE*

Les évangiles nous révèlent ainsi la structure dramatique de la rencontre de Pierre et de son Seigneur. Ils attestent la transfiguration que la Résurrection a fait subir à cette rencontre : c'est dans le mystère de la mort et de la résurrection du Serviteur, dans le don de l'Esprit, que Pierre est devenu le Pasteur, le témoin par excellence du Serviteur souffrant et glorifié, de la pierre rejetée et agréée.

« Dieu, lui, a ainsi accompli ce qu'il avait annoncé d'avance par la bouche de tous les prophètes, que son Christ souffrirait » (Ac 3, 18).

« C'est lui la pierre que vous, les bâtisseurs, avez dédaignée, et qui est devenue la pierre d'angle. Car il n'y a pas sous le ciel d'autre nom donné aux hommes, par lequel il nous faille être sauvés » (Ac 4, 11-12).

Que Pierre ait été comme choqué par cette rencontre qu'il fit de l'Innocent, et qu'il en soit resté à jamais marqué, le texte de la première épître de Pierre le montre bien. Pierre ne cesse de penser au mystère du Serviteur, qui est le Pasteur :

Car vous étiez égarés comme des brebis, mais à présent vous êtes retournés vers le pasteur et le gardien de vos âmes (1 P 2, 25).

« Paissez le troupeau de Dieu qui vous est confié, le surveillant, non par contrainte, mais de bon gré, selon Dieu ; non pour un grain sordide, mais avec l'élan du cœur, non pas en faisant les seigneurs à l'égard de ceux qui vous sont échus en partage, mais en devenant les modèles du troupeau. Et quand paraîtra le Chef des pasteurs, vous recevrez la couronne de gloire qui ne se flétrit pas (1 P 5, 2-4).

Il y a là, de toute évidence, allusion à la parabole johannique du bon Pasteur (Jn 10), ainsi qu'à l'ordre donné à Pierre par le Ressuscité : « Pais mes agneaux, pais mes brebis » (Jn 21, 15-17).

Parce que Pierre se souvient qu'il est *pierre* (Mt 16, 18), il a élaboré une théologie du Christ :

... pierre vivante, rejetée par les hommes, mais choisie, précieuse auprès de Dieu (1 P 2, 4).

Les chrétiens participent au mystère de la pierre qui est le Christ et, en définitive, la conduite chrétienne se définit par l'invitation à suivre le Serviteur et par le support pour Dieu de toutes les injustices :

Vous les domestiques, soyez soumis à vos maîtres, avec une profonde crainte, non seulement aux bons et aux bienveillants, mais aussi aux difficiles. Car c'est une grâce que de supporter, par égard pour Dieu, des peines que l'on souffre injustement. Quelle gloire, en effet, à supporter les coups si vous avez commis une faute ? Mais si, faisant le bien, vous supportez la souffrance, c'est une grâce auprès de Dieu.

Or, c'est à cela que vous avez été appelés, car le Christ aussi a souffert pour vous, vous laissant un modèle afin que vous suiviez ses traces, lui qui n'a pas commis de faute — et il ne s'est pas trouvé de fourberie dans sa bouche ; lui qui insulté ne rendait pas l'insulte, souffrant ne menaçait pas, mais s'en remettait à Celui qui juge avec justice ; lui qui, sur le bois, a porté lui-même nos fautes dans son corps, afin que, morts à nos fautes, nous vivons pour la justice ; lui dont la meurtrissure vous a guéris. Car vous étiez égarés comme des brebis, mais à présent vous êtes retournés vers le pasteur et le gardien de vos âmes (1 P 2, 18-25).

Cette ligne d'imitation du Serviteur conduit aux Béatitudes :

Heureux d'ailleurs, quand vous souffririez pour la justice. N'ayez d'eux aucune crainte et ne soyez pas troublés (1 P 3, 14).

La participation à la Croix est chose tout à fait normale : c'est l'accomplissement de la volonté de Dieu et c'est la source de la joie.

Dans la mesure où vous participez aux souffrances du Christ, réjouissez-vous, afin que, lors de la révélation de sa gloire, vous soyez aussi dans la joie et l'allégresse. Heureux, si vous êtes outragés pour le nom du Christ, car l'Esprit de gloire, l'Esprit de Dieu repose sur vous. Que nul de vous n'ait à souffrir comme meurtrier, ou voleur, ou malfaiteur, ou comme délateur, mais si c'est comme chrétien, qu'il n'ait pas honte, qu'il glorifie Dieu de porter ce nom. Car le moment est venu de commencer le jugement par la maison de Dieu. Or s'il débute par nous, quelle sera la fin de ceux qui refusent de croire à la Bonne Nouvelle de Dieu ? Si le juste est à peine sauvé, l'impie, le pécheur, où se montrera-t-il ? Ainsi, que ceux qui souffrent selon le vouloir divin remettent leurs âmes au Créateur fidèle, en faisant le bien (1 P 4, 13-19).

« Le moment est venu de commencer le jugement par la maison de Dieu. »

Affirmation d'une profondeur sans pareille ! L'Innocent, nous l'avons vu, attirait sur lui *le jugement* comme la foudre ! Et voilà que les chrétiens sont appelés à partager le même mystère à la mesure même de leur entrée dans le mystère de Dieu. La phrase suivante de saint Pierre évoque d'ailleurs le mot de Jésus marchant à la Croix : « Si l'on traite ainsi le bois vert, qu'adviendra-t-il du bois sec ? » (Lc 23, 31), tandis que la dernière phrase fait songer à la remise du Christ à son Père (Lc 23, 46).

Le conseil : « Nouez tous sur vous le sarrau de l'humilité » (1 P 5, 5) évoque enfin l'accoutrement d'esclave que le

Christ a pris lors du lavement des pieds (*égkombousthai*, signifie, en effet, boutonner un vêtement grossier, c'est-à-dire le tablier grossier que les travailleurs et les esclaves ajustaient sur leur tunique en vue de la protéger). Pierre, qui avait une raison spéciale de se rappeler ce geste d'abaissement contre lequel il s'était révolté, voit, comme Jean, toute la vie chrétienne sous le signe du Serviteur.

Le Serviteur est non seulement le fondement de toute l'existence mais aussi celui de la création tout entière : prophétisé au long des siècles (1 P 1, 10-11), n'est-il pas *l'Agneau immolé, discerné dès avant la création du monde* (1 P 1, 19-20) ?

C'est lui qui fait germer dans le cœur reconnaissant des chrétiens le chant de la bénédiction :

Béni soit Dieu, *le Père* de notre Seigneur Jésus-Christ : *dans sa grande miséricorde,* il nous a régénérés, par la résurrection de Jésus-Christ d'entre les morts, pour une vivante espérance, pour un héritage exempt de corruption, de souillure, de flétrissure, et qui vous est réservé dans les cieux, à vous que, par la foi, la puissance de Dieu garde pour le salut prêt à se révéler au dernier moment...

Sur ce salut ont porté les investigations et les recherches des prophètes, qui ont prophétisé sur la grâce à vous destinée. Ils ont cherché à découvrir quel temps et quelles circonstances avait en vue l'Esprit du Christ, qui était en eux, *quand il attestait à l'avance les souffrances du Christ et les gloires qui les suivraient...*

Sachez que ce n'est par rien de corruptible, argent ou or, que vous avez été affranchis de la vaine conduite héritée de vos pères, mais *par un sang précieux, comme d'un agneau sans reproche et sans tache, le Christ discerné avant la fondation du monde* et manifesté dans les derniers temps à cause de vous » (1 P 1, 3-5 ; 10-11 ; 18-20).

Ainsi c'est l'Agneau immolé *dès avant la création du monde* — cf. la déclaration de Jésus en Jn 17, 24, à laquelle renvoie la première épître de Pierre qui, on le sait, a de très profondes affinités avec Jean ; cf. aussi Jn 17, 5 et Ep 1, 4 ; cf. enfin l'*Agneau égorgé* de l'Apocalypse (Ap 5, 6 ; 5, 12) — qui nous fait participer à la bénédiction du Père des miséricordes : sur la Croix, il nous dévoile le mystère du Dieu vivant qui, *de toute éternité,* a librement décidé de se communiquer à nous pour faire de nous ses fils d'adoption.

C'est vraiment *dans la Croix* que se rejoignent toute l'histoire humaine et toute l'éternité de Dieu. En elle se rencontrent et s'épousent le temps et l'éternité, la liberté du Dieu qui, avant que le monde fût, a voulu tout instaurer dans l'Agneau immolé et la liberté humaine que Dieu sauve et transfigure.

L'Agneau immolé est la clé du mystère du Dieu miséricordieux qui, de toute éternité, nous enveloppe de l'amour même dont il aime son Fils. Il est le fondement de *tout,* au ciel et sur la terre.

24

Paul, la plénitude de la bénédiction

Comme elle est étonnante la rencontre que fit Pierre du Serviteur ! Lui, qui devait prendre la tête du peuple de Dieu tout entier, n'a-t-il pas fallu qu'il renie son Maître pour enfin n'être plus bâti que sur la Croix et la Résurrection ?

Et pourtant la rencontre de Paul et de Jésus est d'une originalité aussi surprenante. Lui, le pharisien (cf. Ph 3, 4-7) il a trouvé en travers de sa route le Serviteur identifié aux petits qu'il persécute : « Je suis ce Jésus que tu persécutes » (Ac 9, 5), et il est devenu l'imitateur de celui qui l'avait subjugué.

Ne fallait-il pas que ce soit un pharisien, bouleversé par la révélation du Serviteur, qui annonce au monde le salut de tous les païens ?

Le Christ Jésus est venu dans le monde pour sauver les pécheurs, dont je suis, moi, le premier. Et s'il m'a été fait miséricorde, c'est pour qu'en moi, le premier, Jésus-Christ manifestât toute sa longanimité, faisant de moi un exemple pour ceux qui doivent croire en lui en vue de la vie éternelle (1 Tm 1, 15-16 ; cf. 2 P 3, 15).

Seul un pharisien pouvait proclamer la splendeur de l'Evangile et de sa pure gratuité !

« Va, c'est au loin, vers les païens, que moi je veux t'envoyer » (Ac 22, 21).

1. Paul et le Serviteur

Les nombreuses allusions des épîtres ou des Actes à Isaïe 42-53 montrent que Paul évoque sa mission à travers ce qu'Isaïe dit de la mission du Serviteur. Les liens de Ga 1, 15-16 avec Is 42, 1 ont été souvent mis en lumière par les exégètes. Les allusions des Actes aux chants du Serviteur sont également bien connues.

En Ac 13, 47, Paul s'applique à lui-même Is 49, 6 :

Ainsi nous l'a ordonné le Seigneur :
Je t'ai établi lumière des nations
pour que tu portes le salut jusqu'aux extrémités de la terre (Ac 13, 47).

Dans le récit de sa vocation, les paroles du Seigneur envoient, elles aussi, à Is 42, 7-16 :

« Relève-toi et tiens-toi debout. Car voici pourquoi je te suis apparu : pour t'établir serviteur et témoin de la vision dans laquelle tu viens de me voir et de celles où je me montrerai encore à toi. C'est pour cela que je te délivrerai du peuple et des nations païennes, vers lesquelles je t'envoie, moi, pour leur ouvrir les yeux, afin qu'elles reviennent des ténèbres à la lumière et de l'empire de Satan à Dieu, et qu'elles obtiennent, par la foi en moi, la rémission de leurs péchés et une part d'héritage avec les sanctifiés » (Ac 26, 16-18).

Il semble même qu'il y ait trois annonces de la mort de Paul comme il y a trois annonces de la mort du Serviteur (« Otez de la terre un pareil individu » — Ac 22, 22 ; cf. « Il a été enlevé de la terre des vivants » — Is 53, 8).

La mission de l'Apôtre des Gentils se présente donc comme l'accomplissement des prophéties du Serviteur, dans une imitation de la vie et des souffrances du Christ.

2. L'extraordinaire paradoxe de la vie apostolique

C'est le mystère même du Serviteur acceptant la faiblesse de la Croix pour que se manifeste la puissance de Dieu qui fonde le paradoxe apostolique :

... il a été crucifié *en raison de sa faiblesse,* mais il est vivant de par la puissance de Dieu. Et nous aussi ; nous sommes faibles en lui, bien sûr, mais nous serons vivants avec lui, par la puissance de Dieu, dans notre conduite à votre égard (2 Co 13, 4).

Ce mystère de faiblesse traversée par la puissance de Dieu se résume dans la confidence de Paul :

Mais il (Dieu) m'a déclaré : « Ma grâce te suffit ; car *ma puissance se déploie dans la faiblesse.* » C'est donc de grand cœur que je me vanterai surtout de mes faiblesses, afin que repose sur moi la puissance du Christ. Oui, je me complais dans mes faiblesses, dans les outrages, les détresses, les persécutions, les angoisses endurées pour le Christ ; car *lorsque je suis faible, c'est alors que je suis fort* » (2 Co 12, 9-11).

L'étonnante vigueur de cette formule s'accroît encore du fait qu'elle s'insère au cœur du mouvement qui traverse les extraordinaires chapitres 11 et 12 de la deuxième épître aux Corinthiens.

C'est pour Paul son chant de l'Innocent !

Comme si le mystère du Christ ne pouvait se dire qu'en termes de folie !

Oh, si vous pouviez supporter de ma part un peu de folie... (2 Co 11, 1 ss).

Et voilà qu'avec une pureté admirable, s'élève d'un cœur d'homme livré, dans une dépossession complète, au don total et à la mort pour ses frères, l'hymne de l'amour jaloux du Dieu vivant.

Les traits distinctifs de l'Apôtre, ils sont là, éclatants : parfaite patience, signes, prodiges et miracles (2 Co 12, 12), amour humilié, vainqueur de toutes les humiliations par une générosité toujours plus forte, amour qui ne cherche aucun triomphe, mais qui veut simplement le bien de l'autre.

Notre désir n'est pas de paraître l'emporter dans l'épreuve, mais de vous voir faire le bien, et de succomber ainsi dans l'épreuve (2 Co 13, 7).

Dans son apostolat, Paul communie à la souffrance du Christ, à sa faiblesse, à sa mort (Ph 3, 10 ; Ga 2, 19).

Nous aussi nous sommes faibles *en lui* (2 Co 13, 4).

Pour lui je souffre jusqu'à porter des chaînes comme un malfaiteur. Mais la parole de Dieu n'est pas enchaînée. C'est pourquoi j'endure tout pour les élus, afin qu'eux aussi obtiennent le salut qui est dans le Christ Jésus avec la gloire éternelle (2 Tm 2, 9-11).

... je porte dans mon corps les marques de Jésus (Ga 6, 17)

De même, en effet, que les souffrances du Christ abondent pour nous, de même, par le Christ, abonde aussi notre consolation (2 Co 1, 5).

Nous portons partout et toujours en notre corps les souffrances de mort de Jésus, afin que la vie de Jésus soit, elle aussi, manifestée dans notre corps (2 Co 4, 10).

La mort, qu'est-ce donc sinon la participation de Paul au mystère du Serviteur ? C'est sa condition humiliée d'Apôtre (1 Co 2, 3-5 ; 2 Co 4, 7) ; ce sont les oppositions qu'il rencontre, sa souffrance pour le salut des autres (1 Co 15, 31), son désir d'être répandu en libation sur le sacrifice de la foi des fidèles (Ph 2, 17).

Oh ! il faut entendre Paul parler de l'angoisse apostolique qui le pénètre de part en part !

Labeur et fatigue, veilles fréquentes, faim et soif, jeûnes répétés, froid et nudité ! Et sans parler du reste, mon obsession quotidienne, le souci de toutes les Eglises ! Qui est faible, que je ne sois faible ? Qui vient à tomber qu'un feu ne me brûle ? (2 Co 11, 27).

Nous nous affirmons en tout comme des ministres de Dieu : par une grande constance dans les tribulations, dans les détresses, dans les angoisses, sous les coups, dans les prisons, dans les émeutes, dans les fatigues, dans les veilles, dans les jeûnes ; par la pureté, par la science, par la longanimité, par la bénignité, par un esprit saint, par une charité sans feinte, par la parole de vérité, par la puissance de Dieu, par les armes offensives et défensives de la justice ; dans l'honneur et l'humiliation, dans la mauvaise et la bonne réputation ; tenus pour imposteurs et pourtant véridiques ; pour gens obscurs, nous pourtant si connus ; pour gens qui vont mourir, et nous voilà vivants ; pour gens qu'on châtie, mais sans les mettre à mort ; pour affligés, nous qui sommes toujours joyeux ; pour pauvres, nous qui faisons tant de riches ; pour gens qui n'ont rien, nous qui possédons tout (2 Co 4, 3-10).

A travers cette vie broyée, qui participe à l'anéantissement du Christ (Ph 2, 7) à ses revers, à ses défaites, à ses humiliations, le ministère de l'Esprit laisse transparaître la puissance de vie du Christ :

Nous sommes pressés de toutes parts, mais non pas écrasés ; ne sachant qu'espérer, mais non désespérés, persécutés, mais non abandonnés ; terrassés mais non annihilés. *Nous portons partout et toujours en notre corps les souffrances de mort de Jésus afin que la vie de Jésus soit, elle aussi, manifestée dans notre corps.* Quoique vivants, en effet, nous sommes sans cesse livrés à la mort, à cause de Jésus, afin que la vie de Jésus soit, elle aussi, manifestée dans notre chair mortelle. Ainsi la mort fait son œuvre en nous, et la vie en vous (2 Co 4, 8-12).

A travers la mort de Jésus, la vie de Jésus se manifeste dans la vie mortelle de l'Apôtre (2 Co 4, 10-11) : il communique la joie de Dieu, il transmet les richesses du mystère (2 Co 6, 10).

Lui, le plus petit de tous (Ep 3, 8), le cadet, l'avorton (1 Co 15, 9), le voilà comblé des richesses divines au point d'en être l'intendant :

A moi, le plus infime de tous les saints, a été confiée cette grâce-là, d'annoncer aux païens l'insondable richesse du Christ.

Ainsi, ce que saint Paul appelle la faiblesse du Christ — nous sommes faibles en lui (2 Co 13, 4) — ou encore « la pauvreté angoissée du Christ dans sa chair mortelle » (Col 1, 24) devient le moyen voulu par Dieu pour la communication de ses trésors et de ses richesses, pour la transmission de son mystère.

Car Dieu, ce me semble, nous a, nous, les apôtres, exhibés au dernier rang, tels des condamnés à mort ; oui, nous avons été livrés en spectacle au monde, aux anges et aux hommes. *Nous sommes fous, nous, à cause du Christ* (1 Co 4, 9-10).

Oui, c'est là, nous l'avons déjà vu à propos des Béatitudes, une participation à l'angoisse eschatologique des pauvres, comme le montre la mention du Psaume 44 (cf. Rm 8, 36 ; Mc 10, 33) et à la folie de la Croix, qui récapitule toute la faiblesse des pauvres.

Voilà les Apôtres devenus, à l'image de Jésus, « le rebut de l'humanité » (Is 53, 3).

Nous sommes devenus comme l'ordure du monde jusqu'à présent, l'universel rebut (1 Co 4, 13).

L'apostolat est *folie*, parce que, dans son exercice, se déploie la Croix du Christ et sa puissance :

Nous sommes fous à cause du Christ. (1 Co 4, 10)

Il n'est pas d'expression plus éloquente pour dire le mystère de l'apostolat chrétien.

Ainsi, pour Paul, tout se résume dans la Croix du Christ :

Pour moi, que jamais je ne me glorifie sinon dans la croix de Notre Seigneur Jésus-Christ, qui a fait du monde un crucifié pour moi et moi un crucifié pour le monde (Ga 6, 14).

Pour cette Croix, il a *tout* considéré comme de la balayure :

Je tiens tout désormais pour désavantageux au prix du gain suréminent qu'est la connaissance du Christ Jésus, mon Seigneur. Pour lui j'ai accepté de tout perdre, je regarde tout comme déchets, afin de gagner le Christ et d'être trouvé en lui, n'ayant plus ma justice à moi, celle qui vient de la Loi, mais la justice par la foi au Christ, celle qui vient de Dieu et s'appuie sur la foi ; le connaître, lui, avec la puissance de sa résurrection et la communion à ses souffrances, lui devenir conforme dans la mort, afin de parvenir si possible à ressusciter d'entre les morts (Ph 3, 8-11).

Ainsi faiblesse et pauvreté de la Croix du Christ débouchent sur la gloire :

Nous souffrons avec lui pour être aussi glorifiés avec lui ! (Rm 8, 17).

J'estime en effet que les souffrances du temps présent ne sont pas à comparer à la gloire qui doit se révéler en nous (Rm 8, 18).

Oui, la légère tribulation d'un moment nous prépare, bien au-delà de toute mesure, une masse éternelle de gloire (2 Co 4, 17).

3. La plénitude de la bénédiction

A travers cette vie devenue semblable à celle du Serviteur, c'est le mystère même du Serviteur, Sauveur de *tous* les hommes, que Paul annonce au monde.

N'a-t-il pas reçu mission d'annoncer l'Evangile

en prêchant Jésus-Christ, révélation d'un mystère enveloppé de silence aux siècles éternels, mais aujourd'hui manifesté, et par des Ecritures qui le prédisent selon l'ordre du Dieu éternel porté à la connaissance de toutes les nations pour les amener à l'obéissance de la foi (Rm 16, 25-26).

Il ne s'agit donc pas pour lui d'une simple proclamation de l'événement historique de Jésus-Christ — on en resterait alors à l'ordre de la chair : « Même si nous avons connu le Christ selon la chair, nous ne le connaissons plus ainsi à présent » (2 Co 5, 16) — ; il s'agit de crier officiellement au monde, dans la puissance de l'Esprit, la signification éternelle du Serviteur annoncé par les prophètes.

Il donne à reconnaître la Croix dans sa signification éternelle, comme annonce du salut offert à tous les hommes et révélation du mystère caché en Dieu avant les siècles.

Jésus-Christ s'est livré pour nos péchés (Ga 1, 4, cf. Ga 2, 20 ; Ep 5, 25 ; 1 Tm 2, 6 ; Tt 2, 14).

En sa personne, il a tué la haine (Ep 2, 14).

Jésus, en se livrant sur la Croix pour y dévoiler la miséricorde de Dieu, a radicalement anéanti la mort et ainsi créé en lui, à partir des Juifs et des païens, un seul Corps, un seul Homme nouveau : il a ainsi donné à tous accès au Père en un seul Esprit.

La grande découverte de Paul c'est, en effet, la miséricorde.

Par sa propre conversion, il a compris, d'une part que le mystère de Dieu était lié à la faiblesse miséricordieuse de Jésus présent dans ses disciples : « Je suis Jésus que tu persécutes » (Ac 9, 5) et, d'autre part que ce Dieu choisit ce qui n'est pas pour manifester la condescendance infinie de son amour.

Ce qu'il y a de fou dans le monde, voilà ce que Dieu a choisi pour confondre les sages ; ce qu'il y a de faible dans le monde, voilà ce que Dieu a choisi pour confondre la force ; ce qui dans le monde est sans naissance et ce que l'on méprise ; voilà ce que Dieu a choisi, ce qui n'est pas, pour réduire à rien ce qui est (1 Co 1, 27-28).

Dieu a trouvé dans l'infinie distance qui sépare ce qui n'est pas de lui-même, qui est « Je Suis », *la mesure expressive* de son amour. Bien mieux, l'infini des distances de misère dues au péché lui a servi à dévoiler l'infini de ses dispositions d'amour. Devenu l'objet de l'amour de Dieu, « ce qui n'est pas », « ce qui est perdu » signifie en vérité la plénitude divine.

Et dès lors, tout devient chant de miséricorde.

Dieu a enfermé tous les hommes dans la désobéissance pour faire à tous miséricorde (Rm 11, 32).

Et, reprenant la parole de Dieu à Moïse :

Je fais miséricorde à qui je fais miséricorde et j'ai pitié de qui j'ai pitié (Rm 9, 15),

Paul ajoute :

Il n'est donc pas question de l'homme qui veut ou qui court, mais *de Dieu qui fait miséricorde* (Rm 9, 16).

Saisi par l'action de Dieu parmi les païens, découvrant que Jésus est le principe de la création (*bereschith*, Pr 8, 22), le premier-né de toute création (Col 1, 15), et le lieu dans lequel s'accomplit toutes choses (Col 1, 16), Paul découvre la bénédiction du Père dans laquelle nous avons été enveloppés de toute éternité, l'économie du

mystère de sa volonté, ce dessein bienveillant qu'il avait formé en lui par avance, pour le réaliser quand les temps seraient accomplis : ramener toutes choses sous un seul Chef, le Christ, les êtres célestes comme les terrestres. C'est en lui encore que nous avons été mis à part, désignés d'avance selon le plan préétabli de Celui qui mène toutes choses au gré de sa volonté, pour être, à la louange de sa gloire, ceux qui ont, par avance, espéré dans le Christ (Ep 1, 9-12).

Oui, Paul s'écrie :

Béni soit le Dieu et Père de notre Seigneur Jésus-Christ qui nous a bénis par toutes les bénédictions spirituelles, aux cieux, dans le Christ (Ep 1, 2).

Ce n'est pas le moindre des paradoxes du Nouveau Testament : Paul, dans la souffrance et les chaînes, réinvente comme spontanément l'hymne de bénédiction qui jaillissait des lèvres du Christ : « Tu es béni, Père. »

Paul le sait bien : un regard d'amour repose sur nous de toute éternité, dévoilé *dans la Croix ;* il nous prépare à partager la gloire du Fils. C'est pourquoi Paul a conscience de n'avoir qu'une chose à faire : aller vers le monde « avec la plénitude de la bénédiction de Dieu » (Rm 15, 29).

25

Jean, la Demeure de l'Amour

L'Evangile de Jean est, nous l'avons vu, le dévoilement progressif du lieu d'où parle le Serviteur : il est auprès du Père, et il « demeure dans son amour » (Jn 15, 10).

En d'autres termes, le message évangélique se caractérise comme la réponse à la question posée par les premiers disciples : « Où demeures-tu ? » (Jn 1, 38).

Aussi tout s'éclaire-t-il dans la vie du Serviteur œuvrant pour le salut du monde à partir des rapports d'amour qu'il entretient avec son Père :

« Le Père aime le Fils et il a tout remis dans sa main » (Jn 3, 35).

« Le Père aime le Fils et lui montre tout ce qu'il fait » (Jn 5, 20).

L'œuvre qu'il doit faire, le Fils ne la reçoit-il pas de l'amour dont son Père l'a aimé avant la création du monde (Jn 17, 24) ?

Merveille que la présence du Père à son Fils à travers son obéissance toute nourrie de la volonté de son Père et de l'accomplissement de son œuvre (Jn 4, 34) !

« Celui qui m'a envoyé est avec moi, il ne m'a pas laissé seul, parce que je fais toujours ce qui lui plaît » (Jn 8, 29).

« Vous... me laisserez seul. Mais non, je ne suis pas seul ; le Père est avec moi » (Jn 16, 32).

Le sacrifice plonge si profondément au cœur même de ces rapports d'amour : « Si le Père m'aime, c'est que je donne ma vie » (Jn 10, 17) que la Croix apparaît comme le don suprême : « La coupe que m'a *donnée* le Père, ne la boirai-je pas ? » (Jn 18, 11).

La Croix est, en effet, fondée sur le mystérieux échange qui s'établit entre le Père et le Fils :

« Père, glorifie ton nom ! » Une voix vint alors du ciel : « Je l'ai glorifié et je le glorifierai à nouveau » (Jn 12, 28).

A la lumière de cette communion entre le Père et le Fils, la Croix apparaît pour les disciples de Jésus comme l'ouverture de *la demeure d'amour qui est Dieu même* (Jn 17, 23). En elle resplendit la gloire de l'échange d'amour entre le Père et le Fils :

« Père, l'heure est venue : glorifie ton Fils, pour que ton Fils te glorifie et que, par le pouvoir sur toute chair que tu lui as conféré, il donne la vie éternelle à tous ceux que tu lui as donnés... Je t'ai glorifié sur la terre... Père, glorifie-moi de la gloire que j'avais près de toi avant que fût le monde » (Jn 17, 1-5).

Aussi bien, grâce à son côté ouvert qui laisse couler les fleuves d'eau vive de l'Esprit, Jésus introduit-il les disciples dans cette gloire de la charité qui est Dieu lui-même ; il commence de leur ouvrir sa propre demeure, celle de l'Esprit qui sera leur partage pour l'éternité.

« Père, ceux que tu m'as donnés, je veux que là où je suis, ils soient aussi avec moi, pour qu'ils contemplent la gloire que tu m'as donnée, parce que tu m'as aimé avant la création du monde » (Jn 17, 24).

C'est ainsi le comportement du Serviteur dans son rapport au Père qui seul permet de saisir le mystère de la Croix et d'y voir l'ouverture de la demeure éternelle d'amour. Aussi bien le disciple n'a-t-il qu'à demeurer dans l'amour (Jn 14, 23) et à reproduire le mouvement d'humble amour qui est celui du Fils, à aimer comme le Fils a aimé (Jn 13, 34).

Tel il est lui, tel nous sommes, nous, dans le monde (1 Jn 4, 17).

Oui, pour Jean, tout se résume dans l'Amour miséricordieux dont l'Ancien Testament, avec Osée, avait commencé à nous dévoiler la profondeur :

Dieu est Amour. En ceci s'est manifesté l'amour de Dieu pour nous :
Dieu a envoyé son Fils unique dans le monde,
afin que nous vivions par lui.
En ceci consiste son Amour :
ce n'est pas nous qui avons aimé Dieu,
mais c'est Lui qui nous a aimés
et qui a envoyé son Fils
en victime de propitiation pour nos péchés (1 Jn 4, 8-10).

C'est donc *la Croix* qui nous révèle le mystère du Dieu trois fois saint, le mystère du Dieu-Trinité.

Dieu — le Père — est Amour (1 Jn 4, 8) et il nous a aimés le premier (1 Jn 4, 19).

Une fois de plus la pensée paulinienne rejoint la vision johannique : le Père est l'*Amour* (2 Co 13, 13 ; Ph 2, 1) ; il se révèle Amour dans son Fils mourant sur la Croix, expression fidèle de son amour, et il se livre à nous dans la communion de l'Esprit qui nous fait vivre de l'amour qu'il porte à son Fils.

Dieu est Amour, et le monde entier est porté depuis toujours dans cette miséricorde qui le soutient et l'appelle à se dépasser en elle. Si le monde a pu être créé, c'est bien parce que toutes ses déficiences — jusqu'au péché lui-même — peuvent être assumées et dépassées dans la miséricorde divine.

Seule cette miséricorde absolue justifie tout.

Que le Serviteur soit la norme du comportement chrétien comme du comportement apostolique, Jean le clame donc lui aussi, en nous révélant que le fondement en est le mystère trinitaire lui-même.

Et quiconque a besoin d'une formule-clé ou d'un exemple type peut se référer à la maxime de Jésus : « Si quelqu'un me sert, qu'il me suive, et là où je suis là aussi sera mon serviteur » (Jn 12, 26), ou à l'exemple qu'il donne de sa personne dans le lavement des pieds (Jn 13).

26

Un parti qui rencontre partout la contradiction

(Ac 28, 22)

Pierre, Paul, Jean, tous les Apôtres ont pensé leur ministère à la clarté du Serviteur.

Leur ministère consiste dans la proclamation du Christ mort et ressuscité pour le monde, dans l'actualisation de l'offrande du Serviteur par cette annonce apostolique de l'Evangile pour réaliser la construction de l'Eglise. C'est par ce ministère que le Christ rend présent son sacrifice.

Dans la proclamation de l'Evangile, le Christ crucifié se rend présent et rend présent son sacrifice, comme il se rend présent dans l'annonce de sa mort par la célébration eucharistique (1 Co 11, 26). Dans son envoyé, le Christ est présent (Mt 10, 40 ; Lc 10, 16 ; Jn 13, 20) et accomplit son office de réconciliation (2 Co 5, 18-20).

Ce service apostolique est donc *sacerdotal* dans ce sens qu'à travers l'annonce évangélique le Christ se rend présent dans son sacrifice. Il entraîne l'Apôtre dans la souffrance et la mort du Christ et le rend participant de sa Passion.

De même, en effet, que le Christ n'a de puissance de représentation de son Père qu'en tant qu'il est humble et exproprié de lui-même (cf. Jn 5, 19 ss ; 5, 22), de même le ministère sacerdotal n'a de puissance de représentation du Christ que dans la mesure où il communie au mystère de Jésus humble et exproprié de lui-même, dans la mesure où il fait partager l'humiliation de Jésus. A travers cette souffrance eschatologique de l'Apôtre, advient le temps eschatologique (2 Co 6, 2 ; 1 Co 10, 11 ; Rm 13, 11 ; Rm 10, 14-17).

Mais cette loi d'humiliation et d'exaltation, qui est celle de la vie de Jésus et des Apôtres, est aussi celle de tous les disciples. Paul n'hésite pas à demander à tous les chrétiens l'imitation du Christ :

Soyez mes imitateurs, comme je le suis moi-même du Christ (1 Co 11, 1 ; 1 Co 4, 16).

1. L'imitation de Jésus

Immédiatement après les trois grandes prophéties de la Passion, les disciples sont, en effet, invités par le Maître à s'engager sur le même chemin que lui, s'ils veulent parvenir à la gloire.

Retenons simplement les trois appels successifs que nous trouvons dans Marc :

— appel à porter sa croix et à perdre sa vie (Mc 8, 34-38 ; cf. Mt 16, 24-28 ; Lc 9, 23-27), après la première prophétie ;

— appel à se faire tout petit, à devenir le dernier de tous, serviteur de tous (Mc 9, 35-37 ; Lc 9, 47-48 ; Mt 18, 3-4), après la seconde prophétie ;

— appel à participer à la « coupe » et au « baptême » de Jésus (Mc 10, 35-40 ; cf. Mt 20, 20-23), après la troisième prophétie.

La prédication apostolique, dès les origines, a bien compris la leçon du Maître, et l'épître aux Philippiens chante de façon incomparable les dispositions de Jésus que tous les chrétiens doivent imiter.

Aussi, je vous en conjure par tout ce qu'il peut y avoir d'appel pressant dans le Christ, de persuasion dans l'Amour, de communion dans l'Esprit, de tendresse compatissante, mettez le comble à ma joie par l'accord de vos sentiments : ayez le même amour, une seule âme, un seul sentiment ; n'accordez rien à l'esprit de parti, rien à la vaine gloire, mais que chacun par l'humilité estime les autres supérieurs à soi ; ne recherchez pas chacun vos propres intérêts, mais plutôt que chacun songe à ceux des autres. Ayez entre vous les mêmes sentiments qui furent dans le Christ Jésus :

Lui, en forme de Dieu,
pensa qu'il n'usurpait en rien
l'égalité avec Dieu.

Mais il s'anéantit lui-même
prenant forme d'esclave
et devenant semblable aux hommes.

S'étant comporté comme un homme,
il s'humilia plus encore,
obéissant jusqu'à la mort
et à la mort sur une croix !

Aussi Dieu l'a-t-il exalté et lui a-t-il donné le Nom
qui est au-dessus de tout nom,

pour que *tout*, au nom de Jésus,
s'agenouille, au plus haut des cieux,
sur la terre et dans les enfers,

et *que toute langue proclame*
de Jésus-Christ, qu'il est SEIGNEUR
à la gloire de Dieu le Père (Ph 2, 1-11).

Y a-t-il exhortation apostolique plus vibrante pour rappeler que tous les chrétiens sont appelés à partager l'humiliation et l'exaltation de leur Maître ? Ne doivent-ils pas, à travers tous les événements de leur vie quotidienne en relation avec le prochain, imiter son obéissance, sa disposition à ne rien garder jalousement pour lui-même ?

L'identification à l'Innocent, telle est l'essence de la vocation à la sainteté.

L'intériorité du mystère communiqué dans l'Esprit, qui seule permet de reconnaître et de vivre, au cœur de la réalité humaine, la présence toujours actuelle de la Passion de Jésus, fonde cette imitation du Serviteur.

Chargé du péché des hommes — de toute leur faiblesse —, l'Innocent devient le prochain que l'on rencontre toujours et partout, le pauvre présent dans tous les pauvres, le souffrant dans tous les souffrants, la victime dans toutes les victimes. C'est avec lui et en lui que les chrétiens peuvent prendre sur eux leur part de la souffrance de tous, pour qu'elle puisse, en devenant partage d'un festin d'amour, être habitée par la joie des Béatitudes.

Aussi tout l'Evangile, tout l'enseignement apostolique, que l'hymne de l'épître aux Philippiens nous résume avec éclat, nous l'enseignent : c'est dans le mystère du Serviteur qu'est fondée la communion de tous les disciples du Christ entre eux.

Les Apôtres ont, en effet, été choisis par le Christ pour annoncer au monde son mystère de Serviteur, pour appeler tous les chrétiens à le vivre dans la foi et les sacrements de la foi (baptême et eucharistie), pour les guider sur cette voie d'humiliation et d'exaltation.

Pierre et les Apôtres ont la même mission : ils ont la charge de constituer des communautés qui soient toutes centrées, par la foi et la participation au baptême et à l'eucharistie, sur le mystère du Serviteur souffrant.

Dans le groupe des Apôtres, Pierre a un rôle absolument original, singulier : il rappelle *visiblement* que toute l'Eglise repose sur l'unique Pierre qui est le Christ et il a la charge, comme chef, dont les pouvoirs sont tout entiers au service de cette mission unique, de mettre tous les Apôtres et toutes les communautés chrétiennes *devant l'obéissance* au Serviteur.

Ainsi, de même que le Christ a vécu son mystère de Serviteur dans l'obéissance à son Père dans l'Esprit, tous les chrétiens, à leur place, — comme membres différenciés d'un même corps — ont vocation de vivre ce même mystère d'obéissance au Père dans l'Esprit. Chacun rappelle à son frère le mystère d'obéissance qu'il est appelé lui-même à vivre. Tous ont ainsi à découvrir que leurs rapports réciproques sont mesurés par leur commune relation d'assimilation au Serviteur.

C'est cette commune obéissance à l'Esprit et dans l'Esprit qui fait de la vie tout entière de l'Eglise une *communion*, un culte « en esprit et en vérité », un culte de la foi embrassant la vie du monde pour en faire une action de grâce au Père, dans le feu de l'Esprit.

Dans le Serviteur encore se dévoile la profondeur de la communion à tous les hommes. C'est à l'exacte mesure de l'imitation de leur Maître qu'ils deviennent pour le monde, comme Jésus lui-même, l'épiphanie ou la manifestation de l'amour de Dieu. Le disciple de Jésus ne se caractérise-t-il pas, en effet, comme son Seigneur, par sa tendresse, sa douce bonté ? A l'image de Jésus, il doit être doux et humble de cœur, ou, selon l'admirable formule d'un auteur ancien, « tout pétri de suavité ».

Mais c'est dans la mesure où l'Eglise tout entière vit la vocation du Serviteur, qu'elle connaît le mystère de la contradiction et de la persécution ; sans le vouloir, elle provoque avec ceux avec qui elle dialogue la même rupture de plan que celle que le Christ a provoquée lui-même.

Connaître l'incompréhension qui va jusqu'à la haine, n'est-ce pas le fond même du mystère de l'Eglise assimilée à son Seigneur (Jn 15, 18-20) ? Comme le disaient les Juifs à saint Paul : « Pour ce qui est de ce parti-là, nous savons qu'il rencontre partout la contradiction » (Ac 28, 22).

Mais au milieu de ces embûches, l'Eglise trouve sa joie. Car, « pétris de suavités », les chrétiens ne peuvent qu'être des êtres de bénédiction, à l'image de Jésus :

> Vous tous, en esprit d'union, dans la compassion, l'amour fraternel, la miséricorde, l'esprit d'humilité, ne rendez pas mal pour mal, insulte pour insulte. *Bénissez au contraire*, car c'est à cela que vous avez été appelés, afin d'hériter la bénédiction (1 P 3, 8-9 ; Lc 6, 27-28).

2. La présence au monde

Parce qu'elle est promise par vocation divine au partage de la Passion de son Seigneur et Sauveur, il faut que l'Eglise accepte librement et qu'elle aime du plus profond d'elle-même cette loi de son être qui est exigence de conformation à son Epoux. C'est à ce prix seulement qu'elle peut justifier sa présence au monde.

L'Eglise n'est pas, en effet, vouée au service du monde à la manière dont tant de gens l'entendent aujourd'hui, mais bien à la manière unique qui est celle de Jésus se livrant aux hommes, en serviteur de la volonté de son Père, afin de s'offrir à la mort pour les sauver de leurs péchés.

Certes, elle sait bien qu'elle sera tentée de servir le monde comme le Diable l'a suggéré à son Maître, mais elle est aussi pleinement consciente de son devoir de se libérer sans cesse, dans l'Esprit, de toute servitude à l'égard de celui qui prétend à la puissance de ce monde et qui transmet la puissance à ceux qui consentent à composer avec lui.

C'est dans le mouvement même où elle demeurera présente par l'Esprit au Christ souffrant et glorieux, et à toute l'histoire dont il est l'avènement eschatologique, que l'Eglise pourra être fidèle à sa mission de présence au monde. Sa fidélité sera donc mesurée par la faiblesse et la mort de Jésus, dont elle devra pâtir pour que le monde vive de la vie de Dieu.

SIXIÈME PARTIE

DE NOTRE NUIT JAILLIRA LA LUMIÈRE

27

Un temps d'agonie et de passion

Nous sombrons dans la nuit.

Nuit des camps de concentration avec lesquels, comme l'écrit Malraux, Satan s'est de nouveau rendu visible !

Nuit du mépris, de la violence et de la haine enveloppant la terre entière.

Nuit d'un monde qui, dans le vertige de sa dialectique et de ses combinatoires sans modèle transcendant, consomme n'importe quoi, le vrai comme le faux, le bien comme le mal.

Nuit des hommes qui happe dans son gouffre l'Eglise elle-même !

Nuit d'incertitude et d'angoisse dans laquelle de nombreux chrétiens doutent de leur Seigneur ou quittent l'Eglise, « conscients » d'avoir enfin découvert l'intériorité d'un christianisme qui déborderait toute institution.

Nuit d'agonie et de passion où les comportements les plus évangéliques, comme le refus délibéré de la violence, sont publiquement raillés et bafoués par les chrétiens eux-mêmes.

Nuit pendant laquelle le désespoir gagne insidieusement les cœurs et corrode en eux toute certitude.

Dans cette nuit, il est une lumière que l'Evangile nous apporte ; elle est l'unique fondement de notre joie et de notre sérénité.

L'Eglise est appelée à vivre, jusque dans sa chair, le mystère de l'Innocent !

C'est à la mesure de sa communion à l'anéantissement du Serviteur que, du plus profond d'elle-même, jaillira la lumière.

1. Les signes des temps

Certes, la plupart des chrétiens savaient que l'Eglise a connu des phases bien douloureuses au cours de sa longue histoire, mais ils évoquaient ces événements comme un passé lointain, dont ils semblaient eux-mêmes protégés. Assurés dans leur foi, ils croyaient pratiquement que l'Eglise traversait les tempêtes une rose à la main. Le mal l'effleurait à peine de sa grande aile noire, si bien qu'avec aisance elle triomphait toujours.

Et voilà que, tout à coup, l'horrible épaisseur du combat dans lequel elle est engagée prend son ampleur eschatologique et apocalyptique.

Et les recommandations des Apôtres, de Pierre, de Paul ou de Jean, rappelant aux premiers chrétiens leur vocation à communier ensemble à la souffrance eschatologique du Christ, recouvrent un sens d'une immédiateté bouleversante.

Oui, nous sommes conviés à discerner dans la nuit qui nous enveloppe et dans l'ébranlement qui mine en nous toutes les certitudes, la trace eschatologique d'une venue de Dieu :

dans sa miséricorde, le Père est là qui nous commande de manifester comme jamais au monde son mystère, le mystère scandaleux et béatifiant dévoilé sur la Croix.

Dans notre monde de violence, il nous faut redécouvrir, comme aux temps apostoliques, que notre force jaillit tout entière de notre faiblesse et de notre communion pleinement et librement acceptée à la faiblesse du Christ.

Nous sommes acculés à vivre l'infinie faiblesse du Serviteur.

S'engager dans un processus de violence serait, en effet, participer à l'intolérable et nier, aussi radicalement qu'il est possible, le cœur même de l'Evangile, *la miséricorde divine.*

Peut-être nous dira-t-on : « Nous respectons votre exigence religieuse, mais à condition que vous ne deveniez pas complices du mal ! Resterez-vous sourds aux révolutions et aux drames qui traversent ce monde ? »

Qu'on nous entende bien : nous ne sommes pas sourds, mais nous avons mission d'être les témoins d'*autre chose ;* nous sommes prêts à travailler humblement avec tous les hommes à transformer le monde, mais nous pensons —

et nous osons le dire — que l'œuvre la plus efficace, celle qui s'impose aujourd'hui, est *ailleurs*.

Le vrai problème n'est pas celui de la révolution, voire de l'aménagement de ce monde, si urgent soit-il ; il n'est pas celui de la politique ou des sauvetages économiques ou sociaux, incapables de sauver l'homme lui-même.

L'important, de nos jours, c'est le salut de l'homme lui-même comme réalité personnelle et indépassable, appelée à la communion du mystère le plus intime du Dieu miséricordieux.

Pourquoi les chrétiens ne considéreraient-ils pas alors que leur première obligation dans ce monde de puissance et de violence est de devenir conscients de *l'absolue et radicale nouveauté de l'Evangile*, exprimée par Dieu avec une discrétion si pure qu'elle échappe à qui n'en a pas le sens spirituel ?

Pourquoi ne découvriraient-ils pas *la liberté* dont parle Pierre lorsqu'il nous demande d'agir *« en hommes libres »* (1 P 2, 16) ? A l'image de Jésus, Fils de Dieu, libre à l'égard de l'impôt (Mt 17, 24-27), les chrétiens ne devraient-ils pas être *libres* à l'égard des autorités constituées (1 P 2, 12-16) ? S'ils doivent obéir, c'est, comme le Christ, pour un motif essentiellement négatif, celui de ne pas scandaliser les païens (Mt 17, 27), de ne pas prêter le flanc aux critiques et aux calomnies. La seule conduite qui leur soit interdite, c'est d'agir « en hommes qui font de leur liberté un voile pour leur malice » (1 P 2, 16).

Ils pourraient alors, avec une belle lucidité spirituelle, appeler les hommes à « démythifier » et à « démystifier » *le politique*, en rappelant son incapacité radicale à donner « l'unique nécessaire », *le salut*, et la nécessité pour lui de rester confiné sur le plan limité qui est le sien.

S'ils ramenaient les hommes à la vérité du langage humain, en faisant du politique la magnifique œuvre humaine qu'il doit être, sur son plan proprement laïque, ils éviteraient que leurs frères se laissent gagner par la contamination du politique et du religieux et par les contrefaçons politiques du langage religieux : « salut » public, « règne » de la liberté, « sacrifice » des générations, etc. Ils leur donneraient de comprendre que la personne ne se laisse pas définir simplement comme sujet politique, plus ou moins actif ou passif, membre d'une classe révolutionnaire ou d'une classe d'essence contre-révolutionnaire ; ils les aideraient ainsi à se libérer des idoles meurtrières du monde moderne.

Oui, l'Evangile dénonce — comme personne ne l'a dénoncé en ce monde ! — la falsification proprement diabolique qu'il y a à demander le salut au politique et à en faire une idole. N'est-ce pas cela qui a amené Pierre à renier son Maître et à le clouer sur la Croix ?

C'est bien parce que des chrétiens pipent les dés, en sophistes inconscients qui falsifient la portée des mots dont la Révélation a besoin pour venir jusqu'à nous, que tant de drames éclatent sur notre monde.

Pour les chrétiens, il n'est pas de pire trahison que la flatterie de la puissance, fût-elle révolutionnaire. C'est une fois de plus crucifier l'Innocent qui a libéré le politique de sa gangue religieuse et a livré l'homme à l'affrontement autrement crucifiant du mystère de Dieu et du mystère de la rencontre, imprévisible et crucifiante, elle aussi, d'innombrables frères.

Accepterons-nous que des hommes meurent de faim parce que personne ne leur offre le pain de la Parole et du sacrifice ; que des hommes meurent d'asphyxie parce que le monde clos dans lequel nous vivons empêche leur respiration profonde ?

Nous avons l'audace de le crier : le drame du monde, qui éclate aux yeux de tous, n'est qu'un reflet d'une misère spirituelle d'une profondeur abyssale.

Oui, nous contestons radicalement le monde actuel, mais, dans un temps où l'Innocent passe tous les jours aux actualités télévisées, nous le contestons *avec les armes de l'Esprit.*

Nos armes, nous le savons, feront rire les sages, mais dans l'Innocent nous sommes assurés de leur efficacité souveraine !

C'est pourquoi nous le pensons, nous n'avons qu'une chose à faire : proclamer aux hommes l'Innocent et le vivre pour leur révéler la splendeur du mystère de Dieu, en même temps que l'invraisemblable profondeur de la charité fraternelle, pour les appeler à connaître le bonheur — oui, les Béatitudes s'ouvrant sur la Croix.

2. Vivre l'Innocent

Vivre l'Innocent ?

Est-il plus présomptueuse folie !

Et pourtant c'est, semble-t-il, comme des prophètes de ce siècle : Dostoïevski, Péguy, Bernanos, Soljénitsyne, Siniavski l'ont bien vu, la grâce de notre temps.

C'est pour cela que nous avons besoin de redécouvrir dans l'Ecriture, dessiné par l'Esprit lui-même pour être reproduit en nous, le visage de l'Innocent. Lui seul peut éclairer nos vies.

A la lumière de l'Innocent, la lecture de l'Ecriture renferme, en effet, un extraordinaire paradoxe, véritable pierre de touche de sa qualité : interprétation de l'Ecriture, elle est, dans le même moment, illumination de la vie.

Cette lecture ouvre à la compréhension en profondeur du mystère de Dieu révélé en Jésus-Christ. Sous la motion de l'Esprit, qui nous rappelle ce que Jésus a dit (Jn 14, 26), elle nous fait entrer dans le mouvement par lequel il retourne à son Père ; elle transfigure alors nos vies.

Jésus nous appelle, en effet, à participer à son mystère de Serviteur, pour que, dans une obéissance toujours plus profonde à sa Parole nous entrions dans une lumière de vie toujours plus éclairante. Dans cette obéissance à l'Esprit, c'est l'intelligence de nous-mêmes et du monde qui nous est gratuitement donnée.

Ainsi, à la mesure de notre obéissance à la Parole, s'éclairent nos existences. Elles prennent sens dans l'exacte mesure où elles reflètent l'Innocent.

L'Innocent, qui est-il ? Sinon le déchiffrement, dans la lumière de Dieu, de notre existence à tous. Les pleurs versés dans ce monde, les échecs, les souffrances et les agonies, les sanglots des suppliciés, de tous les pauvres broyés et roulés par le péché du monde, sont repris dans le mystère du Fils humilié et crucifié ; celui-ci nous révèle que le fondement dernier de l'existence, c'est le mystère d'amour du Père qui enveloppe son Fils, et nous en lui, d'un amour éternel.

En vérité, dans son Fils, le Père nous a dévoilé le mystère de la vie : tout se trouve récapitulé en lui *dans l'unité de la lumière et de la vie.*

Il n'est que de considérer Paul : c'est en Jésus crucifié que l'intelligence de tout lui a été donnée.

Il n'est que de regarder Jean ; lui aussi a tout saisi à partir de Jésus, qu'il a concrètement rencontré ; tout a pris sens dans le mystère de la Parole qui est auprès du Père.

Nous voilà donc spirituellement invités à saisir toutes choses à partir de notre communion au mystère de celui qui est la faiblesse même.

C'est, en effet, dans un même mouvement que nous saisissons le mystère du Christ dans l'Ecriture, que nous le recevons dans les sacrements, et en particulier dans l'eucharistie, que nous obéissons à la volonté de ceux qui sont dans l'Eglise chargés de nous rappeler son souvenir, que nous découvrons nos frères dans le moindre des hommes.

Et ce mouvement n'est rien d'autre, nous l'avons vu, que le mouvement par lequel Jésus retourne à son Père en créant l'Eglise.

C'est en coïncidant à ce mouvement, par lequel le Seigneur crée l'Eglise, que tout en nous se transfigure jusqu'au plus profond de notre être et que tout se simplifie par le centre de tout, le cœur.

3. A l'aube d'une ère de grand renouveau spirituel

Aussi bien, aux yeux de qui sait lire les signes des temps, déjà bourgeonnent les promesses d'une grande renaissance spirituelle.

Au moment où les techniques de la publicité, du cinéma, des masses media s'emparent des rêves intérieurs de l'homme pour le livrer à la *cupidité* de la chair, des yeux, du cœur (cf. 1 Jn 2, 16) ;

au moment où la course au standing de vie — ce besoin de posséder toujours et toujours davantage — fait de l'homme un être clos sur lui-même et sur ses intérêts particuliers ;

au moment où la société de consommation promet un bonheur inexorablement rongé par la culpabilité, l'angoisse, la sexualité, l'échec, la mort, et cultive des valeurs qui détournent de la lutte contre la misère réelle,

de partout, du chaos de ce monde, jaillissent des appels d'hommes qui aspirent à retrouver la *plénitude de la vie.*

Ces hommes rejettent les idoles du jour : l'abondance des biens, le sexe, le pouvoir, ces dieux que depuis toujours l'humanité a été tentée d'adorer. Ils récusent une société qui jette dans la fournaise des molochs qu'elle adore, les millions d'hommes, d'enfants, de pauvres des camps de concentration, des guerres insensées, de la misère sans cesse grandissante.

Ils sont à la recherche de la vraie vie : ils veulent apprendre à prier, à aimer, à vaincre en eux-mêmes ce qui les empêche d'aimer en vérité, à être libres pour pouvoir, à leur tour, libérer leurs frères. Ils pressentent que la vraie révolution commence par une conversion au plus profond d'eux-mêmes, et qu'elle suppose un dépouillement libérateur.

Les chrétiens sauront-ils répondre à ces appels, en suivant fidèlement celui qui a vaincu dans sa personne toutes ces tentations d'idolâtrie, en vivant la liberté et le renoncement dont, *en innocent*, il nous a montré l'exemple ?

Elle vient l'heure de communautés *de frères* accueillantes à tout homme, quel que soit son âge, sa culture, sa formation, toutes disposées à écouter la parole de Dieu *dans l'immédiateté de l'Esprit*, dans la joie de l'action de grâces, et, par-delà tout souci et tout projet, prêtes à se laisser conduire là où le veut l'Esprit de Jésus.

Elle pointe, l'heure de commuanutés *de frères* qui, *dans cette écoute immédiate de la Parole de Dieu*, par-delà toute construction théologique ou exégétique, s'ouvriront dans l'Eucharistie au mystère de l'Innocent crucifié. Tout en livrant leur vie à Dieu pour qu'il en dispose selon son bon plaisir, ils se mettront humblement au service de leurs frères jusqu'à en mourir.

Elle approche l'heure où les chrétiens, tels les disciples d'Emmaüs, se laisseront instruire du contenu de la Parole *par le Ressuscité lui-même* et, grâce à la participation à l'Eucharistie, présence du Ressuscité, pousseront les exigences de cette écoute jusqu'à partager le mystère de son sacrifice. Ils témoigneront ainsi de la vérité de leur communion à la plénitude de l'expérience apostolique, et, à l'exemple des premiers Pères, leur audace leur permettra de tout récapituler dans le Christ.

Si nous sommes fidèles à la révélation de l'Innocent, ne sommes-nous pas à l'aube de redécouvrir d'une *façon créatrice*, tournée vers l'avenir, ce qu'ont vécu les communautés chrétiennes qui ont entendu l'appel de ce qu'on a appelé au Moyen Age la *vie apostolique*, au temps des Pères la *vie évangélique*, cette vie qu'ont connue les premières communautés chrétiennes des Actes des Apôtres ?

Alors sonnera l'heure de la mission !

Car il n'est de mission que pour des communautés réunies grâce à l'Esprit dans la *bénédiction* que le Fils rend à son Père, toutes conscientes d'être enveloppées et portées par l'amour du Père et envoyées par lui au monde.

Demain, l'avenir est aux communautés priantes, vraiment contemplatives, vraiment ouvertes au service des hommes.

Demain, l'avenir est à ceux qui vivront des Béatitudes, aux hommes libérés par l'Esprit.

Si nous devenons semblables à l'Innocent, de notre nuit jaillira la lumière.

28

Prière pour un temps de scandale

Notre péché, celui des Apôtres, celui des chrétiens de tous les temps, celui de toute l'humanité, c'est de ne jamais reconnaître le Seigneur *comme il veut être reconnu.*

Nous ne reconnaissons jamais, ou nous avons une peine infinie à reconnaître *la faiblesse du Seigneur.*

Tout le drame des hommes est là. Car son vrai mystère, c'est *sa faiblesse.* Sa faiblesse est notre grâce. Il est grâce pour nous par sa faiblesse. C'est par sa faiblesse qu'il est notre Dieu. Il est impossible, dans le plan de Dieu, qu'il en soit autrement, et c'est là, précisément, qu'éclate le cœur de notre infidélité.

A chaque époque correspond une faiblesse de notre Dieu et de notre Seigneur.

C'est par là qu'il nous aime et qu'il nous sauve.

Et cette faiblesse de notre Dieu rencontre notre infidélité.

Dieu nous attend comme nous sommes, nous ne l'attendons pas comme il est.

Il vient à nous faible, pauvre, démuni, et nous l'attendons toujours fort, puissant, riche. Nous sommes en quête du Dieu de nos rêves et de nos désirs insatisfaits, nous sommes des adorateurs inconscients d'une idole.

Nous ne faisons pas mieux que ceux qui ont crucifié Jésus : nous reprenons même inlassablement la même tâche.

Et, jusqu'à la fin du monde, ce sera la même histoire de la mort de l'Innocent.

Et par cette mort, il sera encore avec nous.

Car il est ressuscité et c'est par sa faiblesse que nous reconnaissons glorieuse que nous pouvons être avec lui.

Il nous faut à longueur de temps des Transfigurations ! Nous rêvons d'arrêter le temps pour être avec lui comme Pierre sur la montagne : « Il est si bon d'être ici ! »

Alors que dans sa transfiguration même le Seigneur, lui, nous renvoie à l'agonie !

L'agonie, non pas le désespoir, mais la communion à la misère du monde pour le sauver dans l'amour infini du Dieu vivant, du Dieu Trinité. Oui, il nous faudrait un regard d'innocent sur le monde moderne. Nous agoniserions encore, mais dans la sérénité d'un regard plongé dans la sécurité infinie du Père.

L'enfant qui meurt n'a pas peur, il ne comprend pas, mais il n'a pas peur. Il ne sait pas ce qui lui arrive, il repose dans la confiance.

Serons-nous, comme le Christ nous le demande, des enfants, posant sur le monde moderne, dans la détresse infiniment douloureuse qui est la sienne, un regard sans peur, un regard d'innocent ?

Notre époque n'est pas plus mauvaise qu'une autre. Elle a seulement sa manière à elle de trahir l'Innocent.

Mais chaque époque a sa façon originale de bafouer l'Innocent, et avec lui tous les pauvres.

Et la seule réponse est la sainteté : nous sommes appelés à la sainteté *dans une faiblesse infinie !*

Oui, notre époque est une époque de grâce, comme toutes les époques l'ont été ; chacune a trahi l'Innocent à sa façon et par là a été sauvée par l'Innocent, et notre grâce, c'est sans doute que, à notre époque de puissance apparente, mais sans doute plus faible et plus démunie que toute autre, nous soyons conviés à vivre, comme sans doute jamais encore elle n'a été vécue, l'*infinie faiblesse du Seigneur*.

Inventer le visage de la sainteté du XXe siècle, c'est sans doute contempler comme jamais la faiblesse de l'Innocent, et la laisser transparaître en nous son image.

Le Seigneur fera en nous des merveilles.

Nous l'oublions toujours : à toutes les époques, le nom du Seigneur est « merveilleux ».

« Rien n'est trop merveilleux pour le Seigneur » (Gn 18, 14).

Seigneur, en ce temps de scandale où tant de chrétiens se laissent prendre aux pièges de la puissance, apprends-nous par ton Esprit, à être, à l'image de ton Fils, des êtres si faibles et si démunis, que tu sois notre seule force.

A une époque où la presse et les moyens d'information conditionnent comme jamais la pensée des hommes, que ton Esprit fasse de nous des êtres d'une totale liberté par rapport à tous les jugements du monde.

Seigneur, dans ce monde encombré de richesses, fais de nous des pauvres qui aient le courage de laisser l'Evangile se manifester en eux dans son explosive nouveauté, dans la tendresse infinie de son intransigeance.

Fais de nous des êtres brisés par le péché du monde, solidaires de toute la misère, faibles d'une faiblesse infinie, pour que nous soyons les témoins de la miséricorde du Père.

Que ta croix de lumière plantée au cœur de nos vies fasse de nous des enfants pétris de douceur et de faiblesse, heureux de la joie de Dieu, capables de bénir Dieu en toutes choses.

Façonne-nous à ton image pour que nous devenions des innocents, *capables, comme Paul, de « délirer » par amour pour leurs frères.*

Seigneur, rends-nous fous de la folie de ton Fils, *afin que dans tout notre être se manifeste le mystère scandaleux mais bienheureux du Serviteur.*

CONCLUSION

INNOCENT ?

« Je suis d'avis que nous ne pouvons pratiquement rien savoir de la vie et de la personne de Jésus... Je ne sais et je ne veux pas savoir comment les choses se passaient dans le cœur de Jésus. »

Quel chrétien conscient de ce qu'il vit ne s'est senti blessé à mort en lisant ces déclarations d'un des plus grands exégètes contemporains contemplant avec le sourire l'incendie qui ravage les certitudes les plus fondamentales de la foi chrétienne ?

Déjà d'ailleurs les disciples de Bultmann ont dépassé cette position et dénoncé cette rupture radicale entre le Jésus de l'histoire et le Jésus de la foi.

Mais qu'importe ! L'agnosticisme de l'historien, doublé d'un agnosticisme philosophique et théologique, a envahi beaucoup plus profondément qu'on ne le croit généralement la pensée de beaucoup de nos contemporains.

Et il n'est pas encore d'exégète catholique, suffisamment théologien, qui ait osé examiner jusqu'en leurs fondements les présupposés philosophiques qui pénètrent et parfois commandent toute la critique historique ou exégétique contemporaine.

Avouons-le sans fard : si les déclarations que nous citons plus haut sont fondées, ce livre est incontestablement l'ouvrage d'un « innocent ».

Son auteur, en effet, a la candeur de croire que, malgré la distance qui nous sépare des événements évangéliques, il nous est encore possible, grâce à l'Esprit qui nous en livre la signification, de lire l'Ecriture *comme le Christ et les Apôtres l'ont lue !* Il a la naïveté de penser que le seul véritable centre de perspective de toute interprétation de la parole de Dieu, *c'est la conscience humaine de Jésus, fils du Dieu vivant.*

Seule importe, en effet, en définitive pour les chrétiens, cette intelligence des Ecritures que Jésus ressuscité a communiquée à ses disciples (Lc 24, 1-48 et surtout 24, 44-48) et que ceux-ci, à leur tour, ont transmise à tous les croyants (cf. les discours des Actes).

Retrouver et exprimer le mystère de cette exégèse de Jésus par lui-même doit donc être l'objectif de toute herméneutique ecclésiale, autrement dit de toute interprétation de l'Ecriture. N'est-ce pas d'ailleurs pour qu'elle puisse avoir une compréhension proprement divine des Ecritures que l'Esprit a été donné à l'Eglise ?

Il faut, en effet, dépasser à tout prix cette dissociation tragique qui s'est instaurée entre l'étude critique de la parole de Dieu et son interprétation spirituelle. Car cette dissociation a abouti à rendre toute prédication impossible et à priver les petits du pain de la vérité dont ils ont faim.

Bien entendu, il ne peut s'agir de méconnaître les exigences de la critique biblique quand elle étudie la Parole livrée à l'Eglise comme un langage d'homme, soumis de droit aux divers procédés de compréhension appelés par tout discours porteur de sens.

A condition toutefois que cette critique demeure dans ses limites proprement rationnelles et qu'elle ne devienne pas totalitaire, incapable de mettre en question les présupposés philosophiques sur lesquels elle repose.

Aussi bien, ce livre s'appuie-t-il sur les recherches exégétiques les plus récentes : il devait primitivement être lesté d'un volumineux appareil scientifique de notes et de références justificatives, et si ce projet a été finalement abandonné, c'est tout simplement pour ne pas alourdir exagérément un livre destiné au grand public.

Mais l'Ecriture n'est pas purement un langage humain. Elle est aussi, et tout autant, une œuvre de l'Esprit de Dieu, et son sens ultime n'est vraiment accessible qu'à une pensée éclairée par l'Esprit qui l'a produite. Si bien que la seule exégèse adéquate de l'Ecriture — celle qui correspond aux intentions de l'auteur divin —, c'est une *exégèse spirituelle,* nous voulons dire une exégèse *dans l'Esprit*, celle-là même que Jésus a faite de sa propre vie.

L'étude critique et la lecture spirituelle ne s'opposent pas ; elles ont besoin l'une de l'autre pour manifester l'alliance parfaite entre l'humain et le divin qui est le mystère même du Christ. Elles sont l'une et l'autre nécessaires pour que soit retrouvée l'expression plénière de l'harmonie humano-divine de l'Ecriture, qui est la vérité de la Révélation.

Le principe dernier de cette interprétation plénière de la parole de Dieu, étant donné que Jésus-Christ est finalement le seul sujet dont parle l'Ecriture, c'est en vérité le Verbe fait chair, le Sauveur.

Jésus-Christ se donne d'ailleurs, nous l'avons vu, comme le sens des Ecritures et leur terme.

« Vous scrutez les Ecritures, dans lesquelles vous pensez avoir la vie éternelle, or ce sont elles qui me rendent témoignage » (Jn 5, 39).

Croire en Moïse, c'est finalement croire en Jésus, car c'est de lui qu'il a écrit (Jn 5, 46).

Oui, si le sens plénier du discours biblique résulte du rapport harmonieux de deux sens, l'un humain, l'autre divin, où peut-il se manifester si ce n'est en Jésus-Christ, réalité de l'alliance de Dieu et de l'homme ? Jésus n'est-il pas à proprement parler le « lieu » où l'existence humaine meurt à une certaine temporalité pour naître à la condition eschatologique ?

C'est de cette lecture proprement théologique et spirituelle — celle-là même *qui récapitule tout en Jésus-Christ*, —, dont notre difficile et merveilleux xxe siècle a le plus pressant besoin !

Ne nous serait-il pas possible de renouer avec la grande tradition spirituelle des Pères de l'Eglise, des Irénée, des Origène, des Augustin, des Maxime, des Bernard, des Bonaventure, des Thomas, des Jean de la Croix, de tant d'autres ?

En tentant de rejoindre de l'intérieur, avec l'acquit de nos méthodes à nous, modernes, et sous l'action de l'Esprit, cette exégèse qui porte d'abord et avant tout sur le *contenu* de l'Evangile, ce livre étonnera sans doute bien des lecteurs ; il en agacera, choquera, scandalisera certainement beaucoup d'autres.

Tout centré sur le mystère de l'Innocent, qui n'a jamais

cessé d'être en butte à la contradiction (Lc 2, 34), serait-il concevable qu'il ne la rencontrât pas ?

A moins qu'on ne préfère — autre forme plus insidieuse mais non moins efficace de la contradiction — l'envelopper de cette indifférence et de ce mépris, que méritent seuls les plus misérables des « attardés ».

Livre d'un « innocent » ?

L'avenir le dira !

Qu'importe, d'ailleurs !

Il est écrit à la seule gloire de l'*Innocent* et les pauvres se réjouiront. Cela ne suffit-il pas ?

Lannion,
Bec-ar-Lan
Vendredi-Saint — Pâques 1971.

APPENDICE

Le chapitre sur les prophètes modernes de l'Innocent avait d'abord été écrit comme il est donné dans ce livre. Puis, j'avais inséré, avant Dostoïevski, un texte sur Hölderlin, en m'inspirant directement d'une étude (inédite) de cet auteur par le P. Garrigues.

Mais finalement, si ce grand poète prophétise l'Innocent, il l'a prophétisé *dans une certaine ambiguïté*, qu'a très bien décelée Pierre Emmanuel : « Hölderlin ne sort jamais de l'humain déifié, et déifié en nostalgie. Jamais il n'intéresse ni l'homme ni Dieu, mais l'homme et le divin, formes bâtardes. » Aussi m'a-t-il semblé qu'il valait mieux mettre le présent texte en appendice, en y ajoutant quelques remarques sur Pascal et la littérature de la folie.

1. La douce nuit aimante

Au seuil du drame moderne, un merveilleux poète a dressé le scandale de l'innocence.

Dès l'enfance, Hölderlin a pressenti le mystère de sa vie : *incarner la parole décisive pour le monde moderne.* Et, à l'encontre de ses amis et condisciples du séminaire de Tübingen, Schelling et Hegel, il s'est abîmé dans un silence qui pour tous, est apparu folie !

Pour tous, sauf pour le menuisier Zimmer chez qui Hölderlein passa les quarante années de sa folie.

Avec l'étonnante intuition des humbles, celui-ci confiait : « A vrai dire, il ne lui manque rien. C'est ce qu'il a de trop qui l'a rendu fou. A vrai dire, il n'est pas fou du tout, ce qu'on appelle fou. »

Mystère de celui qui, réduit à rien, étranger en ce monde, appelle les hommes vers l'*ailleurs*.

Un signe, tels nous sommes, et de sens nul,
Morts à toute souffrance, et nous avons presque
Perdu la parole en pays étranger (*Mnémosyne*).

C'est après une longue crise spirituelle, où il avait résolu « de ne jamais laisser berner sa conscience par la pseudo-philosophie des autres ou par la sienne, par la ténébreuse philosophie des lumières qui violent tant de devoirs sacrés» , qu'Hölderlin avait rencontré le Christ.

Le Christ qui « a sous le soleil semblance d'un mendiant » *(L'unique)*, celui qui a refusé de faire éclater sur le monde la puissance de sa gloire divine, lui a révélé *ce qu'est Dieu*.

En se plaçant sous la gloire du Pere par renoncement à sa propre gloire qui aurait attiré à lui le monde entier, le Christ manifeste, en effet clairement que la tentation satanique consiste à s'imposer irrésistiblement à l'humanité par la toute-puissance.

L'abaissement du Christ qui se dépouille de sa condition divine pour révéler son Père brise pour toujours le mouvement par lequel l'homme, dans le désir fou qu'il a de se faire lui-même Dieu, tente de mettre la main sur la divinité.

« C'est précisément ce que nous désirons qui nous inspire les plus grands doutes », confesse Hölderlin.

Car l'infini du désir livre l'homme à l'abîme de la volonté de puissance qui lui présente l'Absolu comme *néant* et comme *mort*.

Et seul le fait que Dieu se retire de ce monde du désir avide met en pièces ce cercle infernal de la volonté de puissance, cet « éternel retour du pareil », chanté par Nietzsche comme le mouvement de l'être du Surhomme.

L'absence de Dieu est notre secours.

Telle est la substance du message d'Hölderlin. Comme personne, il a réalisé que le désir d'absolu suscité par la volonté de puissance, était le moteur secret de la figure prise par le monde contemporain, celle de la « mort de Dieu ».

Aussi bien, est-ce en refusant de manifester sa gloire que le Christ introduit les disciples dans la vraie patrie (le *Vaterland*), dans la demeure du Père qui habite une lumière inaccessible. Le retournement eschatologique du désir d'absolu en accueil et en attente est l'expérience fondamentale des premiers disciples.

Et c'était comme une joie
Désormais d'habiter la douce nuit aimante
Et de garder dans des yeux simples
Les abîmes de la Sagesse.
Pour quelqu'un
Etait devenu sa patrie un petit espace (*Patmos*).

Pour découvrir, comme les Apôtres et surtout comme Jean (symbolisé par Patmos), la « demeure pauvre et pleine d'accueil », qui garde le secret de sa « toute ferme demeurance » dans le mystère de Dieu, *il faut avoir renoncé à trouver dans le Christ la maison de son désir ;* il faut avoir résolu de lui demeurer fidèle sur la terre dans la « douce nuit aimante » qui suit son départ.

La vérité de notre monde nous est dévoilée, elle, dans le retrait du Christ, dans la kénose de la Croix ouvrant aux hommes le passage au Père. L'obéissance filiale apparaît désormais comme *le lieu* d'où est donné l'Esprit aux Apôtres. C'est dans l'Esprit que le chrétien découvre le mystère de cette vie de fils accordée à la volonté du Père. Elle a été vécue par Hölderlin « fou » comme la vie *innocente* de l'enfant :

Comme le Père du ciel regardera
Avec joie l'enfant grandi
Marchant sur les champs riches en fleurs
Avec d'autres qui lui sont chers (*La naissance d'un enfant*, poème de la folie).

L'homme qui vit dans l'Esprit est un « enfant grandi », mais il ne devient vraiment image de Dieu que par la mort, serein accomplissement de l'innocence filiale :

La beauté n'est dévolue qu'aux enfants
Est de Dieu l'image même peut-être
Leur sûr trésor est quiétude et silence
Qui tourne aussi à la gloire des anges (*Sur la mort d'un enfant*, poème de la folie).

Parce qu'elle est morte à l'inquiétude du désir, l'existence d'Hölderlin est liberté dans l'Esprit :

Quand je m'en vais par la prairie,
Quand j'erre aux champs, je suis toujours,
L'homme pieux, l'homme docile
Par les épines épargné.
Mon abri bouge avec la brise,
Et l'Esprit gaiement me demande
Où donc perdure l'être intime
Jusqu'au jour de son dénouement...
Les heures sonnent au clocher
Quelque image que l'on contemple
La paix du cœur nous est rendue
Et ce sommeil de nos souffrances (*La vie joyeuse*, poème de la folie).

Ainsi accordé par l'Esprit à la « fin » dans le Père « qu'est le Christ » *(Patmos)*, Hölderlin, enfant, fou ou innocent, entre dans le mystère de l'humilité filiale — ses derniers poèmes sont signés de ces mots : « *avec humilité* » — c'est-à-dire dans l'eschatologie.

Il y a *une seule chose* que je sais :
La volonté du Père
Eternel est pour toi chose
Du plus grand prix (*Patmos*).

Mon cœur devient
Un cristal auquel
La lumière s'éprouve (*Au savoir de l'abîme*).

L'expérience d'Hölderlin est limpide :

Le support amoureusement consenti de la nuit du retrait de Dieu, est la passion par laquelle l'Esprit accomplit dans le cœur de l'homme le dévoilement du Nom du Père.

Et voilà que l'homme est dévoilé :
Mais l'ombre
De la nuit avec les étoiles n'est pas plus pure,
Si j'ose le dire que
L'homme qu'il faut appeler une image de Dieu (*En bleu adorable*)

Ainsi, au moment où se noue le destin du monde moderne, un homme, sous la figure d'un *innocent*, a comme dessiné l'axe où se trouve le salut. N'avait-il pas placé en exergue de son *Hypérion* l'admirable texte spirituel qui est une des meilleures expressions chrétiennes de la grandeur de Dieu :

Non coerceri maximo, contineri tamen a minimo, divinum est.

Ne pas être enfermé par ce qu'il y a de plus grand, se laisser contenir par ce qu'il y a de plus petit, voilà qui est divin.

Hölderlin ne peut pas ne pas évoquer Nietzsche.

Hölderlin, Nietzsche, ces deux figures semblent, en effet, se répondre en parfait contraste.

Nietzsche est, lui aussi, mort fou, mais l'ultime aveu de ses dernières paroles le rapproche peut-être de l'innocent Hölderlin : « Mutter, ich bin dumm », « Mère, je suis idiot. »

Nietzsche, cet homme que la soif exacerbée d'un accord de pure transparence avec lui-même et avec les autres, a brûlé, consumé jusqu'à la folie !

Admettons que nous disions « oui » à un seul et unique moment, nous aurions dit « oui » non seulement à nous-mêmes, mais à tout ce qui existe. Car rien n'est isolé, ni en nous, ni dans les choses, et si même une seule fois la joie a fait retentir notre âme, toutes les éternités étaient nécessaires pour créer les conditions de ce seul moment, et toute l'éternité a été approuvée, justifiée dans cet instant unique où nous avons dit « oui ».

Cette transparence, Nietzsche a tenté de l'acquérir par la volonté de puissance, alors qu'elle ne peut être donnée, reçue que dans la « douce nuit aimante » chantée par Hölderlin.

Quel paradoxe qu'au seuil du monde moderne la figure de l'Innocent s'imprime dans notre histoire avec une telle vigueur !

2. La merveilleuse logique de l'amour

Quelques siècles avant les prophètes modernes de l'Innocent, Pascal avait saisi le mystère du Christ à la lumière des prophéties, et plus particulièrement de celles du Serviteur d'Isaïe.

C'est cette intuition de base qui lui avait permis d'en dire, comme personne, l'extraordinaire paradoxe.

Avec lui, l'*Innocent à l'agonie* est apparu en pleine lumière :

Jésus-Christ sera en agonie jusqu'à la fin du monde ; il ne faut pas dormir pendant ce temps-là... Jésus était dans l'agonie et dans les plus grandes peines, prions plus longtemps (Pensées, 919/553).

A dire vrai, l'*Innocent* a créé chez Pascal l'espace nécessaire à la parole ; il lui a donné son langage percutant qui touche si directement le cœur.

Un fragment des *Pensées* dessine en quelques traits l'essentiel de sa démarche :

Pendant la durée du Messie.
Aenigmatis. Ezech. 17.
Son précurseur : Malachie 2.
Il naîtra enfant. Is. 9.
Il naîtra dans la vie de Bethléem. Mic. 5. Il paraîtra principalement en Jérusalem et naîtra dans la famille de Juda et de David.
Il doit aveugler les sages et les savants. Is. 6 ; Is 8, Is 29 ; Is. 61, et annoncer l'Evangile aux pauvres et aux petits, ouvrir les yeux des aveugles et rendre la santé aux infirmes — et mener à la lumière ceux qui languissent dans les ténèbres (Isaïe 61).
Il doit enseigner la voie parfaite et être le précepteur des gentils (Is. 55, 62, 1-7).
Les prophéties doivent être inintelligibles aux impies (Dan. 12, Osée ult. 10) mais intelligibles à ceux qui sont bien instruits.
Les prophéties qui le représentent pauvre le représentent maître des nations (Is. 52, 14 ss., 53 ; Zach. 9, 9).
Les prophéties qui prédisent le temps ne le prédisent que maître des gentils et souffrant, et non dans les nuées, ni juge. Et celles qui le représentent ainsi, jugeant et glorieux, ne marquent point le temps.
Qu'il doit être la victime pour les péchés du monde (Is. 39, Is 53, etc.)
Il doit être la pierre fondamentale et précieuse (Is. 28, 16).
Il doit être la pierre d'achoppement, de scandale (Is. 8).
Jérusalem doit heurter contre cette pierre.
Les édifiants doivent réprouver cette pierre (Ps. 117, 22).
Dieu doit faire de cette pierre le chef du coin.
Et cette pierre doit croître en une immense montagne et doit remplir toute la terre (Dan. 2).
Qu'ainsi il doit être rejeté, méconnu, trahi (Ps 108, 8).

Vendu (Zach. 11, 12), craché, souffleté, moqué, affligé en une infinité de manières, abreuvé de fiel (Ps 68), transpercé (Zach. 12), les pieds et les mains percés, tué et ses habits jetés au sort (Ps. 22).

Qu'il ressusciterait. Ps 15, le troisième jour, Osée, 6, 3.

Qu'il monterait au ciel pour s'asseoir à la droite, Ps. 110.

(Pensées 487/727).

Sur cet horizon, le paradoxe de la personnalité de Jésus s'affirme avec son caractère presque insoutenable :

Quel homme eut jamais plus d'éclat.

Le peuple juif tout entier le prédit avant sa venue.

Le peuple gentil l'adore après sa venue.

Ces deux peuples, gentif et juif, le regardent comme leur centre.

Et cependant quel homme jouit jamais moins de cet éclat.

De 33 ans il en vit 30 sans paraître. Dans 3 ans il passe pour un imposteur. Les prêtres et les principaux le rejettent. Ses amis et ses plus proches le méprisent, enfin il meurt trahi par un des siens, renié par l'autre et abandonné par tous.

Quel part a-t-il donc à cet éclat ? Jamais homme n'a eu tant d'éclat, jamais homme n'a eu plus d'ignominie. Tout cet éclat n'a servi qu'à nous pour nous le rendre reconnaissable, et il n'en a rien eu pour lui (Pensées 499/792).

Avec une incomparable concision, le texte sur les trois ordres dévoile le cœur de la pensée pascalienne toute dominée par le paradoxe de Jésus comme révélation de la Sagesse divine. Ne citons que ce fragment :

Jésus-Christ, sans biens, et sans aucune production au-dehors de science, est dans son ordre de sainteté. Il n'a point donné d'inventions. Il n'a point régné, mais il a été humble, patient, saint, saint, saint à Dieu, terrible aux démons, sans aucun péché. O qu'il est venu en grande pompe et en une prodigieuse magnificence aux yeux du cœur et qui voyent la sagesse (Pensées 308/793).

Merveilleuse logique de l'amour !

C'est tout le mystère de l'Innocent.

3. Folie et profondeur du réel

Dans ce livre, je me suis délibérément tenu au thème de l'*Innocent* dans le monde moderne.

Il eût cependant été facile de pousser l'analyse à travers toute l'histoire de la littérature, et spécialement dans quelques très grandes œuvres : *Dom Quichotte ; Parsifal* (de Wolfram von Eschenbach, repris par Wagner) ; *Simplex Simplicissimus ; L'éloge de la folie* (d'Erasme). Mais cet ouvrage déjà ample se fût encore allongé.

De cette analyse, une remarque capitale eût surgi : dans un monde que le christianisme transforme en profondeur, il devient impossible d'écrire des pièces mythologiques. Un seul sujet fondamental demeure fascinant : le fou, celui qui vient d'ailleurs.

C'est qu'en effet l'Innocent donne sens à la parole en lui donnant sa densité. Il restitue ce lieu de « glorieuse liberté » qui s'ouvre sous son regard.

Regard merveilleux de l'*Idiot !*

L'*idiot* — de « idios » — le *propre*, ce qui n'étant comparable qu'à soi-même, fait éclater le paradoxe de l'irréductibilité de la *personne*, qui apparaît aux yeux du monde habitué au « pareil » comme un *monstre*.

Pour tout dire, il serait aussi nécessaire d'évoquer l'*Innocent* au cinéma. Ne citons, à titre d'exemple, que *La Strada, Celui qui doit mourir, Andreï Roublëv, Les Clowns*, sans compter les adaptations de Bernanos : *Le curé de campagne, Mouchette, Sous le soleil de Satan.*

Il ne faudrait pas oublier la peinture : qu'on pense simplement à Rouault.

Pour dévoiler la profondeur du réel, seul a du poids

Celui qui vient d'ailleurs,

L'INNOCENT

Table des matières

Quatrième partie

La grâce de l'Innocente

Cinquième partie

Le paradoxe évangélique

Sixième partie

De notre nuit jaillira la lumière

Conclusion

ACHEVÉ D'IMPRIMER PAR
L'IMPRIMERIE CH. CORLET
14110 CONDÉ-SUR-NOIREAU

N° d'Éditeur : 7607
N° d'Imprimeur : 1214
Dépôt légal : octobre 1982

Imprimé en France

Imprimatur : Paris, le 23 mai 1971

E. BERRAR, v. é.